미국으로 간 허준 그리고 그 후

미국으로 간 허준
그리고 그 후

초판 1쇄 발행 2016년 7월 7일
초판 2쇄 발행 2016년 8월 16일

지 은 이 유화승
발 행 인 권선복
편　　집 김정웅
디 자 인 최새롬
전 자 책 천훈민
발 행 처 도서출판 행복에너지
출판등록 제315-2011-000035호
주　　소 (07679) 서울특별시 강서구 화곡로 232
전　　화 0505-613-6133
팩　　스 0303-0799-1560
홈페이지 www.happybook.or.kr
이 메 일 ksbdata@daum.net

값 15,000원
ISBN 979-11-5602-385-2 03510

환자가 중심이다
'The focus is the patient.'

미국으로 간 허준 그리고 그 후

유화승 지음

추천사

우리는 지난 수 십 년간 천문학적인 돈을 들여 연구를 했음에도 불구하고 인간의 신체와 건강에 대해 올바르게 접근하지 못했기 때문에, 암을 포함한 많은 만성 질환들을 근본적으로 또는 효과적으로 완치하지 못하고 있다. 최근까지도 서양의학에서는 세균이나 바이러스와 같은 한 가지 문제 또는 혈압이나 혈당과 같은 숫자의 개념으로만 질병을 이해하려고 했고, 인체를 복합적인 시스템으로 존중하기 보다는 질병을 유발하는 개개의 유전자를 찾거나 건강을 증진시킬 수 있는 특이한 기전만을 찾아왔다.

지난 50년 동안 서양의학에서는 암을 치료하기 위해 개개 암의 특성을 이해하는데 집중함으로써 종양학 분야에 있어서 많은 발전을 이룩하였다. 하지만 암을 직접적으로 조절하기 위한 방법을 찾는 데는 소홀하였고 또한 암을 치료하기 위해서는 우선 예방부터 시작해야 된다는 사실을 잊고 있었다. 즉 전체를 이해하여 진정한 돌파구를 찾기보다는 치료의 작은 작전만을 위해 과학을 세분화하면서 큰 그림을 놓치고 길을 잃고 만 것이다.

건강이란 무엇인가? 건강을 정의함에 있어서 하나의 정답은 없으며 여러 개의 답이 정답이 될 수 있다. 하나님은 우리 인간을 너무나 신비스럽게 정교하게 그리고 지능적으로 창조하셔서, 우리 개개인은 생각도 각자 다르고 몸의 화학적인 반응 정도도 각각 다르기 때문에 건강은 개개인 자신만의 용어로서 재 정의해야만 한다. 우리의 몸은 독특하게 조직된 매우 기능적인 시스템이기에 DNA 만으로 풀 수가 없고, DNA에 건강의 책임이 있다고 말하는 것은 마치 나무만 보고 숲을 못 보는 것과도 같다.

이번에 대전대학교 둔산한방병원 동서암센터의 유화승 교수가 1년간의 엠디앤더슨 암센터 연수를 마치고 돌아와 펴낸 〈미국으로 간 허준〉은 부분이 아닌 전체를 바라본다는 차원에서 암 환자의 생활 관리 및 근거중심적 보완대체의학 치료에 있어서 좋은 지침서가 되리라 확신한다. 세계 최고의 암센터로 공인 받은 엠디엔더슨 암센터에서 31년간 근무한 본인이 이 추천서를 쓰게 된 이유는 그와의 특별한 인연 때문이다. 엠디앤더슨에 유 교수가 와 있는 동안 매주 수차례씩 강의 때마다 옆자리에 함께 앉았고, 그와 통합의학에 대한 여러 차례의 토의를 통해 유 교수의 근거 중심적인 한방 종양학을 이해하고 또 발전시키려는 의도와 태도에 공감을 하였기에 그를 도와주고 싶은 생각이 든 것이다.

한의학적인 접근과 치료는 우리 몸 전반에 걸쳐 면역학적으로 영향을 주기 때문에 암치료에 있어서 보완대체의학으로서의 역할을 긍정적으로 충분히 발휘할 수 있다고 생각한다. 많은 미국의 대학병원 대형 암센터 외래에서 침 치료를 시행하고 있고, 음악, 미술,

기공 및 마사지 치료 등도 손쉽게 찾아볼 수 있다. 반면 한국은 전통 의학인 한의학이 오랜 역사를 가지고 계승됨에도 불구하고 대부분의 암센터에서 한의학적인 치료를 쉽게 못 받는다는 사실은 실로 안타까운 일이다. 본인은 안전성과 유효성을 근거로 환자를 위해서는 어떤 치료도 쉽게 소개되어야 한다고 믿는다. 이러한 차원에서 본다면 이 책은 분명 값어치가 있음이 확실하다.

모든 의료인들과 암환자 및 그 보호자들에게 이 책을 강력히 추천하고 또 이 책이 한국에서 통합 암치료가 실현되는 데 있어서 효시가 되어 환자들에게 진정한 도움이 되기를 바란다.

미국 엠디앤더슨 암센터 핵의학과 주임교수(전)
미국 얼바인 캘리포니아대학, 서울대학교, 경희대학교 교수(현)
김 의신

추천사

평소 친분이 두텁고 이 분야에서 많은 연구업적을 내고 있는 대전대학교 한의과대학 동서암센터의 유화승 교수가 텍사스 휴스턴의 엠디앤더슨 암센터에서 통합의학의 암 치료에 대한 연구를 하고 있는 것은, 의성 허준이 현대의학의 메카이자 세계에서 가장 우수한 암 치료 센터에서 첨단 한의학을 재창조하는 도전을 하는 것에 비유할 수 있습니다.

특히 서양의학의 수술, 화학요법 및 방사선치료 이외에 환자의 체력과 면역력을 증강시켜 암을 극복하고 이겨내는데 한국을 대표하는 인삼을 가지고 세계의 중심에서 근거 중심적 접근을 하고 있는 것은 정말로 의미 있고 신선한 충격을 가져다 주는 일입니다.

한국 한의학의 암치료 분야를 대표하는 유화승 교수의 이러한 노력은 한의학의 진가를 전 세계에 알릴 수 있는 아주 좋은 기회일뿐더러, 전통의학을 현대의학과 당당히 어깨를 겨루게 하며 서로 상승효과를 가져올 수 있는 기틀을 만드는 쾌거입니다.

그동안의 많은 경험과 특히 지난 1년간 세계 최고의 암센터라 할 수 있는 엠디앤더슨 암센터에서의 연수과정을 통해 암환자들에게 도움이 될 수 있는 〈미국으로 간 허준〉이라는 소중한 책을 출판한 업적은 한국에서도 동서의학이 통합하는 새 출발을 알리는 초석이 될 것입니다.

이 책을 통해 앞으로 한국 전통의학의 우수성이 전 세계에 더욱 더 알려질 수 있고, 또 암이라는 질병으로 고통 받고 있는 수많은 환자들에게 희망의 메시지를 전달하기를 기원합니다.

또 현재 암치료의 대세라 할 수 있는 통합의학적인 접근을 통해 많은 암환자 분들에게 용기와 희망을 안겨주고, 지금까지의 연구를 바탕으로 더욱 다양한 연구업적을 일구어 내어 암치료의 획기적인 치료혁명을 가져오기를 기대하는 바입니다.

대한통합암학회 이사장

최 낙원 (의사/한의사(신경외과 전문의))

머리말

오아시스….

사막에서 물이 떨어진 극한 상황에 몰려 삶과 죽음의 경계를 넘나드는 여행자에게 있어서 오아시스는 그대로 포기하지 않도록 희망을 주는 생명과도 같은 존재이다. 인생이란 여정에 있어서 우리는 언제든지 이러한 극한 상황에 마주할 수 있으며, 특히 암이라는 질병을 선고받거나 그 치료 중의 극심한 부작용에 의해 치료를 포기하고 싶을 때 또 전이나 재발이 발생했을 때 절망이라는 늪 앞에 서게 된다.

엠디앤더슨 암센터가 위치한 휴스턴은 미국에서 네 번째로 인구가 많은 도시로 텍사스에 위치하고 있다. 휴스턴과 엠디앤더슨 암센터 내에서는 종종 분수나 인공폭포를 발견할 수 있는데 아마도 이는 망망한 텍사스 땅을 개발할 때 경험할 수 있는 절망의 상황에서 끝까지 희망을 잃지 말라는 의미로 "오아시스"를 만들어 놓은 것이 아닌가 생각해본다.

엠디앤더슨 암센터는 암환자들에게 말 그대로 희망이자 생명인 "오아시스"와 같은 존재인 셈인 것이다. 암 환자들은 절망의 벼랑 끝에 서서 엠디앤더슨 암센터를 만나게 된다. 그리고 그 안에는 엠디앤더슨의 주된 추구방향 중 하나인 "통합의학센터"가 자리하고 있다.

이 책은 일곱 장으로 구성되어 있다.

첫 번째 장은 필자가 처음으로 한방 종양학을 접하게 된 계기부터 중국에서의 연수과정, 통합암치료 분야에 있어서의 학술적 활동 및 연구년을 맞이해 세계 최고의 암센터라고 불리는 엠디앤더슨 암센터 통합의학부서에서 연수를 시작할 때까지의 과정을 담았다.

두 번째 장에서는 독자들의 엠디앤더슨 암센터에 대한 이해를 돕도록 엠디앤더슨 암센터에 대한 전반적인 소개와 그곳에서 보낸 1년 동안 이 기관에 대해 느꼈던 필자의 감회들을 진솔하게 기술했다. 또 그곳에서 만났던 인연들과의 소중한 추억에 대해서도 에피소드를 중심으로 소개하였다.

세 번째 장에서는 필자가 연수했던 통합의학부서에서 이루어지고 있는 연구, 교육, 진료 분야에 대한 상세한 해설 및 이곳에서 실제 일하고 있는 각 분야에서의 전문가들과의 대화를 인터뷰 형식으로 다루었다.

네 번째 장에서는 암환자에게 도움이 될 수 있는 다섯 가지의 생활방식을 엠디앤더슨 암센터의 환자교육과 뉴스레터, 그리고 통합의학의 근거들을 중심으로 구체적인 실천방법과 함께 제시하였다.

다섯 번째 장에서는 암환자의 증상완화 및 치료를 위해 임상에서 활용되어지고 있는 통합의학적 치료법들 중 특히 한의학의 근간이 되는 침술에 대해 과학적 근거를 가지고 이에 대한 기전과 효능을 설명하였고 또 암환자에게 실제 도움이 될 수 있는 침치료에 대한 필자의 제안을 담았다.

여섯 번째 장에서는 암치료에 사용되어지는 개별 한약 및 몇몇 처방에 대해 현재까지 이루어진 연구들을 근거중심적으로 요약하였다. 특히 그 금기증 및 주의사항에 대해서 상세히 기술하여 암환자들이 무조건적으로 접근하여 오히려 해를 볼 수 있는 상황을 최대한 예방하는데 도움을 주고자 하였다.

(마지막 장은 프롤로그에서 이야기하도록 하겠다.)

암환자의 입장에서 보면 현대의학이던 전통의학이던 간에 틀은 그다지 중요하지 않다. 중요한 것은 실제로 그 치료가 병을 치료하는데 도움이 되는지의 여부이다. 소위 현대의학의 최고봉에 서있다는 미국의 엠디앤더슨 암센터에서는 외래 클리닉에서 암환자를 위한 침치료가 이루어지고 있고, 또 그룹 서비스를 통해 기공체조나 맛사지 등 암환자의 삶의 질을 개선시킬 수 있는 전통의학을 이용한 의료서비스가 적극적으로 제공되고 있다. 뿐만 아니라 의료상담에 있어서도 보다 진솔하게 현재까지 구축되어져 있는 과학적 근거를 기반으로 전문 의료인과의 상담을 통해 그 치료방향이 제공되어진다.

환자 입장에서는 내가 도움이 되는 치료법이 있다면 이를 당연히 받고 싶을 것이고 의료인의 입장에서도 실제 환자에게 도움이 되고 또 이에 대한 근거만 충분히 있다면 이를 시술하고 싶을 것이다. 문제는 받아들일 수 있는 근거의 수준이 어느 정도이며 또 그 기준은 무엇인가 하는 것이다. 이에 대한 해법을 우리는 통합의학에서 발견할 수 있다.

환자에게 도움이 될 수 있는 치료법이 수용되기 위해서는 분명히 일정 수준 이상의 안전성과 유효성에 대한 근거가 있어야만 할 것이고 또 그 기준이 제시되어야만 할 것이며, 이는 전문 의료인을 통해 권고가 이루어져야 할 것이다. 이 책이 이러한 문제들을 풀어내는데 일조하여 암이라는 질병으로 고통 받는 많은 환자분들에게 있어서 작으나마 희망과 생명을 주는 "오아시스"와 같은 존재가 되길 기대하는 바이다.

필자의 인생에서 소중한 연수의 기회를 주신 대전대학교 및 그 구성원들에게 우선적으로 감사를 드린다. 또 이 책이 출판되기까지 아낌없는 지원을 해준 필자가 속해있는 동서암센터의 조종관 교수님을 비롯한 여러 교수님들과 전공의, 연구원 선생님들께도 감사를 표한다. 필자를 초청해주고 책에 관련 내용들을 사용할 수 있게 허락해준 엠디앤더슨 암센터 통합의학부서의 로렌조 코헨, 페이잉 양을 비롯한 여러 구성원들에게 감사를 표한다.

1년간 만난 엠디앤더슨에서 근무하는 많은 분들과 또 인연이 된 여러 선생님들에게도 감사를 표한다. 연수과정 중 곁에서 누구보다도 힘이 되어준 아내와 혜원, 준호, 성호 세 자녀들과 멀리서나마 지켜보시며 후원해주신 부모님께도 감사를 드린다. 마지막으로 어려운 여건 속에서도 흔쾌히 이 책을 출판해주신 행복에너지 출판사의 권선복 대표님 및 직원분들께도 감사를 표하는 바이다.

2013년 4월 둔산한방병원 진료실에서

프롤로그

『미국으로 간 허준 그리고 그 후』를 출간하며

(앞의 머리말에 이어서)

2012년 미국 엠디앤더슨 암센터에서의 연구년 중 집필한 『미국으로 간 허준』이 2013년 국내에 출간된 후 많은 변화가 있었다.

첫째, KBS 1의 특집 다큐멘터리 『의학 제 3의 물결』(2014년 1월 25일), 시사기획 창 『우리의학 미래를 꿈꾸다』(2014년 4월 1일) 그리고 특집 다큐멘터리 『미래의학보고서 - 행복한 투병』(2015년 2월 12일)을 통하여 엠디앤더슨 암센터를 중심으로 한 통합암치료가 집중적으로 방영이 된 후 나비효과라고나 할까, 많은 분들이 통합의학, 동서양 의료의 융합에 대해 공감해 주셨고, 또 이와 관련한 국가예산의 비중이 점차 높아지는 변화의 계기를 마련하게 되었다. 이는 향후 세계적으로 이루어질 통합의학에 대한 국내의료의 경쟁력과 완성도를 높이는 디딤돌의 역할을 할 수 있을 것으로 예상된다.

둘째, 통합암치료에 대해 의과대학 및 대학부속병원, 여러 학회, 통합의학박람회 등을 통해 교육 및 강의를 진행함으로써 특히 의학을 전공한 여러 의료인들 사이에서 소통과 공감대를 형성하였다. 이는 통합의학의 근거중심적 접근법이 의료인들 사이의 장벽을 넘는 소중한 통로로 활용될 수 있다는 사실을 다시금 확인시켜 주었다. 특히 2015년 2월 대한통합암학회KSIO, Korean Society of Integrative Oncology를 출범시킴으로써 국내에서 통합암치료가 학술적으로 정착할 수 있는 터전을 마련하였다.

셋째, 이 책과 관련하여『미국으로 간 허준』의 중문판인『종합암증치료』와『미국으로 간 허준』에서 못다 말한 항암 음식 이야기인『항암컬러푸드 색깔의 반란』이 연달아 출간되었다.『종합암증치료』는 다가오는 중국 중심의 전통의료시장에서 한국이 통합암치료를 선점했다는 점을 어필할 수 있을 것이고,『항암컬러푸드 색깔의 반란』은 보다 독자들에게 통합의학적으로 친근하게 다가갈 수 있는 암환자의 생활관리 지침서가 될 수 있을 것이다.

마지막으로 연구부분에서 국가 연구과제인 보건산업진흥원의 한약제제개발, 양한방 융합과제와 한의약 종양임상인프라 구축 연구를 수행하게 된 것이다. 이전의 개인연구자로서의 열정에 의한 연구뿐만이 아닌 보다 체계적인 국가 지원 하에서의 통합암치료에 대한 접근이 가능케 된 것이다. 그 연구결과들은 분명 통합암치료의 근거수준을 높여주고 한국의 전통의학을 기반으로 한 통합암치료에 대한 세계수준의 선도적 연구를 진행할 수 있을 것으로 확신한다.

출판업계의 어려운 상황에서도 이를 감내하고 관련 책들의 발간을 담당해주시고, 또 금번 『미국으로 간 허준 그리고 그 후』 출간을 결정해 주신 도서출판 행복에너지의 권선복 대표님 이하 직원 분들께 다시금 감사를 표하며, 부디 이 책이 "암이라는 질병으로 고통 받는 환자들을 위한 삶"이라는 저자의 소명이 현실화되어 암 환자들에게 도움을 줄 수 있는 건강 서적이 되기를 바란다.

2016년 6월 둔산한방병원 진료실에서

목차

2장

엠디앤더슨 암센터 71

3장

엠디앤더슨의 통합의학 프로그램 115

미국으로 간 허준

그리고 그 후

1장

꿈을 향해서

아버지는 어린 내게 종종 "넌 나중에 내가 이루지 못한 꿈을 꼭 이루고 아픈 환자들에게 도움을 주는 삶을 살아가라"는 말씀을 하셨고, 내가 의사의 꿈을 키워가는 데 전폭적인 지지를 보내주셨다.

한의학과의 인연

어렸을 때부터 나는 의사가 되고 싶었다.

누가 꿈을 물어 볼라치면 남들은 대통령이다 장군이다 했지만 나는 항상 의사가 되고 싶다고 대답했다. 지금 생각해보면 아버지의 영향이 크지 않았나 싶다. 아버지는 6·25 전쟁 때 황해도 연백에서 인천으로 피난을 내려오신 세대로, 원래 의사가 되고자 하셨으나 집안 형편이 어려워 의대의 꿈을 접으시고 고려대 경제학과를 졸업하셨다. 못다 이룬 꿈에 대한 아쉬움에서인지 아버지는 어린 내게 종종 "넌 나중에 내가 이루지 못한 꿈을 꼭 이루고 아픈 환자들에게 도움을 주는 삶을 살아가라"는 말씀을 하셨고, 내가 의사의 꿈을 키워가는 데 전폭적인 지지를 보내주셨다.

아버지에게 영향을 받은 다른 한 가지는 바로 국제화 마인드이다. 내가 어렸을 적만 해도 외국인과 접촉하는 것이 그리 흔치 않은 일이었는데 당시 사업을 하시던 아버지 덕분에 우리 집에는 외국 손님들이 자주 방문했었다. 자연스레 나는 어린 나이에도 영어의 중요성을 깨달을 수 있었고, 영어공부에도 흥미를 가지게 되었다. 아버지는 사업 관계로 외국에 자주 출장을 다니셨으며 귀국하실 때마다 내게 "세계는 넓으니까 눈을 세계로 돌려 미래를 계획해라"라고 조언해주셨다. 그런 아버지와 환경 덕분에 나는 외국 사람들의 집에 놀러가거나 그들의 지도를 받아 영어웅변대회에 나가는 등의 당시로서는 남다른 경험들을 쌓을 수 있었다.

고등학교 시절에도 의사에 대한 꿈은 변하지 않았지만, 내 머릿속에는 한의학에 대한 막연한 동경도 있었다. 고등학교 1학년 여름방학에 우연히 서울대 의대 불교 동아리 학생들과 함께 강원도로 수련회를 간 적이 있었다. 우리는 수련회 후 뒤풀이로 신당동 떡볶이 집에 가서 만남을 기념했는데, 그때 내게 도움이 되는 이야기를 많이 해주시던 동아리 회장 형에게 이렇게 물었다.

"의대에서는 한의학은 안 배우나요?"

"응. 나도 한의학에 관심은 있는데 배울 수 있는 기회가 없네."

"우리나라의 고유한 전통의학인데 왜 의대에서 같이 안 배우는지 이상하네요. 그렇다면 독학으로 공부해서 현대의학과 접목을 시키면 되지 않나요?"

"그게 쉽지가 않아. 의대 공부를 하는 것만 해도 시간이 너무 모자라고 또 서로 너무 다른 학문이기 때문에 함께 공부하기는 어려워."

아마도 이때부터 나는 의학과 한의학을 접목시켜 통합시키는 꿈을 막연하게나마 가졌던 것으로 기억된다.

한의대에 진학하기로 본격적으로 마음먹은 것은 재수시절이었다. 드라마 '허준'과 소설 『동의보감』의 인기몰이 때문이었는지, 당시에는 한의대의 인기가 하늘 높은 줄 모르고 치솟을 때였다. 같은 반에 친하게 지내던 형이 있었는데, 그는 종종 "의대보다는 한의대가 앞으로 더 전망이 좋고 향후 개척할 수 있는 분야가 훨씬 많다"고 말했다. 나는 그 얘기를 들으면서 '내가 우리 고유의 전통 한의학을 세계 속에 전파시키는 일을 할 수 있다면 참 멋지겠구나' 하는 세계화의 꿈을 꾸었다. 그런 꿈과 함께 나는 한의대에 진학하게 되었다.

한의대에 입학 후 나는 동양철학의 바탕이 되는 원전에 매료되었다. 원전을 공부하다 보면 동양의학에서 주창하는 내 몸과 마음을 둘이 아닌 하나로 바라보고 자연과 함께 더불어 살아가는 전인적全人的 세계관을 엿볼 수 있었는데, 회고해보면 이러한 전인적 사고관이 바탕이 되어 훗날 통합의학에 대한 길을 갈 수 있지 않았나 하는 생각도 든다.

종양학과의 만남

종양학이라는 학문에 본격적인 관심을 기울이게 된 계기는 본과 2학년 2학기에 평생의 은사이신 조종관 교수님의 첫 수업을 들으면서 시작되었다. 교수님은 당시 한의계에서 한방 종양학의 선두주자 그룹에 계셨던 이 분야에서의 명성이 높은 분이셨다. 교수님의 꿈은 원래 아프리카에서 선교 및 봉사활동을 하는 것이었다. 그러나 현실적인 문제에 부딪혀 그 꿈이 난치병 치료로 바뀌게 된 후, 중국 중의연구원 부속 광안문병원의 부원장이자 종양과 주임교수였던 조선족 출신의 박병규 교수님과의 만남을 계기로 한방 종양학을 전공하기로 결심을 굳히게 되셨다고 한다.

조종관 교수님은 1991년 대전대학교 한방병원 내에 국내 최초 한의과대학 부속 암센터인 동서암센터를 개설하셨고, 이후 '소적백출산'이라는 와송을 중심으로 한 한방 항암처방을 개발하여 이와 관련한 실험 및 임상연구를 진행하시던 중이었다. 교수님은 수업시간에 처음 들어

오셔서는 『역대중의종류선수』라는 중국 원서를 교재로 한방암치료에 대한 강의를 시작하셨다. 이 책은 광안문병원의 위궤이칭 교수라는 원로의사가 한의학 원전에서 암치료에 관한 내용들을 모아 집대성하고 또 관련된 치료경험들을 덧붙인 한방암치료의 바이블격인 교재다.

첫 수업 도중 나는 한방 종양학 강의에 매료된 스스로의 모습을 발견할 수 있었고 한의학적인 접근으로도 암을 치료할 수 있다는 대목에 이르러서는 가슴이 벅차오름을 느꼈다. 인생의 전환점이 되는 순간은 그렇게 불현듯 나를 찾아왔다. 나는 수업이 끝난 후 곧바로 교수님을 쫓아갔다.

"안녕하세요. 교수님. 암에 관심이 있어서 그러는데 정말로 한의학을 통해 암을 치료할 수 있는지를 여쭙고 싶어서요."

"종양학은 아주 전망이 밝고 또 꼭 필요한 학문이지. 아직까지 암을 치료한다고는 아무도 확실히 말할 수는 없어. 하지만 이미 오래전부터 한의학에서는 암치료에 대한 방법들을 기록해 놓았고 또 실제로 현재 중국에서는 이러한 방법으로 암치료를 하고 있지."

"그렇다면 어떻게 공부를 하면 되지요?"

"우선은 문헌적으로 치료된 기록에 대해 정리를 해야겠지. 또 최신 자료들은 결국은 중국에서 치료한 결과들을 분석해야겠고."

원전 해석에 자신 있었던 나는 용기를 내어 "제가 한번 이 교재를 번역을 해보면 어떨까요?" 하는 제안을 드렸다. 교수님은 흔쾌히 그 제안을 받아들이셨다. 나는 그 이후로 학기 중과 겨울방학 동안에 틈틈이 번역작업을 하면서 교수님을 찾아뵙고 또 동기부여를 받아 방학이 끝날 즈음에는 번역 가본을 완성시켰다. 몇 번의 교정을 거처 결국 이 책은『역대암치료선』이라는 제목으로 국내에서 정식 출판이 되었다. 내 손을 거친 첫 번째의 출간물이 세상에 나온 것이다.

대체의학을 접하다

최근에 이르러서야 보완대체의학이라는 말이 보편화가 되었지만, 이 개념이 제대로 정착된 것은 사실 얼마 되지 않았다. 보완대체의학이 국내에 알려지게 된 계기는 1996년 중앙일보의 김인곤 기자라는 분이 특집기사로 세계의 암 대체의학을 소개하면서부터다.

미국에서는 1989년 의회의 기술평가위원회 보고서 이후 미국 국립보건원 내에 대체의학 사무소를 설립하였고, 이후 이것이 보완대체의학센터로 승격을 하게 된다. 이는 미국 국립암연구소 산하에 암보완대체의학사무국을 두는 계기가 되기도 했다. 이러한 상황에서 중앙일보는 대체의학 바람의 선두가 되었던 멕시코의 거슨, 메리디안, 오아시스 병원의 암치료법과 중국의 한방암치료를 소개하는 특집기사를 연재했다. 이 기사를 접하는 순간 내 머릿속에서는 '그럼 앞으로 세계적으로 대체의학 바람이 불 텐데 한국에서는 무엇을 가지고 세계무대로 나가야 하나?'라는 엉뚱한 의문이 생겼다.

나는 그 당시에도 '한의학의 세계화'를 꿈꿔 왔던 것 같다. 이러한 생각을 바탕으로 국내에서 단행본이나 기사화되어 있는 전통 한의학의 암치료법들에 대한 내용들을 정리 작업해나가기 시작했다. 당시 한의대 학생들 사이에서는 방학 동안 절에 가서 공부하는 것이 유행이었는데, 나 역시 방학기간 중에 해인사 약사암이나 법주사 상환암에 들어갔다. 그리고는 그동안 틈틈이 수집한 자료들을 가져가 노트북으로 정리하는 시간을 가졌다.

그 결과 나는 〈대체의학〉이라는 한 권의 복사본 책을 만들어 낼 수 있었다. 이 책은 아직도 전국 한의대 근처 복사집에서 찾아볼 수 있다. 지금 와서 보면 조잡한 내용에 얼굴이 붉어지지도 하지만 아무튼 당시로써는 한국 한의학의 세계화를 목적으로 노력을 기울였던 나름의 산물이다. 그리고 이때 정리한 내용들은 훗날 나의 석사학위 논문인 〈서구 대체의학의 암치료에 관한 연구〉의 배경을 서술하는 데 많은 도움이 되어주기도 했다.

동서비교
통합의학을 접하다

전통 한의학, 대체의학, 그리고 중의학의 암치료 세계를 접한 후 나는 계속되는 갈증을 느꼈다. 아무리 한의학에서의 좋은 내용일지라도 이를 보편타당한 언어로 재해석 해내지 못하면 아무 소용이 없는 일이라고 생각되었기 때문이었다.

이때 우연히 접한 것이 바로 대전 한의사협회 회관에서 진행된 '삼단계 암치료법'이라는 강의였다. 전주 보현당한의원 김용수 원장님의 강의 소식에 나는 흥분을 감추지 못했다. 당시 '암'자를 접하면 어디라도 좇아다니는 상황이었다. 때문에 현직 한의사가 종양학 강의를 한다는 사실에 눈이 번쩍 뜨이기도 하였고, 동시에 과연 얼마나 새로운 내용이 있을까 하는 의구심이 들기도 했다. 하지만 이러한 의구심은 기우에 불과했다. 김용수 원장님의 명쾌한 설명은 내가 그렇게도 갈구하던 학문의 접근방식이었다. 전통 한의학의 용어를 현대 의학적 용어로 해석해나가면서 종양학을 강의하셨기 때문이다.

원장님은 한약을 이용한 치료뿐만이 아닌 식이, 운동, 수면 등 암 환자가 바꿔야 할 생활방식에 대해서도 강조하셨다. 이는 고스란히 내 머릿속에 남아 훗날 '수레바퀴 암치료법'의 생활습관 관리법에 활용되기도 했다. 이 강의가 인연이 되어 본과 4학년 여름방학 중 한 달 반 동안 원장님의 한의원에서 임상참관을 하면서 동서비교 통합의학에 대해 공부를 할 수 있는 기회를 얻게 되었다.

당시 원장님의『삼단계 암치료법』책이 출간되고 방송에 소개되면서 많은 암 환자들이 보현당 한의원으로 내원하였다. 나는 낮에는 진료를 참관하고 저녁이 되면 환자차트와 처방들을 정리하면서 시간가는 줄 모르고 암에 관련한 임상적 지식을 넓혀갔다. 그리고 해부생리학, 면역학, 혈액학과 같은 현대 의학적 내용들을 한의학의 시각으로 접근하고 해석하는 방법도 배울 수 있었다. 이는 향후에도 나의 의학적 지식 및 관점을 정립하는 데 매우 중요한 밑바탕이 되었다.

인턴 생활

졸업 후 진로선택은 한 사람의 인생이 걸린 큰 문제다. 하지만 나의 경우에는 여러 진로들 사이에서 고민하는 다른 학우들과는 달리 큰 고민을 하지 않았다. 너무도 확고하게 종양학을 전공할 수 있는 대학원 및 병원을 선택하고자 결심했기 때문이었다. 당시 나의 모교병원인 대전대학교 한방병원은 조종관 교수님의 유명세 덕에 암 환자들의 발길이 끊이지 않았다. 더구나 국내 한의과대학 부속 한방병원으로서는 유일한 암센터인 동서암센터를 가지고 있었기에 너무 당연하게도 모교병원으로 진로를 정할 수 있었다.

고된 인턴 생활이 시작되었다. 인턴 기간 동안 의료인으로서 갖추어야 할 기본 소양들을 익히면서도 항상 관심은 암 환자에게 있었다. 동료 인턴들은 힘들다고 종양과를 기피했지만, 나는 기회만 되면 종양과 인턴을 하겠다고 자원했다. 이런 내 모습을 선배 레지던트들은 신기하다는 듯이 바라보았다.

나는 성심껏 암 환자들을 돌봤다. 말기 환자들이 상태가 안 좋아지면 종종 함께 밤을 지새웠고, 또 정성스레 돌보던 환자분이 결국 돌아가시면 감정이 솟구쳐 펑펑 울기도 했다. 앰뷸런스로 거의 숨이 넘어가는 상황에 놓인 환자를 붙들고 목포까지 3시간을 넘게 앰부배깅(공기주머니를 통한 인공호흡)을 하면서 간 적도 있었다.

조 교수님은 인턴교육 중 "인턴과정은 용광로에 비유할 수 있는데 무쇠를 녹여 비로소 쓸모 있는 도구로 이를 변화를 시키는 시간이기 때문이다"라고 말씀하셨다. 그 말 그대로 책에서만 배웠던 지식들을 실제 환자진료에 사용할 수 있는 살아 있는 지식으로 화化하는 기간이었기에 육체적으로 힘든 것은 충분히 감내할 수 있었다. 다른 인턴들이 푹 자고 쉬는 비번 때에도 나는 학교 도서관에 틀어박혀 종양학 책을 공부했다. 또한 일반 인턴으로서는 상상도 못할 조 교수님의 교과서 편찬 작업을 돕는 등의 일을 하면서 종양학에 대한 열정을 계속 불살랐던 기억이 아직도 생생하다.

대륙에 눈을 뜨다

조 교수님은 1996년에 중국의 광안문병원 종양과에서 연수를 하고 돌아오셨다. 광안문병원의 종양과는 중국에서 가장 명성이 높은 국가기관 부속 한방암센터로서 북경에 위치하고 있다. 교수님의 중국 연수는 내게도 큰 자극이 되었다. 나 역시 그곳에서 연수를 받고 싶다는 간절한 바람이 있었다. 나는 인턴 후 군 복무기간 중 그 꿈을 실현하기 위해 중국어 공부를 열심히 하면서 연수를 준비했다.

1999년 10월, 드디어 그토록 바라던 중국 연수가 시작되었다. 그곳에서는 한국에서는 절대 상상이 안 되는 하루 외래 환자 300~400명, 입원 환자 80~100명 수준의 대규모 한방 암치료가 진행되고 있었다. 물론 중국의 인구가 어마어마하고 중국에서 중의사(한의사)는 서의사(양의사)와 마찬가지로 항암치료나 방사선 치료를 하는 것이 가능하며, 또한 첩약수가를 보험에서 일정부분 지급을 해주는 것 등이 그 이유라고 하지만 국내의 초라한 실정에 비해서는 너무도 엄청난 규모의 한방 암

치료가 이곳에서는 실제로 행해지고 있었다.

이때 경험한 내용 중 가장 인상에 남았던 것이 바로 '양 · 한방 병용치료'였다. 수많은 환자들이 양방의 항암 및 방사선치료와 함께 한방치료를 병행하고 있었는데, 이는 중국의 의료정책 방향이기도 한 '중서의 결합(중의와 서의를 결합해 제 3의학을 창출하는 것)'의 산물이었다. 즉 암과 같은 난치병을 치료함에 있어서 한의학의 장점과 서양의학의 장점을 서로 합하여 더 좋은 치료결과를 내는 것이 그들의 목표였기에, 병용치료를 시행하고 또 치료받는 것은 의료인이건 환자이건 간에 너무도 당연한 일이었다.

물론 이에 따른 부작용도 있을 수 있고 진짜로 효과가 있는지를 입증하는 것도 큰 과제이기는 했지만, 이는 차후 미국을 중심으로 대규모로 이루어지는 임상시험 등 연구를 통해 하나둘 문제들이 풀리게 된다. 국내 실정과는 다르게 중국이 이러한 실용적 노선으로 갈 수 있었던 것은 중국의 지도자 등샤오핑의 '흑묘백묘론(검은 고양이건 흰 고양이건 쥐만 잘 잡으면 된다)'이 바탕이 된 중국 정서도 한몫을 거들었다고 생각된다.

북경에서 보낸 6개월간의 연수는 이전부터 꿈꾸어오던 '한의학의 세계화'로 나가는 초석이 되었다. 중국에 가기 전까지는 막연히 중국을 우리보다 못사는 사회주의 국가 정도로만 인식했었다. 그런데 막상 와서 보니 스타벅스 등 한국에는 들어오지도 않은 외국의 브랜드들이 이미 수도 없이 들어와 있었고, 또 세계 각지에서 찾아든 다양한 외국인들을 접할 수 있는 기회도 훨씬 더 많았다. 이렇듯 중국의 북경이란 곳이 한국의 서울보다도 훨씬 더 국제적인 도시이자 동서양의 통합이 이루어지고 있는 곳임을 온몸으로 체감할 수 있었다.

나는 과연 한국에 기반을 둔 우리가 앞으로 어떻게 한의학의 세계화를 일구어 나갈 것인지에 대한 많은 고민을 하게 되었다. 그리고 이미 제형화되어 있는 수많은 한방항암약물들을 접하면서 '우리나라에서도 탕약뿐만이 아니라 제형화된 약물들을 연구하고 개발해야만 하겠다.'고 마음먹었다. 이후 캡슐약물이나 약침(한약주사제) 등의 제형변화를 위해 노력하게 되었다. 이와 더불어 아침에 공원을 나가보면 중국인들이 함께 모여 기공체조를 하는 모습을 볼 수 있었는데, 이 또한 몸과 마음을 함께 치유하는 '수레바퀴 암치료 프로그램'의 구성에 적극 활용하는 계기가 되었다.

광안문병원에서 빼 놓을 수 없는 분이 바로 박병규 교수님이다. 그분은 종양과 주임이시자 광안문병원의 전체 부원장까지 역임하셨다. 이미 내가 연수하기 이전에도 경희대의 최승훈 교수님, 원광대의 문구 교수님, 대전대의 조종관 교수님 등이 이분과의 인연으로 종양과에서 연수를 하셨다. 그 이유 중 하나는 그분이 한국어를 할 줄 아는 조선족 출신이시기 때문이다. 보통 중국에서는 소수민족인 조선족이 높은 위치까지 오른다는 것은 매우 힘든 일인지라, 이 분이 광안문병원의 부원장까지 오르신 경력만으로도 얼마나 뛰어난 실력과 리더십을 갖췄는지를 알 수 있다. 이러한 검증된 실력은 여러 한국 한의사들이 그분을 찾게 된 주된 이유 중 하나였다. 박병규 교수님은 원래 의대를 졸업하셨다. 나중에 추가로 중의학을 전공하셔서 암치료의 중서의 결합에 대한 많은 연구실적을 일궈 내셨다. 그뿐만 아니라 폐암치료약물인 폐류평고, 암전이 억제 인삼 다당체인 삼일교낭 등을 개발하신 이력이 있다.

하루는 연수 기간 중 북경의 또 다른 종양전문 병원들을 돌아보고 싶은 마음에 박병규 교수님과 함께 식사를 하면서 상의를 드렸다.

"원장님. 이렇게 북경에 와 있기도 어려운데 기왕이면 짬을 내어 동직문병원이나 중일우호병원 종양과에서도 연수하는 기회를 갖는 게 어떻겠습니까?"

"내 경험으로 미뤄보면 짧은 기간 내에 여기저기를 기웃거리는 것은 실질적으로 별로 도움이 안 되네. 특히나 나중에 경력이 되기 위해서는 오히려 6개월간 집중해서 한 곳에 있는 것이 좋을 듯하네."

박병규 원장님의 이러한 충고는 지나서 생각해 보면 내 인생에 많은 도움이 되었다. 훗날 중국 관계자들을 만날 때에 광안문병원 연수 경력을 내세우면 일을 도모하기가 훨씬 수월했기 때문이다. 그렇게 당시에 만난 종양과 중의사들인 린홍셩, 장페이통, 허용허, 리지에, 호우웨이 등과는 이후로도 우리가 그쪽 학회에 참석하거나 우리가 주관하는 학술대회에 초대하는 등 꾸준한 교류를 이어오고 있다. 또한 미국에서 열리는 학회에서도 종종 만나 끈끈한 우정을 계속 유지하고 있는 중이다. 아무튼 6개월간의 중국에서의 값진 경험들은 내 인생에 있어서 매우 중요한 전환점이 되었다. 이때 습득한 암환자 관리 및 치료기술들은 한국으로 돌아와 우리 병원에서 실제 임상에 적용되며 암 정복을 향해 진일보하는 소중한 재산이 되었다.

레지던트 기간

중국에서의 연수를 마치고 온 후 나는 곧바로 레지던트로 복귀를 하였다. 단순히 인턴이 아닌 정식 주치의로서 환자를 보는 기간이 시작된 것이다. 인턴 시절의 경험, 전주 보현당한의원이나 북경 광안문병원에서 배운 암치료 관련 처방 및 환자관리법 등을 종합하여 최선을 다해 암 환자를 진료하기 시작했다. 이러한 치료법이 과연 효과가 있는지를 평가하기 위해 연구도 함께 진행을 하였다. 또한 생활관리 방법을 바탕으로 식이, 운동, 정신에 대한 전인적 입원관리 프로그램인 '수레바퀴 암치료법'을 조 교수님을 도와 함께 만들기도 했다.

주치의 기간 동안 정말로 수많은 암 환자들과 동고동락하며 사투를 벌였다. 한국의 암 치료에 대한 선입견 때문에 한방병원을 내원하는 환자의 대부분은 말기가 되어서야 겨우 한방치료를 찾아온다. 때문에 상태가 이미 안 좋아진 경우가 허다하였고 또 열심히 치료한다고 해도 계속 병세가 나빠지는 경우가 대부분이었다. 하지만 양방에서 포기한 상황에서도 한방치료를 받아 상태가 좋아지는 환자들을 가끔씩 접하게 되면서 우리가 하는 치료방법에서 무언인가를 찾을 수 있을 것이라는 희망 또한 보이기 시작했다.

이렇듯 예상치 못하게 좋은 결과를 내는 사례들이 종종 도출되기도 했고, 비록 경과가 나쁠지라도 한방치료를 받지 않은 경우와 비교해서 삶의 질과 생존율이 훨씬 더 개선되고 높아지는 다양한 임상 경험들을 할 수 있었다. 전문수련의 과정 동안 나는 점점 한방 종양학이 암이라는 질병으로 고통 받는 환자들에게 도움을 줄 수 있다는 사실에 대해 확신이 들었다. 그리고 평생을 암 환자들을 위한 삶을 살겠다는 다짐을 하게 되었다.

'암이라는 질병으로 고통받는 환자들을 위한 삶'은 아직도 내 인생의 소명으로 가슴속에 각인되어 있다.

상해에서 얻은 세 가지 진주

누군가 내게 북경, 뉴욕, 휴스턴 등 내가 방문한 여러 세계의 도시들 중에서 가장 좋아하는 도시가 어디냐고 묻는다면 나는 아마도 "상해"라고 답할 것이다. 그 이유는 바로 엠디앤더슨과의 소중한 인연을 맺는 데 많은 도움을 준 복단대학 암 병원이 위치하고 있기 때문이다.

상해의 중의사들은 한의학의 대표적인 고전 중의 하나인 〈상한론〉이 이 지역으로부터 시작된 것에 대해 매우 큰 자부심을 느끼고 있다. 또 북경과는 달리 복단대 종양병원과 상해중의대 용화병원을 중심으로 형성되어 있는 '암 특화 센터'들은 이 분야의 전국 최고라는 자긍심을 가지게 한다. 물론 광안문병원의 의사들은 북경이 최고라고 생각한다. 말하자면 이들은 선의의 경쟁관계인 셈이다.

북경 연수시절 함께 지냈던 대학 선배 이승혁 원장님이 함께 상해에 놀러가자고 제안을 한 적이 있지만 당시는 일부러 자리를 피했다.

"유 선생. 이번에 상해에 기차 타고 놀러 갈 예정인데 같이 가는 게 어때?"

"이번에는 아무래도 안 가는 게 좋을 것 같아요. 북경에 와 있는 목적이 종양학을 공부하기 위해서인데 상해는 나중에 북경 연수기간이 끝난 다음에 상해에서 암으로 유명한 병원을 갈 때 가는 것으로 할게요."

"그냥 상해 한번 놀러가자는데 뭔 이유가 그렇게 거창하냐?"

"죄송해요."

나는 그렇게 전공인 종양에 관한 일이 아니라 단순한 관광 목적으로는 가지 않겠다고 제안을 거절했다가 고작 여행 한번 가자는데 웬 거창한 이유를 대냐는 핀잔을 들었다. 그렇게 아껴두었던 상해로의 연수 기회가 찾아왔다. 전공의 기간 중 약간은 매너리즘에 빠질 즈음에 나름대로 용기를 내어 병원에 제안서를 낸 것이 받아들여졌다. 레지던트 2년 차 기간 중 보름간 상해 중의약대학 부속 용화병원을 참관할 수 있게 된 것이다.

이 역시 당시 병원장을 맡고 계셨던 조종관 교수님의 도움이 컸다. 앞서 말한 대로 상해 또한 북경에 뒤지지 않을 정도로 학문적 자긍심을 가지고 있던 곳이다. 더구나 용화병원 종양과는 광안문병원 종양과와 중국에서 쌍벽을 이루는 유명한 곳이었기에 꼭 가보고 싶기도 했다.

북경 연수기간 중 내게 가장 큰 영향을 주었던 것이 양·한방 병용 치료와 캡슐 등의 한약제제였다면, 상해 연수기간 중 가장 많은 영향을 준 것은 한약주사제였다. 한국에서는 생소한 치료법이나 중국에서는 오래전부터 한약주사를 경혈 및 정맥에 투여하는 치료가 행해지고 있었다. 특히 전신 질환인 종양치료를 목적으로 이러한 치료가 더욱 활발하게 진행되고 있는 상황이었다. 대표적인 약물로는 의이인(율무) 추출물인 캉라이터, 아출 추출물인 란샹시, 섬피(두꺼비껍질) 추출물인 화찬수 등이 있었다. 그중 화찬수는 상해 복단대학에서 개발한 것으로 이후 미국의 엠디앤더슨 암센터와도 공동연구가 진행된 한방주사제였다.

상해 연수 기간 중 용화병원 옆에 위치하고 있는 복단대 종양병원과 기공연구소에도 방문할 기회가 있었다. 복단대 종양병원과의 인연은 그로부터 4년 뒤 미국에서 열린 통합암학회로 이어졌다. 그 학회에서는 복단대 종양병원 중의 종양과의 전 주임교수인 리우루밍 교수와 현 주임교수인 멍츠창 교수를 만나게 되어 깊은 인연을 맺게 됐다. 또한 기공연구소에서는 '곽림기공법'을 직접 익힐 수 있는 기회도 가졌다. '곽림기공법'은 곽림 본인이 유방암에 걸려 기공을 시행하면서 완치됐다는 일화가 있어 유방암 환자에게 도움이 되는 것으로 유명해졌다.

짧은 상해에서의 연수 마지막 날에는 내 담당교수인 양진쿤 교수와의 식사자리가 있었다.

"유 선생은 상해에 와서 배운 내용 중 뭐가 가장 인상적인가?"

"예. 세 가지가 있습니다. 첫째는 전신질환인 암을 치료함에 있어서 한약주사제를 활용하는 것입니다. 둘째는 직장(항문)을 통해 한약물을 주입하는 도관점입법이나 배꼽 등 피부를 통해 약을 흡수시키는 부첩법 등 다양한 투여경로의 이용입니다. 세 번째는 부정배본扶正培本이라는 한방을 이용한 면역력 증대에 대한 새로운 실험적 접근법입니다. 상해에는 유명한 동방명주(진주)탑이 있는데 저는 상해에 와서 이 세 가지의 진주를 얻어가지고 갑니다."

이후 한약주사제는 약침을 접목해 발전시켰고, 도관점입법이나 부첩법은 말기암 환자의 증상개선을 위한 치료의 투여경로로 활용했다. 부정배본법은 말초혈액 내 자연살해세포의 측정을 통해 면역치료의 효과를 과학적으로 입증하는 발상의 계기가 되었다.

상해중의약대학과는 그 이후에도 계속 교류가 이루어져 이곳으로 수련의들을 파견 보내기도 하고, 그쪽 의사들이 동서암센터에 방문하거나 서로 학회에서 만나는 등 활발한 국제관계를 유지하고 있다.

미국과의 인연

한의학을 배우러 미국에 간다는 것이 상당히 난센스로 들리기는 하겠지만 이는 엄연한 현실이다. 좀 더 엄밀히 말하자면 한의학의 연구 방법론을 배우러 가는 것이다. 이미 미국에서는 통합의학이라는 학문을 통해 한의학을 포함하여 전 세계의 전통의학과 심신의학 등에 대한 과학적인 접근이 선행되어 왔다. 근래에는 이를 환자에게 도용하는 대형 암센터들이 점점 많아지고 있는 추세이기도 하다.

내게 또 한 번의 '한의학의 세계화'를 추진하는 계기가 마련된 것은 우리 과의 선배님이시자 또 은사님이신 손창규 교수님이 미국 국립암연구소로 연구년을 가시게 되면서부터다. 중국을 이미 경험해 본 터라 미국 또한 경험을 하고 싶은 마음이 굴뚝같던 시기였다. 당시 나는 매주마다 일산에 위치하고 있는 국립암센터의 생명과학최고연구자 과정에 참가하고 있었는데, 이 과정을 통해 암 분야의 여러 석학들을 만날 수 있었다. 그들 대부분은 미국에서 연구한 경력이 있던 분들이었다.

나중에 엠디앤더슨 암센터에서 다시 만난 노재윤 교수님도 여기서 처음 뵙게 되었다. 이 과정을 거의 마칠 즈음 나는 시간을 내어 손 교수님이 계시는 메릴랜드의 미국 국립암연구소를 시작으로 보스턴의 하버드 다나파버 암센터 내 통합의학센터(자킴센터), 뉴욕 메모리얼 슬론 케터링 암센터 내 통합암센터에 대한 방문계획을 세우게 되었다.

드디어 미국으로의 첫걸음을 내딛었다. 당시 마취통증의학과 전문의를 취득하고 다시 한의학을 공부하고자 한의대에 편입하여 재학 중이셨던 채동훈 선생님과 함께 미국여행을 떠났다. 우선 방문한 곳은 세계 의학의 중심이라 할 수 있는 미국 국립보건원이었다. 여기에는 내 전공분야와 관련된 국립암연구소, 국립보완대체의학센터, 암보완대체의학 사무국 등이 위치하고 있었다. 석사논문을 쓰면서 서구 보완대체의학의 암치료법을 접했던 적이 있었는데, 이에 대한 실질적인 과학적 연구가 어떻게 진행되는지를 직접 눈으로 확인한다는 사실만으로도 몸에 전율이 흘렀다. 우리 한의학의 암치료기술도 이처럼 국가 지원하에 체계적으로 연구를 한다면 지금처럼 막연한 방식이 아닌 정말로 근거 중심적이고 체계적인 학문으로 정립될 수 있을 것이라는 기대감도 가지게 되었다.

손 교수님은 당시 인간 유전자프로젝트에 참여하셔서 인체 각 조직의 유전자에 대한 데이터 구축 연구를 하고 계셨다. 이는 한의학의 귀경歸經 이론을 첨단과학으로 입증하고자 하는 노력이었다. 결국은 매우 높은 수준의 국제과학 잡지에 그 결과가 게재되었고 미국 국립보건원 뉴스에도 보도된 바 있다. 아직도 당시의 손 교수님의 카랑카랑한 목소리가 생생하다.

"학자라면 내가 궁금해 하는 것이 무엇인지에 대한 정확한 질문이 있어야 해. 이게 없으면 그냥 허우적거리다 마는 거야."

"사람의 평생을 좌우하는 것은 남는 시간 동안 그 사람이 무엇을 하는지야. 어떤 사람은 그냥 인터넷 서핑이나 TV를 보면서 보내고 또 어떤 사람은 치열하게 자신의 의문을 풀어나가려고 노력하거든."

이후에도 손 교수님은 이러한 연구경험을 바탕으로 한의계에서 그 누구보다도 열정적으로 한의학의 과학화를 실현하시고 계시다.

다음으로 방문한 곳은 세계 최고의 의대라 불리는 하버드 의대였다. 하버드에는 다나파버 암연구소라는 대표적인 암연구기관이 있었다. 거기엔 통합암치료를 담당하는 자킴센터가 있었고, 센터장은 하버드의 유명한 혈액종양내과 교수이신 데이비드 로젠탈이 맡고 있었다. 이분은 2000년대 초반 '전립선암의 희망'이라는 한약을 이용한 전립선암 치료제 개발 연구를 담당하셨다. 그러나 약물은 처음 기대와는 달리 여성호르몬을 포함하는 등의 오염 문제가 발견되어 연구가 중지됐다. 이 연구는 당시 이슈가 됐던 한약과 혈전용해제의 상관관계 등 많은 관련연구가 하버드에서 이뤄질 수 있는 단초를 제공하기도 했다.

아무튼 세계 최고라는 하버드 내에서도 한약, 명상, 음악, 식이치료 등의 암에 대한 효과를 연구하고 또 시행하는 곳이 있다는 사실이 내게 커다란 충격으로 다가왔다. 그 충격은 '1년 뒤 새로 오픈할 우리 둔산한방병원의 동서암센터도 이러한 연구기반의 의료기관으로 이끌어야겠다.'는 생각으로 이어졌다. 자킴센터에서 일하는 의사(침술사) 중 대표적인 분이 바로 중국 중의사 출신의 웨이동 루 박사였다. 그는 이후 한국도 방문하고 또 우리 학생을 그쪽으로 파견하는 등 하버드와의 교류에 있어서 많은 도움을 주었다.

마지막으로 방문한 곳은 세계 경제의 최고 중심도시인 뉴욕이었다. 의대로 유명한 코넬 대학과 미국 3대 암센터 중 하나인 메모리얼 슬론 캐터링 암센터가 뉴욕의 맨하튼에 자리 잡고 있었다. 통합암센터의 센터장은 간호사 출신인 배리 캐실레스 박사였다. 선행 연구결과들을 기반으로 간호사가 센터장을 맡아 의사들을 지휘하는 모습에서 나름대로 미국 특유의 자유스러운 느낌을 받았다. 센터 내에서 이루어지고 있는 한약이나 침에 관련된 임상시험 연구들을 보면서 미국의 심장인 맨해튼 한가운데서 이런 일들이 벌어지고 있다는 사실에 혀를 내두를 수밖에 없었다.

이 센터에서 일하는 대표적인 의사 가운데 하나가 개리 등 박사다. 개리는 북경 의대 출신으로 텍사스 의대에서 전문의 과정을 거친 후 뉴욕으로 온 경우였다. 그는 이후 통합암학회의 학회장을 맡는 등 통합종양학 분야에서 중추적인 역할을 담당하고 있다. 내가 한국에서 통합종양학회를 개최했을 때 개리를 초청연자로 초청한 적이 있었다. 또 내가 엠디앤더슨 연수 시 가족과 뉴욕을 방문했을 때에도 그의 부인과 우리 가족들이 함께 정통 이탈리안 피자집에서 즐거운 시간을 보내기도 했다. 당시 식사를 마치고 맨해튼의 자유의 여신상으로 가는 페리호를 타는 리버티 공원을 산책하며 그는 내게 말했다.

"닥터 유, 내가 생각하기에는 이번 너의 연수기회가 참 좋은 것 같아. 엠디앤더슨 암센터는 정말로 좋은 곳이야. 좋은 연구결과 내서 학회에서도 발표하고 또 앞으로도 이 분야에서 많은 일을 해주길 기대해."

그는 국제사회에서 내게 항상 큰 힘이 되어주고, 언제나 나를 적극 지지해주는 고마운 친구다.

첫 미국 방문은 비록 열흘이라는 짧은 기간이었지만 내게 많은 아이디어와 영감을 안겨주었다. 즉, 통합종양학과와 관련된 기관 세 곳을 방문함으로써 '내가 이 학문을 발전시키는 것이 실질적으로 환자를 위해 도움이 될 수 있을 것'이라는 믿음과, 또 '통합종양학 분야가 미래의학에 있어서 한의학이 나아가야 할 길'이라는 확신을 가지게 되는 계기를 마련한 것이다.

뉴욕에서 만난 메모리얼 슬론캐터링 암센터의 개리 등 박사와 우리 부부

통합암학회를 접하다

미국 방문 시 알게 된 사실이 있다. 미국 내 3대 암센터인 엠디앤더슨, 메모리얼 슬론 케터링, 다나파버가 연합하여 통합암학회를 2004년 11월부터 매년마다 개최할 예정이라는 것이었다. 한방 종양학의 발전이 근거중심의학에 의해 이루어져야 한다는 확신을 가진 나로서는 너무도 매력적인 국제학회가 아닐 수 없었다. 나는 미국에서 돌아온 즉시 어떤 논문을 들고 이 학회에 참여할지 고민했다. 실험과 임상 크게 두 가지 방향으로 정했다. 먼저 실험논문은 박사학위를 받고 국제 학술지에 실리기도 한 '동충하초의 신생혈관형성 억제 효능'으로 정하였고, 임상논문은 우리 암센터에서 전이재발 억제 목적으로 가장 많이 활용되고 있는 '항암단의 각종 암 환자 69명에 대한 전이재발 억제 효능'을 발표하기로 했다.

보통 외국 학회의 경우에는 학회 시작 5개월 전에 논문을 마감하기 때문에 서둘러 논문 접수를 하고 초조한 마음으로 기다렸다. 다행히 최종적인 수락승인을 받게 되었고, 나는 다시 미국으로 갈 채비를 했다. 마침 경희대 한의대의 김진성 교수님과 윤성우 교수님도 함께 갈 의사를 밝히셔서 동행하기로 했다. 그리고 당시 하버드의 보완대체의학 연구소인 오셔 연구소에 강사로 계셨던 박종배 박사님과도 연락이 되어 방문하기로 약속을 잡았다.

박종배 박사님은 한국 한의사로 한국에서 한의학 박사를 획득한 후 다시 영국 엑시터 대학에서 의과학 박사를 취득하여 하버드에서 강사로 재직하던 분이다. 현재는 노스캐롤라이나 대학의 조교수로 근무 중이다. 박사님은 당시 미국 국립암연구소에서 진행하던 최상연속증례 프로그램이라는 것을 하버드와 함께 공동연구하자고 내게 제안해 오셨다. 이 프로그램은 한방 또는 보완대체의학을 이용하여 암을 치료한 증례에 대해 조직검사 슬라이드와 영상비교근거를 바탕으로 그 근거의 질을 평가하는 것이다. 한국의 암치료를 가지고 이에 도전해보지 않겠냐는 제안이었다. 일단은 나 스스로도 미국의 높은 벽에 도전하고 싶다는 생각이 들었기 때문에 박 박사님을 방문하여 상의해 보는 것으로 약속을 잡았다. 그렇게 우리 일행은 뉴욕에 참가하기 전 보스턴의 하버드에 들렀다.

지난 번에는 자킴센터만 방문했었는데, 이번에는 하버드 의대와 오셔 연구소도 방문을 하게 되었다. 오셔 연구소는 자킴센터와는 또 다른 하버드 내의 보완대체의학 연구소다. 자킴센터는 암질환을 중심으로 보완대체의학에 접근한다고 한다면 이곳은 보완대체의학적 수단을 중심으로 질환에 접근하는 방식이었다. 사무실 내부에는 한문이 쓰인

족자 등 동양적인 분위기를 풍기도록 꾸며져 있었다. 이곳에서 한국 한의사 출신인 박종배 박사님이 근무하셨던 것이다. 아무튼 박종배 박사님과 당시 방문연구원으로 계셨던 통계학자인 남봉현 박사님의 적극적인 추천으로 나는 최종적으로 국립암연구소의 프로그램에 참여하기로 마음을 굳히게 되었다.

하버드를 방문한 후 미국 뉴욕에서 열린 제 1회 통합암학회에 참여했다. 해외 학회에 처음 참가해보는 나는 맨하튼의 중심에 위치한 메리어트 호텔에서 개최되는 학회의 규모와 참가 인원에 놀라지 않을 수 없었다. 또 발표되는 내용들이 소위 암치료 관련 보완대체의학에 대한 근거중심적인 접근방식들을 구체적으로 제시하고 있는 데에 대해 다시 한 번 놀랐다.

아쉬운 것은 한국 한의학의 위상이었다. 이미 중국의 중의학과 일본의 캄포의학 그리고 인도의 아유르베다 의학 등은 세계의 각축시장이라고 할 수 있는 미국에서 충분히 인지가 되고 있는 상황이었다. 그런데 한국 한의학은 아예 그 존재의 흔적조차 찾아볼 수 없었다. 같은 길을 가는 동지인 경희대의 윤성우 교수 또한 이러한 입장에 공감했다. 한의학의 세계화라는 화두를 가슴속에 담은 나로서는 보다 분발해야겠다는 의지가 다시 한 번 다져지는 순간이었다. 이때부터 매년 통합암학회를 참가하는 것은 내게 연구의지를 불사르는 동기가 되었다.

그 과정 속에서 엠디앤더슨의 통합의학부서 센터장인 로렌조 코헨과 중의사 출신의 실험실 기초교수인 페이잉 양을 만났다. 또 시카고의 유명한 통합암센터인 블록센터의 센터장인 케이스 블록과 이 분야 최고의 잡지인 〈통합암치료지〉의 편집장인 잘렌할을 알게 되었다. 이 밖에도 중국에서 만났던 광안문병원의 의사들을 미국의 학회장에서 다시 만나는 등 동양과 서양이 돌고 돌아 다시 세계무대에서 모이는 것을 온몸으로 체험하게 되었다. 물론 복단대 종양병원의 친구들도 만났다.

2007년 샌프란시스코 학회는 나의 중재로 KBS의 과학카페라는 프로그램에 소개됐다. 2008년 상해에서 열린 위성학회는 YTN 뉴스의 특집 프로그램으로도 다루어졌다.

2008년에는 아틀란타 학회에서 알게 된 도널드 아브람스가 저술한 『통합종양학』을 번역하여 출간했다. 당시 샌프란시스코 주립대학의 혈액종양내과 의사인 그가 내놓은 이 분야의 교과서격인 『통합종

엠디앤더슨 암센터의 로렌조 코헨과 함께 한국어판 『통합암치료』 책을 들고

양학』을 본 순간, 이를 꼭 국내에 소개하고 싶다는 생각이 들어 실행에 옮긴 것이었다.

또한 통합종양의 가이드라인에 대한 번역논문, 메모리얼 슬론 케터링 암센터의 통합의학 사이트인 '어바웃 허브'를 중심으로 한약과 양약의 상호작용에 대한 논문, 엠디앤더슨 암센터의 통합의학 웹사이트인 '보완통합의학 자료'를 중심으로 암보완대체의학의 근거수준 등에 대한 논문들을 관련 학회지에 게재하기도 했다.

2010년에는 뉴욕 학회에서 접한 엠디앤더슨의 로렌조 코헨이 저술한 책을 번역하여 『통합암치료』라는 제목으로 국내에서 출간했다. 이처럼 통합암학회는 나에게 보다 많은 학문적인 아이디어와 영감을 제공했고, 나는 열심히 이를 국내에 보급하기 위해 최선을 다했다.

미국 국립암연구소의 최상연속증례 프로그램에 참여하다

2004년 뉴욕의 통합암학회를 마치고 한국으로 돌아왔다. 그리고 하버드 박종배 박사님의 소개로 알게 된 미국 국립암연구소의 최상연속증례 프로그램에 참여하기 위해 자료들을 준비하기 시작했다. 우리 암센터에서 치료를 받은 암 환자 중 한방 단독치료만을 받고 좋아진 증례를 모으는 작업은 생각보다 만만치 않았다. 많은 환자들의 자료가 있었지만, 정작 중요한 것은 치료되었다는 근거를 확보하는 작업이었다.

미국 국립암연구소에서 요구하는 것은 치료 전후의 영상자료 원본 및 원발암병소의 조직검사 슬라이드였다. 하지만 한방병원의 현실상 실제 조직검사 및 CT나 PET 등의 영상검사는 타 병원에서 하는 경우가 대부분이었기 때문에 그 자료들을 확보하는 것이 쉽지 않았다. 보완대체의학에 대해 높은 기준을 정해놓고 모든 환자를 다 평가하는 것이 아니라, 그중 근거가 확보된 최상의 증례만을 검토하기 때문에 프로그램 이름도 '최상연속증례 프로그램'인 것이다. 조사한 환자 중 한방단독치료로 호전되었다고 판단했지만 다시 추적조사를 해보면 다른 치료를 중간에 받았거나 혹은 이전에 받은 항암제나 방사선의 치료효과 등의 영향을 받은 사례들도 상당수 있었다.

이러한 혼돈 및 편견인자를 배제하고 엄격한 선별과정을 거쳐 최종적으로 조직검사와 치료 전후 영상을 모두 확보한 6례의 기초자료를 미국으로 보냈다. 전체 평가기간은 약 1년이 걸렸다. 우선 기초자료를 보낸 후 미국 측에서 이를 평가하여 가능성이 있겠다고 판단하면 환자의 전체자료를 요청한다. 그렇게 요청한 자료를 바탕으로 미국 국립보건원 소속 전문의들이 평가하는 방식으로 진행되는 것이다. 이러한 최상연속증례프로그램의 평가는 '설득력 있는', '지지할 수 있는', '평가불가능한' 등으로 구분된다.

실제 1년에 100건 이상의 의뢰가 들어오나 전체 평가에 들어가는 것은 10건도 안되고 최종적으로 '설득력 있는' 평가를 받는 건수는 1년에 1~2건에 불과하다고 한다. 자료를 구하는 도중 어쩔 때는 내가 직접 해당 병원까지 가서 자료를 환자의 보호자로부터 받아오는 경우도 있었다. 많은 우여곡절을 거친 끝에 결국 내가 제출한 자료 중 소세포성 폐암환자의 치료 증례에 대해서 '설득력 있는' 이라는 평가를 받게 되었다.

미국 측에서는 나에게 우리의 치료방법이 폐암에 대해 의미가 있는 것 같으니 이에 대한 증례-대조 연구 및 추가 증례를 보내달라며 요청해왔다. 이에 대해 나는 1년간 우리에게 치료 받은 폐암환자들의 결과를 분석하였고, 이중 최종적으로 6개월 이상 단독 한방치료를 받은 환자들을 대상으로 후향적으로 분석한 결과를 만들었다. 그러자 미국 측에서는 2007년 10월에 본인들이 주관하는 암 보완대체의학 학술대회가 미국 국립보건원에서 열리니 이때 참석해달라며 연락을 해왔다.

학회에는 우연히 한국 국립암센터의 김열 박사님도 참석하셨다(나중 휴스턴 엠디앤더슨 암센터 연수 시에 또 만나게 되었다). 그리고 나의 요청으로 당시 존스홉킨스에 방문교수로 계셨던 경희대 침구과의 이상훈 교수님도 참가하셨다. 학회 기간 동안 나는 폐암에 대한 임상연구결과를 발표했다. 그리고 암 보완대체의학 사무국의 수장인 제프리 화이트와 동서암센터의 최상연속증례에 대한 전반적인 상의 끝에, 결과를 국제학술지에 투고하기로 결정했다.

최종적으로 동서암센터의 최상연속증례프로그램 연구결과는 SCI급 국제학술잡지인 〈통합암치료지〉에 발표되었다. 최상연속증례프로그램에서 '설득력 있는' 증례를 확보한 경우는 아시아에서 인도와 우리뿐이었다. 국내에서는 최초로 이를 달성한 것이었다. 이후 추가로 보낸 4례까지 합쳐 총 10례 중 자궁내막암, 췌장암, 림프종 환자에 대한 것들이 모두 '지지할 수 있는' 판정을 받아 역시 같은 학술잡지의 다음 년도판에 게재가 되었다.

오랜 시간이 걸린 일이였지만 나는 이 과정을 통해 어떻게 한방단독으로 암 완치를 받은 경우를 입증하는지에 대한 방법을 익힐 수 있었다. 또 근거중심의학의 가장 기본이 되는 것이 증례이고 이보다 더 높은 근거를 확보하기 위해서는 반드시 임상시험 등을 시행해야만 한다는 필요성도 절감하게 되었다.

국제 통합종양 학술대회를 한국에서 개최하다

2008년 아틀란타에서 열리는 통합암학회에 참가하기 전 대한약침학회의 강대인 회장님으로부터 연락이 왔다.

"유 교수님. 내년 '침구경락학술대회'의 주제를 암으로 해볼까 하는데, 동서암센터가 참여해서 공동주관하고 또 세계적인 학자들의 연자들을 초청하는 것이 가능할까요?"

"예. 회장님. 제가 지금까지 학회를 다니면서 인맥을 쌓아 놓은 게 있으니 크게 어려움은 없을 겁니다. 제가 그들과 연결시켜 드리도록 하겠습니다."

"그렇다면 이번 아틀란타 통합암학회에 우리도 함께 동행할 테니 접촉할 명단을 좀 정리해 주세요."

대한약침학회 등이 주관이 되어 매년 개최하는 침구경락학술대회를 2009년도에는 암을 주제로 동서암센터가 공동주관이 되어 개최하는 것이 어떻겠느냐는 제안이었다. 나는 2008년 통합암학회의 상해 위성학회 당시 중국도 이렇게 하고 있으니, 한국에서도 이와 같은 학회를 유치했으면 좋겠다고 생각하고 있었다. 한국 한의학의 세계화를 목표로 하고 있던 나였기에 아무 망설임 없이 일단 한 번 해보겠다고 대답했다. 이를 위해서는 우선 초청 강연자 리스트를 작성하고 수락을 받는 것이 급선무였다.

통합암학회를 통해 알게 된 역대 회장단 리스트를 중심으로 명단을 작성하고 이들에게 편지를 보냈다. 또 이들을 아틀란타에서 직접 만나 확답을 듣기 위해 약침학회의 회장단과 함께 통합암학회에 참가했다. 최종적으로 확답을 들은 것은 3대 회장인 피터 존스톤, 4대 회장인 데뷰 트리파시, 5대 회장인 로렌조 코헨, 6대 회장인 스테판 사가, 그리고 일리노이 주립대학 교수이면서 통합종양의 대표적인 국제과학 잡지의 편집위원인 샬롯 잘렌할, 맥마스터 대학 쥬라빈스키 암센터의 스테판 사가, 또 그와 함께 근무하는 레이몬드 웡, 마지막으로 복단대 종양병원의 멍즈창 이렇게 총 일곱 명이었다.

초대 회장인 하버드의 데이비드 로젠탈과 2대 회장인 메모리얼 슬론 케터링의 배리 캐실레스는 노령 등의 이유로 불참의사를 밝혔고, 나머지 통합암학회의 최고 핵심 멤버들은 대부분이 참가의사를 밝혔다. 우리가 명단에 포함시킨 스테판 사가의 제 6대 통합암학회 회장 추대도 아틀란타의 학회 중에 이루어졌는데, 이는 전혀 예상도 못한 결과여서 우리는 현 학회장까지 포함시키는 행운도 얻게 되었다.

결국 2009년 침구경락학술대회는 성황리에 막을 내릴 수 있었다. 이들은 귀국 후 통합암학회 홈페이지를 통해 통합암학회 대표단이 한국을 방문하였다는 전면기사를 띄워 우리에게 보답을 했다. 이후에도 학회에서 이들은 나만 보면 그때 한국을 방문했던 추억 중 특히 대전대학교 동서암센터, 한국 한의학연구원, 금산 인삼밭 등을 방문한 경험을 잊을 수 없다고 얘기하곤 하였다.

당시 학부 학생이었던 박효민은 나의 권유로 캐나다 맥마스터 대학에서 겨울방학을 이용해 2개월간 연수를 하며 스테판 사가 교수와 함께 국제학술지에 논문도 한 편 발표했다. 엠디앤더슨의 로렌조 코헨도 학회 후 방문한 금산 인삼밭의 경험이 너무도 강렬했다는 얘기를 하면서 우리가 엠디앤더슨과 함께 진행하고 있는 인삼 프로젝트에 대한 적극적인 의지를 표명하였다. 이후 맥마스터 대학과는 봉약침의 항암제 유발 말초신경병변에 대한 임상논문을 공동으로 국제학회지에 2편이나 발표하기도 했다.

동서암센터와 한국한의학연구원이 공동 주관한 '2010년 국제통합암학회'는 충북 제천에서 개최됐다. 당시의 학회는 지금까지 미국과의 인연을 총 망라한 결정체였다. 마침 제천 한방엑스포 본부의 지원을 받을 수 있었기에 같은 해 4월부터 학회 준비를 시작하였다. 중국과의 인연이 있었던 나는 미국 내에서의 중국의 힘을 익히 알고 있던 터라 작년 국제침구경락 학술대회와는 달리 나름대로 미국에서 영향력이 있는 중국계 인사들을 중심으로 연락을 시도했다. 우선 엠디앤더슨의 통합의학부서에서 실험을 담당하고 있는 중의사 출신의 페이잉 양, 메모리얼 슬론 케터링 암센터의 개리 등, 하버드 다나파버의 웨이동 루 이렇게 세 명을 전면에 포진하였고, 예전부터 통합암학회에서 만나 친구가 되었던 이스라엘 텔아비브 통합암센터 센터장인 사하르 레브아리도 명단에 합류시켰다.

동서암센터 통합암연구소의 연구원으로 있던 미국 출신의 윤정원 선생과 중국 출신의 정홍매 선생이 학회 진행을 적극적으로 도와주었다. 또 학부 학생들로 구성된 운영 스텝 8명과 레지던트 2년 차였던 김경순 선생(현재 대구한의대 통합암센터 교수)을 위시한 전공의 선생님들도 큰 도움을 주었다. 중국과 미국이 중심이 되는 세계의 무대가 이제는 장소를 달리해 2009년에 이어 2010년에도 한국에서 개최된 것이다. 학

제천에서 열린 국제통합종양학술대회에서 필자가 하버드 다나파버 암센터의 웨이동 루 박사에게 감사패를 전달하는 모습

회는 개최지가 서울과 멀리 떨어져 교통 여건이 안 좋은 제천이라는 악조건에도 불구하고 300여 명 가까이 참여했다. 여기에는 김용수 원장님이 회장으로 계시는 청풍학회 회원들의 참여가 큰 힘이 되어 주었다. 학회는 성황리에 막을 내렸고, 초청자들은 한국 한방 종양학에 대한 깊은 인상을 가슴속에 새기고 돌아갔다.

이후 참가한 학생 스텝들 중 '유리나'는 하버드에, '오수정'은 메모리얼 슬론 케터링에 겨울방학 동안 방문연수를 갔다 오게 되었다. 페이잉 양은 내가 엠디앤더슨 암센터로 연수를 가는 데 있어 책임교수가 되어주었고, 사하르 레브아리는 이스라엘과 한국과의 인삼에 대한 공동연구 및 제품개발을 목적으로 하는 이스라엘의 회사 설립을 도와주었다.

한의사로서 엠디앤더슨 암센터를 꿈꾸다

엠디앤더슨은 국내에서 이미 많은 의학 드라마 속에서 소개된 바 있다. 드라마 '하얀거탑'에서는 한 뛰어난 인턴이 어느 과에 지원할지를 고민하자, 내과 과장이 레지던트 기간 동안 엠디앤더슨으로 연수를 보내 줄 테니 꼭 자기 과로 오라고 회유하며 "잊지 마. 엠디앤더슨이야." 라고 강조하는 대사가 있었다. 또 다른 드라마 '브레인'에서는 주인공이 어머니의 교모세포종을 치료하기 위해 백방으로 수소문한 결과 엠디앤더슨에서 최근 개발된 약물에 대한 임상시험이 진행된다는 것을 알고 어머니를 참여시키려 하였으나, 결국 이를 소개한 재벌 딸이 거짓말한 것임이 밝혀져 중간에 포기하는 내용도 나왔다.

삼성 이건희 회장이 폐암 진단 후 엠디앤더슨에서 치료를 받았다는 것은 이미 널리 알려진 사실이다. 홍완기 교수님이나 김의신 교수님 같은 한국 출신의 암 전문의들이 이곳 엠디앤더슨을 통해 유명세를 타신 것도 사실이다. 이렇듯 엠디앤더슨 암센터는 한국에서 꿈의 암센터로 인식되고 있으며, 여전히 많은 의료인들이나 암환자들이 동경하는 장소로 자리매김하고 있다.

나 역시 한의학의 세계화를 꿈꾸면서 자연스레 알게 된 곳이 바로 엠디앤더슨 암센터였다. 그 과정에는 이곳 통합의학 부서의 수장인 로렌조 코헨과의 인연이 가장 컸다. 그를 처음 만난 것은 앞서 말한 대로 2004년 뉴욕에서 열린 1차 통합암학회에서였다. 통합암학회를 이끌고 나가는 데 있어서 코헨은 매우 중요한 역할을 담당했고 결국 5대 회장을 맡았다. 코헨은 미국과 중국의 공동 국책과제로 중국 복단대 종양병원과 함께 중의학을 이용한 항암치료 연구의 책임자를 맡았다. 그리고 2007년 말부터 2008년 중반까지 6개월간 상해에 머물며 상해에서의 통합암학회의 위성학회도 준비했다. 나의 경우에는 복단대학과의 친분을 유지하는 동시에 미국과 중국이라는 큰 흐름 사이에 어떻게 해서든 한국이 비집고 들어가려고 노력하는 입장이었다.

이러던 차에 복단대학 암센터의 친구인 멍즈창이 3개월간 1상 임상시험에 대한 교육을 위해 엠디앤더슨 암센터에 파견 간다는 소식을 듣게 되었다. 그 소식에 나도 보다 적극적으로 국제협력연구에 참여하기 위해서는 엠디앤더슨 암센터로 연수를 가는 것이 유리하겠다는 판단이 들었다. 우연인지는 모르겠지만 미국에서 열리는 학회에 참가하면서 뉴욕, 로스앤젤레스, 볼티모어, 샌프란시스코, 보스턴, 워싱턴, 샌디에고, 아틀란타, 클리블랜드, 얼바인 등 많은 미국의 도시를 방문했으나 정작 휴스턴은 가보지 못했다. 우스갯소리로 휴스턴에는 볼 게 없고 날씨가 너무 더워 학회를 개최하지 않는다는 얘기도 들은 적이 있다.

아무튼 이상하게도 10여 차례 이상 미국을 다녔음에도 불구하고 엠디앤더슨 암센터가 있는 휴스턴에는 들를 기회가 없었던 것이다. 어쩌면 아껴두었다가 연수를 가서 1년간 충분히 있으라는 하늘의 계시였는지도 모른다는 생각도 들었다. 어찌되었건 나는 어렸을 적부터 꿈꾼 대로 한국을 세계에 알리고 싶었고 결국 한의사가 되어 또 한의학이라는 테마를 가지고 인류 역사상 최고의 암센터라는 엠디앤더슨 암센터로의 연수를 꿈꾸며 계속 기회를 엿보고 있었던 것이다.

준비된 자에게 기회는 온다

마침내 기회가 찾아왔다. 연구년을 가기 위해 준비하던 선배 교수님이 사정상 갑자기 못 가게 되면서 내게 대신 가라는 연락이 온 것이다. 예상치 못하던 일이었다. 나는 일단 학교에서 연구년에 대한 최종결정 통보를 받고, 엠디앤더슨 암센터의 로렌조 코헨과 페이잉 양에게 편지를 썼다. 물론 "언제든지 웰컴"이라는 답을 받았다. 엠디앤더슨 암센터 측으로부터 서류를 받는 과정은 좀 지루했다. 6월에 요청을 하여 확답을 받고 7월에 공식 초청장을 받았지만 그다음부터의 진척은 매우 느렸다. 처음 초청장을 받은 후 2개월 만에 겨우 비서실에서 연락이 왔고, 또 그로부터 3개월이 지나서야 정식으로 서류작업이 시작되었다.

가장 중요한 서류는 미국 대사관에서 교환교수 비자를 받기 위한 DS 2019였는데, 처음 초청장을 받은 다음 5개월이 지난 후에야 몇 번의 확인 요청 끝에 겨우 비자 신청을 할 수 있었다. 또 아이들 입학에 필요한 서류, 비행기 표 예약, 여행자 보험 등을 준비하고 나니 벌써 2

월이 시작되었다. 집과 차, 각종 생활용품은 휴스턴에 사는 한인들이 만들어 놓은 관련 인터넷 사이트를 통해 큰 어려움 없이 마련했다. 이제 곧 연수가 끝나 돌아갈 예정인 어느 의사선생님으로부터 일괄구매할 수 있었기 때문이다. 아내도 열심히 주변 정리를 하고 아이들도 미국에서 1년간 산다는 사실에 들떠 있었다. 그리고 2012년 2월의 마지막 날, 드디어 우리 가족은 1년간 휴스턴 엠디앤더슨 암센터에서의 연수를 위해 인천공항을 출발했다.

휴스턴까지는 직항이 없기 때문에 도쿄를 경유해 휴스턴으로 가야 했다. 문득 '지난 후쿠시마 원전 사고 때문에 도쿄를 경유해서 일본 비행기를 타는 것이 과연 안전할까?' 하는 생각도 들긴 했지만, 막상 도쿄 나리타 공항에 도착하니 그러한 우려는 금방 사라졌다. 나는 공항 라운지에서 앞으로 다가올 1년간의 삶에 설레는 마음을 가족들과 함께 나누며 휴스턴행 비행기를 기다렸다. 그리고 장장 12시간의 비행 후 우리는 휴스턴의 부시 공항에 무사히 도착할 수 있었다.

입국심사는 그리 복잡하지 않았지만 기다리는 동안 아이들이 좀 지루해 했다. 심사대 및 세관통과를 마치고 나오니 휴스턴에 사시는 이재용 박사님과 6개월 전 연수를 오신 서강대 이군희 교수님이 함께 나와 기다리고 계셨다. 이 박사님께 미리 집까지 운송을 부탁드리긴 했지만 두 대가 나와 있을 줄은 몰랐다. 차 한 대로는 좀 부족할 것 같아 그랬다는 것이다. 참으로 고마운 배려였다.

휴스턴의 날씨는 2월 말임에도 불구하고 벌써 초여름이어서 모두 반팔에 반바지 차림이었다. 우리 가족들이 한국서 입고 온 두터운 외투가 상당히 어색했다. 미리 계약해 놓은 2층짜리 타운 홈은 한국인들이 선호하는 지역에 위치한 전형적인 미국 집이었다. 대충 짐 정리와 가구배치 등을 하고 나니 두 시간이 눈 깜박할 사이에 지나갔다.

어느 정도 정리를 마친 후 이재용 박사님 가족들과 만나 한국 식당에서 식사를 함께했다. 집에 아무 것도 먹을 것이 없는 상황이었기 때문에 식당 주변에 위치한 대형마트에 들렀다. 물과 간단한 식료품 등을 준비하고 나서야 우리 가족은 휴스턴에서의 첫날밤을 맞을 수 있었다.

2004년 엠디앤더슨 암센터와의 첫 만남 이후 8년 만에 본격적으로 휴스턴에 둥지를 틀고 세계를 향한 나래를 펼 준비를 완료한 것이다.

미국으로 간 허준

그리고 그 후

2장

엠디앤더슨 암센터

모든 기관에 있어서 그 기관의 특성을 이해하기 위해서는 사명 및 비전, 그리고 핵심가치를 살펴보는 것이 중요하다. 엠디앤더슨 암센터는 다른 유수 기관들과 마찬가지로 명확한 사명 및 비전을 가지고 그들의 핵심가치를 실현시키기 위해 노력하고 있는 초일류 기관이다.

엠디앤더슨 암센터 방문 첫날

좀 이상하게 들릴지 모르겠지만 필자는 연구년으로 휴스턴에 오기 전에 이미 10여 차례 이상 미국을 방문했음에도 불구하고 한 번도 미국에서 자동차 운전을 해본 적이 없었다. 아마도 여행이나 다른 목적 없이 오직 학회 참석만을 위해 방문했기 때문일 것이다. 렌터카를 시도해보거나 국제면허증을 가지고 와 아는 사람의 차를 운전해 본 적도 없었다. 다만 지인의 옆자리에 앉아 선글라스를 낀 운전자가 미국의 고속도로를 자유로이 달리는 모습을 보며 참 멋있다는 생각만 했을 뿐이었다.

어찌되었건 이번에는 생활을 해야 하고 출근을 해야만 하니 차를 몰 수 밖에 없었다. 미국에 처음 입국한 후 72시간 이내에 약물테스트, 오리엔테이션, 그리고 등록을 위해 엠디앤더슨 암센터에 방문해야 했다. 라이딩을 부탁할 만한 사람이 없었고 차도 이미 사 놓은지라 좀 걱정은 되었지만 직접 운전을 해서 가기로 마음을 먹었다. 미국에서의 운전경험은 도착한 다음날 집 근처의 한인마트에 가본 것이 전부였기에 아무래도 조심스러웠다. 휴스턴 지도로 대충 위치를 확인하고 지도를 운전석 옆 사물보관함에 집어넣고는 아침 일찍 출발했다.

문제는 내비게이션을 너무 믿었던 데서 시작됐다. 고속도로는 탈 자신이 없어 그냥 일반 길을 통해 가려고 생각했는데 내비게이션은 빠른 길을 제시하면서 계속 시내 한가운데를 가로지르는 고속도로를 타라고 지시를 내리는 것이 아닌가. 이를 그냥 무시하고 일반 길로 갔더니 내비게이션은 계속 재계산만 반복했다. 순전히 내비게이션만 믿고 가는 입장이었는데, 갑작스런 상황에 나는 점점 당황하고 긴장하게 됐다. 도중에 설정을 바꾸려고 시도했지만 잘되지 않았다.

또 한 가지 문제는 방향을 잃은 것이었다. 전날 저녁 이군희 교수님 댁으로부터 침대를 옮기면서 방향 얘기를 했었는데 이때 잘못 이해한 것이 화근이 되었다. 가도 가도 예상한 곳은 안 나오고 모르는 길만 나오는데 내비게이션에서는 고속도로를 타는 것으로만 계산을 해주니 결국은 어쩔 수 없이 길을 되돌아가 고속도로를 탔다.

막상 고속도로로 올라와 보니 왜 미국 사람들이 연비와 상관없이 무거운 차를 선호하는지 금방 이해할 수 있었다. 옆으로 큰 트럭들이 쌩쌩 지나갈 때면 내가 타고 있던 준 중형차쯤은 쉽게 출렁이며 흔들렸다. 또 속도는 왜 그리 빠르게 내는지. 보통 70마일이 기준이니 120km 정도로 시내 한가운데에 뚫린 고속도로를 아무렇지도 않게 달리는 것이었다. 아무튼 손에 땀이 날 정도로 긴장하며 옆의 차들과 속도를 맞추며 정신없이 달리다 보니 어느덧 메디컬센터 안내판이 눈에 띄었다. 이제 다 왔구나 싶었다. 하지만 주차가 또 문제였다. 방문 안내장에서 제시해준 주차장에 도착해보니 한국에서는 너무도 쉽게 찾을 수 있는 수위 아저씨도 안보이고 계약된 사람들만 주차할 수 있다는 야속한 표지만 덜렁 걸려있을 뿐이었다. 입구에 있는 전화를 들었지만 결국 주차할 수 없다는 답변만 돌아왔다. 부랴부랴 근처의 주차장을 헤매다가 결국은 멀리 떨어진 야외 주차장에 주차를 하고 한참을 걸어 비자 사무실까지 갔다. 그런데 막 사무소에 들어선 눈이 마주친 누군가가 내게 아는 척을 하는 것이 아닌가! 이곳에서 아는 사람을 만날 줄이야!

"저 혹시 유화승 선생님 아니세요?"
"아…. 누구시죠?"
"예전에 메릴랜드 국립보건원 학회에서 뵈었던 국립암센터의 김열입니다."
"아! 어쩐 일이세요?"
"지난 12월부터 1년 동안 여기 연수와 있어요."

아직 모든 환경이 너무도 생소했던 터라 아는 사람을 여기서 만났다는 사실이 너무도 반가웠다. 특히 이런 외지에서 누군가를 만날 줄은 전혀 생각도 못하고 있는 상황이어서 더욱 반가웠던 것 같다. 나는 그와 이런 저런 얘기를 나누다 다음 날 함께 출근하기로 약속했다.

엠디앤더슨에서 나의 담당교수가 되어준 페이잉 양과도 만났다. 1시간 동안 향후 내 연구계획에 대해 의견을 나눴다. 페이잉 양은 패컬티 센터 12층 통합의학부서에 위치한 연구실을 쓰는 것을 제안했다. 나는 흔쾌히 수용하고는 그쪽 방으로 가 컴퓨터, 아이디 및 비밀번호, 이메일 세팅 등을 끝마쳤다. 이제 엠디앤더슨 내에 나만의 둥지가 생긴 것이다. 실험은 기초과학연구 빌딩에서, 임상참관은 병원 본 건물에서 진행하는 것이니 사무실의 위치가 내게 너무도 적절하다는 생각이 들었다.

그럭저럭 등록업무를 마치고, 이름표를 받고, 교육도 받고, 근무할 실험실에서 인사도 나눈 후 다시 주차장으로 돌아갔다. 그런데 문제가 생겼다. 내가 몰고 왔던 차가 도무지 보이지 않는 것이었다. 차를 인수받은 지 얼마 안 되는지라 차번호도 몰랐다. 주차해 놓은 주변에 내 차와 너무도 비슷한 여러 대의 같은 브랜드, 같은 색깔의 차들이 주차되어 있어 번호도 모르고 차도 익숙지 않은 상황에서 차를 찾기 위해 주변을 뱅뱅 맴돌았다. 마찬가지로 수위 아저씨나 경비원은 코빼기도 볼 수 없었다. 결국은 집으로 전화해서 차번호를 알아낸 뒤에서야 겨우 차를 찾아낼 수 있었다.

돌아가는 길은 엠디앤더슨 주변의 라이스 대학 근처를 경유하는 도로를 탔다. 이때가 로데오 시즌(텍사스의 유명한 투우경기 행사)인지라 차가 몹시 막혔다. 차를 받고 한 번도 주유를 하지 않아 기름이 달랑거렸다. 아무래도 걱정이 되어 주유소에서 부랴부랴 주유를 했다. 주유 역시 한국의 셀프 주유소와 비슷하려니 했지만 카드를 삽입하는 방향이 한국과는 반대여서, 결국은 옆 칸의 주유를 하고 있던 다른 운전자가 카드 방향이 반대라고 알려준 다음에야 간신히 해결할 수 있었다.

돌아오는 길의 내비게이션은 야속하게도 요금을 내야 하는 유료 고속도로로 나를 인도했다. 예전에 다른 사람들이 하던 것을 본적이 있는지라 그대로 동전들을 금액을 정확히 맞춰 통에 던져 넣고 요금소를 통과했다. 미리 상황을 예상해 바꾸어놓은 잔돈이 있었지만 아무튼 이 또한 첫 경험인지라 살짝 긴장했다.

이곳의 내비게이션의 지시는 한국보다 한 템포 느렸다. 갈라진 길에서 제대로 들어가지 못하고 놓치기 일쑤였다. 한 50미터쯤 남았다고 표기가 되어도 벌써 회전을 해야만 하는 경우가 종종 발생하기 때문에 내비게이션을 볼 때는 꼭 위쪽에 나오는 도로 명을 확인하고 턴을 해야지 그냥 기계만 보고 있으면 길을 놓치기 십상이다.

결국 어찌어찌해서 집에 도착한 나는 아내를 보자마자 "오늘 운전 정말 힘들었어!" 하며 침대에 쓰러지고 말았다. 모든 것이 익숙하지 않아 벌어진 상황이었지만, 아직도 미국에서의 첫 번째 엠디앤더슨 암센터 방문일은 운전의 추억 때문에 절대로 잊히지 않는 힘든 하루로 내 머릿속에 남아 있다.

엠디앤더슨 암센터의 현재 모습

모든 기관에 있어서 그 기관의 특성을 이해하기 위해서는 사명 및 비전, 그리고 핵심가치를 살펴보는 것이 중요하다. 엠디앤더슨 암센터는 다른 유수 기관들과 마찬가지로 명확한 사명 및 비전을 가지고 그들의 핵심가치를 실현시키기 위해 노력하고 있는 초일류 기관이다. 우선 이를 살펴보면 다음과 같다.

사명

텍사스 대학 엠디앤더슨 암센터의 사명은 환자 관리, 연구, 예방을 통합하는 뛰어난 프로그램과 대학생/대학원생, 수련의, 전문가, 직원, 대중을 위한 교육을 통해 텍사스와 국가 및 세계의 암을 없애는 것이다.

비전

우리는 우리 민족의 우수성, 연구 중심의 환자 관리 및 과학을 바탕으로 한 세계 최고의 암센터야만 한다. 우리는 암의 역사를 만들고 있다.

핵심 가치

– **배려** 우리의 말과 행동으로 모든 사람들에게 배려하는 환경을 만든다.

- **통합** 우리는 동료들과 우리가 섬기는 사람들의 신뢰를 받을 수 있는 정도의 수준으로 함께 일한다.
- **발견** 우리는 창의력을 포용하고 새로운 지식을 추구한다.

엠디앤더슨은 진료, 연구, 교육, 예방 분야에 있어서 명실공히 세계 1위 자리를 차지하고 있다. 2011년 통계에 의하면 엠디앤더슨은 한 해에 10만 8,000명의 암환자를 진료하였으며 이 중 1/3이 처음 방문한 환자들이었다. 임상시험에는 1만 명의 환자가 등록을 했으며, 임상시험 프로토콜만 해도 1,064건에 달한다.

엠디앤더슨의 또 다른 장점은 실험실에서 얻어진 중요한 과학적 지식이 빠른 속도로 임상적으로 치료에 접목되어진다는 점이다. 엠디앤더슨은 연구지원 규모에 있어서도 독보적인 1위를 차지하고 있다. 2011년에 엠디앤더슨은 암의 연구, 환자관리, 교육 및 예방에 대한 중요한 연구시작을 지원하기 위해 12억 1,500만 달러를 모금하는 캠페인을 가졌다. 그중에서도 특히 교육 프로그램이 잘 운영되고 있는데 엠디앤더슨의 7,000명에 달하는 의사, 과학자, 간호사, 보건전문가들이 교육 프로그램에 참여한다. 엠디앤더슨은 2011년 과학자 잡지에서 실시한 설문조사에서 박사 후 과정을 위한 상위 25개 기관 내에 링크되기도 했다.

엠디앤더슨은 암 예방 연구와 새로운 지식들이 환자들을 위한 종합적인 관리로 이어질 수 있도록 꾸준히 노력 중이다. 엠디앤더슨의 암 예방 및 인구 과학 부서에서는 암의 진행에 관여하는 선구적인 연구를 통해 암을 예방할 수 있도록 암세포 근절에 전념하고 있다. '암 예방 및 위험 평가를 위한 던컨 가정연구소'를 통해서는 새로운 연구 방향을 약속함과 동시에 기초 연구와 임상 연구의 통합에 투자하고 있기도 하다. 암 예방센터는 화학적 암예방을 포함하여 암 위험도 평가, 유전, 나이, 성별에 기초한 조기검진, 개별화된 위험 감소 전략 등을 제공한다.

지난 70년간의 노력으로 텍사스대학 엠디앤더슨 암센터는 암 예방, 치료 및 근절 방면에서 세계 최고의 센터로 우뚝 섰다. 1941년 텍사스주 의회가 텍사스 대학 시스템의 일환으로 엠디앤더슨의 설립을 주도했고, 엠디앤더슨 재단은 암 병원을 세울만한 주된 자금을 마련해 약 2만 8,000평방미터의 토지를 사들였다. 이 땅들은 나중에 텍사스 의료센터TMC 건물들이 들어서는 자리의 기반이 되었다. 오늘날 엠디앤더슨은 약 1백만 평방미터에 이르는 건물을 가지고 있고, 최신 기술을 포함하여 외래 및 입원 진료, 연구, 예방, 교육 등의 시설을 지원하고 있다.

휴스턴과 텍사스에 50개 이상의 건물을 소유한 엠디앤더슨은 세계 최대 규모의 독립된 암센터다. 70년의 긴 세월 동안 엠디앤더슨은 약 80만 명이 넘는 환자들을 치료했고 또 전 세계의 환자들 모두가 이곳에서 거둬진 의학적 발견으로부터 혜택을 보았다. 국립암연구소에서 수여하는 연구비의 규모도 국가적으로 선두이고 다른 기관보다 임상시험에서도 월등히 앞선다.

이곳 엠디앤더슨 암센터의 건물들에는 역대 병원장들의 이름이 붙여져 있다. 병원의 주 건물에 가보면 리 클락이라는 1대 병원장의 이름과 찰스 르메스터라는 2대 병원장의 이름이 선명하게 걸려있는 모습을 확인할 수 있다. 또 내가 근무하던 사무실이 위치한 패컬티 센터는

3대 병원장인 존 멘델슨의 이름을 따 멘델슨 빌딩으로도 불린다. 나는 이들을 보면서 미국이라는 사회가 만일 그 사람이 충분히 공감할만한 뜻 깊은 일을 할 경우 이에 박수를 보내고 또 그의 업적을 인정해주는 곳이라는 사실을 새삼 깨달았다. 물론 이들의 이름 앞에 항상 따라다니는 이름은 바로 설립자인 엠디앤더슨이다.

1941년 엠디앤더슨 암센터가 만들어진 이후 초창기 1명의 이사대행과 3명의 병원장이 이 기관을 이끌었고 현재는 4대 병원장인 로버트 드피노가 병원을 이끌고 있다. 그들의 미래를 향한 비전 리더십이 이 기관을 암 연구, 환자 관리, 예방 및 교육면에서 모두 세계 최고의 중심으로 우뚝 설 수 있도록 만든 것이다.

'21세기 건강관리'라는 과제에 대처하기 위해 8만 5,000명이 넘는 의사, 과학자, 간호사와 건강관리 전문가들이 엠디앤더슨에서 교육을 받았다. 엠디앤더슨 암센터는 국제적으로도 그 우수성을 인정받고 있으며, 2011년을 포함하여 과거 10년 중 8년 동안 미국 뉴스&월드 리포트의 '최고의 병원' 조사에서 암치료 분야 1위를 차지한 화려한 이력을 자랑한다.

엠디앤더슨 암센터의 초창기 모습과 세계 초일류 기관이 된 현재의 모습

현 병원장인 로널드 드피노의 9월의 새해인사

연수 온 지 6개월이 지난 시점인 2012년 9월초에 현재의 병원장인 로널드 드피노로부터 모든 직원들에게 보낸 편지 한 통을 받았다. 그는 2011년부터 멘델슨의 뒤를 이어 병원장으로 임용되어 새로운 암의 역사를 쓰고 있는 중이다. 편지 제목은 "해피 뉴 이어Happy new year" 즉 새해 인사였다. 그는 실질적으로 미국에서는 모든 일들이 9월부터 시작이 되니 지금부터 1년이 시작되는 셈이라고 말문을 열었다. 병원장을 맡은 지 2년째가 되는 올해 1년이 그에게 있어서 시야를 넓히고 활기 넘치고 도전하는 한 해가 될 것이며, 이러한 것들이 그에게 매우 영감을 준다고 하며 계속해서 글을 이어갔다.

"지난 70년간의 엠디앤더슨의 발전에 바탕이 되어온 기초과학, 임상서비스, 교육 프로그램은 엠디앤더슨 암센터가 거대한 기업적 임상기관으로 성장하는 데 있어 기반이 될 것입니다. 또한 이를 이룩하기 위해서 어떠한 지원도 아끼지 않을 것이며 도전을 두려워하지 않을 것입니다."

조만간 판세를 뒤엎을 '문샷 프로그램(Moon Shots Program, 원 뜻은 달 정복 프로그램으로 여기서는 암 정복을 의미함)'이 몇몇 암 종에 대하여 종합적, 융합적으로 공격을 가할 것이고 여기에 엠디앤더슨의 탁월한 여러 스텝들이 참여할 것이라는 계획도 언급했다. 그는 삶의 질을 관리하는 엠디앤더슨의 특징을 적극적으로 살릴 것이고 환자와의 네트워크 또한 성장시킬 것이라는 환자중심 병원에 대한 언급도 잊지 않았다. 즉 '박애'가 엠디앤더슨 성공의 핵심이라는 것이다. 관료주의의 타파와 공익성이라는 명분 또한 잊지 않고 명시하였다. 마지막으로 그는 이러한 비전을 모든 구성원들과 공유하고 싶으며 "사람이 가장 중요하다"는 말로 새해 인사를 마무리했다.

9월의 시작과 함께 받은 신년 인사 편지였지만 이 짧은 편지는 그가 지향하고 또 엠디앤더슨이 지향하는 핵심내용과 방향에 있어 대부분의 것을 포함하고 있었다. 나름대로 이를 다시 정리해보면 다음과 같다.

첫째는 **'다학제적 통합적 접근'**이다. 엠디앤더슨은 환자를 진료함에 있어 어느 하나의 방식만을 고집하지 않는다. 만일 그것이 환자에게 도움이 되고 과학적 근거가 있다고 판단된다면 여러 전문가들이 힘을 합쳐 융합이라는 과정을 통해 최고의 결과를 만들어내려고 노력한다. 또 국소적 병변에만 초점을 맞추는 것이 아니라 정신적·영적, 육체, 사회라는 통합적인 접근으로 인간 건강의 본질에 접근하려는 노력이 그들의 방식인 것이다.

둘째는 **'도전과 혁신'**이다. 기존에 방식에만 의존하지 않고 끊임없는 도전을 통해 불가능해 보이는 것을 가능하게끔 만들고자 노력한다. 또 형식적이고 관료적인 부분들을 타파하고 개혁과 혁신을 통해 보다 더 발전적인 방법으로 미래를 창조한다. 이 정신에는 혁신적인 치료법도 포함된다.

셋째는 **'기본기의 충실함'**이다. 임상적으로 환자를 치료하는 것이 최종적인 목적이지만 그 목적을 달성하기 위해서는 기초과학이 반드시 뒷받침을 해주어야 한다. 이를 통해 이룩된 연구를 교육 프로그램으로 만들어 구성원들에게 전달하고 그들의 수준을 향상시켜 종국에는 임상, 연구, 교육이라는 포트폴리오가 서로를 돕는 시스템으로 완성시키는 것이 이들이 추구하는 방식인 것이다.

마지막 네 번째는 **'사람 중심'**이다. 결국 모든 일은 사람이 하는 것이다. 백 명의 비전문가의 의견이 한 사람의 전문가를 능가하지 못한다. 그러니 해당 분야의 최고 전문가를 교육시키고 스카우트를 통해, 위에서 말한 세 가지 인자들을 충족하면서 구성원 모두가 지도자의 비전을 지표로 삼아 한 방향 정렬을 일구어 낼 때 조직은 개인이 하지 못하는 일을 실현시킬 수 있는 것이다.

이곳 엠디앤더슨에서 얻은 가장 강렬한 가르침은 바로 '다학제적 접근'과 '과학적 융합', 그리고 '교육의 힘'이다. 환자를 중심으로 하여 관련된 모든 분야의 역량을 총 집중하고 치료라는 목적을 향해 나아가는 힘, 어떤 학문이건 과학적으로 접근하고 또 이를 융합시켜 더 나은 학문으로 나아가게끔 하여 결국은 환자치료에 이용하게끔 하는 힘이다. 이러한 지식들을 교육시스템을 통하여 의료인, 직원, 환자, 일반 대중에게 전달함으로써 의료기술을 바꾸고 암치료의 새 역사를 써내려가는 것이다. 이러한 상태에 도달하기까지에는 역대 병원장 등 리더들의 눈부신 역할이 혁혁한 공헌을 한 것은 부인할 수 없는 사실이다.

비록 나의 짧은 지견이지만 로널드 드피노 현 병원장의 9월의 새해 인사 편지는 왜 엠디앤더슨이 세계 최고의 암센터를 이룩할 수 있었는지에 대한 단면을 엿볼 수 있었던 좋은 기회가 되었다.

엠디앤더슨의 교육 시스템

누군가 교육, 연구, 진료의 축 중 지금의 엠디앤더슨 암센터를 만든 가장 커다란 축이 무엇인가를 물어본다면 나는 주저 없이 교육이라고 말할 것이다. 여기 와서 처음으로 놀란 것이 바로 이들의 교육시스템이었다. 엠디앤더슨의 홈페이지에 들어가 보면 상단에 이벤트란이 나오는데 이곳에는 매주 월요일부터 일요일까지 예정되어 있는 세미나와 강연정보들이 모두 자세하게 나와 있다. 만일 이들만 계속 좇아다닌다고 해도 하루가 어떻게 지나가는지 모를 정도로 다양한 교육 일정이 여러 부서에서 체계적으로 정기적^비정기적으로 운영되고 있다.

내가 연수 기간 중 정기적으로 참여한 것만 예로 들자면 다음과 같다. 화요일 아침 8시부터 9시까지는 각 분야의 최고의 전문가들을 모시고 최신지견을 전달해주는 정기 세미나가 히키 대강당에서 열린다. 금요일 아침 8시부터 9시까지는 암 환자를 관리하는 데 필요한 내과적 지식을 알려주는 세미나가 피켄스 빌딩 3층에서 열린다. 금요일 오후

12시부터 1시까지는 전문적인 진일보한 암치료의 전문지식을 전달하는 정기 세미나가 히키 대강당에서 열린다. 이 밖에도 3~4일짜리 전문 세미나나 학회도 꾸준히 열려 이곳에 근무하는 많은 의료진들은 항상 최신정보에 노출되어 있고 재교육을 받을 수 있는 기회를 제공받을 수 있다. 더욱이 대학원생이나 초보연구자들에 대한 펍메드, 엔드노트 등 논문의 참고문헌을 찾고 정리하는 데 필요한 교육이나 협력연구를 어떻게 하는지 등에 대한 교육도 정기적으로 이루어지고 있다.

이곳 엠디앤더슨에서는 의료인들에 대한 교육만 이루어지는 것이 아니다. 직원들의 복지나 기본소양에 대한 교육 또한 매우 충실히 이루어진다. 환자관리에 대해 일반 직원들이 알아야 할 내용들이나 종양학의 전반적인 내용들에 대한 강연 또한 정기적으로 열린다. 또 '배려'라는 주제를 가지고 직원들 간에 서로 배려하는 자세를 교육하는 과정이 매 달마다 의무적으로 진행된다. 심지어는 개인의 재정적인 관리나 미술관련 교육과 같은 소양교육들도 종종 이루어지고 있다.

처음 이곳의 직원이 되기 위해서는 약 12시간 정도로 구성되어 있는 인터넷 교육을 이수해야만 한다. 나 역시 처음 직원명찰을 받은 후 교육시스템에 등록하고 인터넷 교육을 이수한 다음 수료증을 발급받을 수 있었다. 교육내용에는 엠디앤더슨의 역사, 사명, 현재의 위상 등에 대한 것은 물론이거니와 직원간의 예절, 성희롱, 배려 등에 대한 내용, 병원에서 발생할 수 있는 위험상황에 대한 대처능력 등도 포함되어 있다. 또한 교육은 엠디앤더슨의 여러 근무자들이 출연하여 자세히 설명해 주는 형식이며, 중간중간 만화나 퀴즈가 나와 지루하지 않게 볼 수 있도록 구성되어 있다. 수강자의 언어수준도 고려하여 자막이 나오게 선택할 수도 있고 이곳에 근무하는 많은 남미계 직원들을 고려하여 스페인어도 함께 제공된다. 12시간의 교육이 끝나면 엠디앤더슨의 한 구성원으로서 자격이 갖춰지는 셈이다.

환자들에 대한 교육도 적극적으로 이루어진다. 암성피로, 장루관리 등에 대한 교육이 매주, 매달마다 정기적으로 이루어진다. P.I.K.N.I.C.(암에 대한 지식과 뉴스의 동반자)이라는 프로그램을 통해 환자에게 필요한 혈압관리, 당뇨관리 같은 일반적인 내용들에 대해서도 외부기관의 지원을 받아 매주마다 교육이 이루어진다. 또 유방암, 전립선암, 척추암 등에 대한 지원단체가 있어 각각 환자들에 대한 교육이 이뤄지기도 한다. 통합의료 부서에서는 스트레스 관리를 위해 매주 화요일과 목요일에 명상 프로그램도 운영하고 있고, 외래클리닉이 위치하고 있는 메이스 클리닉에서는 영양^식이, 기공, 요가, 부분 마사지, 음악 등의 서비스를 환자들에게 제공하고 있다.

세계 각국에서 많은 연구자들이 오는 곳이니 만큼 언어소통의 강화를 위해 무료 영어교육 또한 이루어진다. 마크라는 전문 영어강사가 진행하는 과학영어 프로그램은 특히 외국에서 온 방문연구자들에게 인기가 높다. 발음, 말하기, 쓰기 등에 대한 교육이 1주일 내내 진행되며 이 중 본인이 원하는 과정을 선택해 지원하면 인터뷰 등을 거쳐 과정에 참여할 수 있다. 워낙 경쟁이 치열한지라 나의 경우에는 첫 번째 지원에서는 탈락하고 3~4개월이 지나서야 겨우 수업에 참여할 수 있었다. 함께 지내는 다른 연수 오신 선생님들의 열심히 영어수업에 참여하는 모습이 내게 자극이 된 것도 사실이다.

엠디앤더슨이 세계 최고가 될 수밖에 없는 그 주된 이유에 대해 나는 단연코 교육을 1순위로 꼽고 싶다. 교육을 통해 연구자들은 최신 지견들을 지속적으로 업그레이드하고, 직원들은 배려를 중심으로 유기적인 시스템을 유지해나가게 되며, 환자들은 필요한 의료지식을 얻게 되고, 구성원들은 스스로를 꾸준히 업그레이드하기 때문이다. 즉 교육, 연구, 임상의 세 축이 커다란 톱니바퀴가 돌아가듯 착착 돌아가며 이 거대한 시스템을 세계 최고로 이끌고 있는 것이다.

홍완기 교수님과 히키 대강당

로버트 히키는 엠디앤더슨의 외과의사였다. 그는 내분비 종양 분야에서 많은 업적을 남긴 것으로 유명하다. 그의 업적을 기리기 위해 주 병원 건물의 11층에 히키 대강당이 만들어졌다.

나는 연수 기간 중 1주일에 평균 2회씩 정기적으로 이곳을 찾았다. 내가 속해 있는 캔서 메디슨 부서에서 매주 화요일 아침마다 열리는 정기 강의와 금요일 점심에 있는 종양관련 최신 진보에 대한 정기 강의를 듣기 위해서였다.

또 통합의학부서에서 매달 셋째 주마다 점심때 진행되는 외부인사 초청 특강에 참여하기 위해 이곳을 방문했다. 히키 대강당은 나의 1년간의 연수 기간 중 최신 암치료에 대한 지견들을 전달해주던 고마운 장소인 셈이다.

화요일 아침에 있었던 강의들은 캔서 메디슨 부서의 수장이신 홍완기 교수님의 주도하에 진행된다. 한국 출신 재미의학자인 홍완기 교수님은 미국암협회에서 2012년도 '암 임상연구' 분야의 수상자에 선정될 정도로 엠디앤더슨을 대표하는 인물이다. 홍 교수님은 초창기에 암의 전단계인 세포에 비타민A 성분인 레티노이드를 투여하면 암세포로 잘 진행하지 않는다는 사실을 밝혀냈다. 이 발표는 암 예방분야에 크게 공헌했고, 유명세를 타기 시작했다. 또 두경부암의 전문가로 1990년 초만 해도 후두암이 생기면 성대까지 절제했으나 이를 항암제와 방사선 병합치료를 통해 목소리를 잃지 않고도 후두암을 치료할 수 있는 방법을 개발하기도 하셨다.

그 때문에 홍 교수님의 수상경력은 화려하다. '아메리카 베스트 닥터', 미 암학회가 시상하는 '올해의 암연구자 상', 가장 훌륭한 암 치료 연구 업적을 남긴 사람에게 시상하는 '버처넬 상', 미국 임상종양학회 회원들의 투표로 암 전문의에게 수여되는 '카노프스키 상' 등을 수상했으며, 외국대학 출신으로는 처음으로 2008년 조지 부시 대통령으로부터 미국 국립암자문위원회 위원으로 지명되었을 정도이니 같은 한국인으로서 충분히 자긍심을 가질 만하다.

최근 홍 교수님이 진행하던 연구는 '배틀(폐암 정복을 목적으로 하는 표적치료의 생물학적 표지자 융합 연구)'이라는 제목으로 진행성 폐암 환자에 대해 조직생검에 대한 반응을 확인하고 이를 기반으로 표적치료를 하는 내용이었다. 박사님을 처음 뵌 곳은 엘리베이터 안이었다. 나에게 어디서 왔고 어디에서 근무하는지 물어보셨는데, 그때 한국어가 아닌 영어로 질문하셔서 좀 당황했었다. 하지만 세계 최고라는 엠디앤더슨에서 한국인이 저렇게 높은 위치까지 올라가 있다는 사실이 나로서는 참으로 신기하고 또 자랑스러웠다. 아마 여기로 연수오거나 근무하는 다른 한국 선생님들도 나와 비슷한 느낌을 가졌을 것이다. 이후 나로 인해 몇몇 손님들이 한국으로부터 왔을 때에도 홍교수님은 점심식사를 대접해주시는 등 인자하게 우리를 맞이해 주셨다.

매주 금요일 점심시간에는 주로 종양학 최신 경향에 대한 강의들이 이곳 히키 대강당에서 진행된다. 이곳에서 박사 후 연구과정으로 들어온 사람들이 좋은 연구업적을 내게 되면, 이를 발표하는 시간을 주고 이에 대한 시상도 또한 이루어진다. 이처럼 엠디앤더슨에서는 젊은 연구자들에 대한 좋은 교육 프로그램을 또한 가지고 있었다. 이를 통해 학문의 진보를 주도하는 시스템을 보유하고 있다는 사실이 몹시 부러웠다. 이 강의는 한국에서 연수 오신 여러 선생님들을 많이 만날 수 있는 시간이었다. 다 함께 제공되는 식사를 하면서 강의를 듣고 흥미로운 내용들에 대해서는 서로 토론하는 유쾌한 학술의 장이었다.

매달 세 번째 화요일 점심시간에는 통합의학부서의 외부 초청 강연이 열렸다. 하버드 대학의 유명한 교수인 테드 캡척의 '플라시보(위약) 효과', 토론토 대학의 릴리안 톰슨 교수의 '아마씨 기름의 유방암 환자들에 대한 효능', 통합의학센터의 침구사인 가르시아 박사의 '암관리침 치료에 대한 접근', 수장인 로렌조 코헨의 '엠디앤더슨 통합의학 프로그램의 진행과 미래방향', 엠디앤더슨 부인종양학 교수인 아닐 수드의 '뇌신경물질의 종양전이에 대한 영향' 등 세계적인 석학들의 강연을 쉽게 접할 수 있었다. 이는 엠디앤더슨에 연수 오기를 정말 잘했다고 느꼈던 이유 중 하나였다.

특히 9월에는 학술대회의 달이라고 불리어도 좋을 만큼 많은 학술대회가 연속으로 개최되었다. 첫째 주에는 호스피스 및 완화의학 관련 세미나가, 둘째 주에는 종양내과 전문의 시험을 위한 종양 및 혈액학 전반에 걸친 보드리뷰가, 또 셋째 주에는 면역과 염증이라는 주제의 세미나가 개최되었다. 나는 실험실 일도 있었고, 또 학술대회 발표준비도 해야 해서 여유가 있는 상황은 아니었다. 하지만 내가 치료하는 암 환자군이 호스피스부터 직접 치료까지 광범위한 터라, 가지고 있는 지식을 업그레이드하고 새로운 최신지견을 접할 수 있는 좋은 기회라는 판단이 들었다. 그래서 월요일부터 토요일까지 하루 종일 진행되는 이 연속적인 학술대회의 대장정에 참여했다. 한편으로는 너무도 많은 내용이 쏟아져 과연 이를 다 소화할 수 있을까 하는 우려도 있었지만 '지금 아니면 언제 이렇게 종합적으로 정리해볼까' 하는 마음으로 꿋꿋하게 끝까지 히키 대강당을 지켰다.

아무튼 이곳은 세계적인 석학들의 강의를 듣고 또 최신 종양학에 대한 재충전을 시켜주며, 학문의 발전에 대한 치열한 학자들의 노력을 담아낸 장소였다. 엠디앤더슨에서 1년간 지내는 동안 "학문은 바로 이런 것이다"라는 것을 깨닫게 되었다. 한국인 출신이신 홍완기 교수님이나 다른 훌륭한 교수님들도 히키와 같이 그의 이름을 딴 기념관을 이곳 엠디앤더슨 속에 남기실 수 있으셨으면 하는 바람이다.

미국 최고의 의사로 두 번이나 지명되신 김의신 박사님과의 만남

김의신 박사님은 엠디앤더슨 암센터에서 1991년부터 '미국 최고의 의사'에 연속적으로 지명되셨다. 그야말로 미국 최고의 암 전문 병원으로 꼽히는 엠디앤더슨 암센터의 진정한 닥터 엠디앤더슨이시다. 김 박사님은 서울대에서 예방의학을 전공하다 베트남전에 군의관으로 입대한 것이 미국과 인연을 맺게 된 계기가 되었다고 한다. 그 후 1966년 미국으로 건너오셔서 당시 국내에는 생소하던 '핵의학'이라는 새로운 분야를 연구하기 시작한 것이 미국에서의 첫 발걸음이었다고 했다.

김 박사님은 존스홉킨스대, 피츠버그대, 미네소타대, 워싱턴 대학에서 내과, 임상의학, 핵의학 전문의를 동시에 취득하셨고, 자신만의 영역을 넓혀 나갔다. 그러다가 1980년부터 엠디앤더슨에서 방사선 및 내과 교수로 재직하며 동위원소를 이용한 암 진단법을 밝혀내 '핵의학계의 선구자'라는 호칭까지 얻게 된 것이다.

나는 이곳에서 펠로우로 근무 중인 젊은 의사인 채영광 선생님의 소개로 김의신 박사님께 만남을 청했다. 다행히 박사님은 흔쾌히 허락해 주셨다. 점심 약속을 하고 12시에 피켄스 16층에 위치하고 있는 박사님의 핵의학과 연구실로 찾아뵈었다. 가기 전 소개 시간을 절약하기 위해 자기소개서를 미리 이메일로 보내드렸더니 이를 이미 읽으셨다고 하셨다. 박사님은 고령이심에도 불구하고 내가 찾아뵈었을 때에도 논문작업에 집중하시던 중이었다.

"안녕하십니까. 아까 연락드린 유화승이라고 합니다."
"아. 앉아요. 대전에 충남대와 을지대가 있지 않나?"
"예. 의대는 그렇고 한의대는 대전대가 유일하게 있습니다. 저희 병원은 대전에 2개, 청주와 천안에 1개씩 총 4군데가 있는데 제가 근무하는 동서암센터는 대전정부청사가 있는 둔산동에 위치하고 있습니다."

박사님은 친근하고 격의 없이 나를 반갑게 맞이해 주셨다. 박사님은 나를 피켄스 건물 3층에 위치한 랜턴 카페로 데리고 가셨다. 그리곤 담백한 터키 샌드위치를 시켜주시며 본인의 방식대로 먹어보라고 권하셨다.

"양방이나 한방이나 암을 다 치료하면 뭐 하러 통합의학 얘기가 나오겠어. 서로 잘 안되니까 그런 것 아니야? 요즘 유전자가 사람마다 서로 다르다는 얘기를 가지고 풀어나가려고 하는데 그래봤자 폐암의 경우에도 겨우 3개월 연장하는 거야. 한의학에서는 안 되는 것을 된다고 하는 것보다는 되는 것을 더 잘되게끔 도와준다는 사실을 입증하는 것이 좋을 것 같아."

박사님이 먼저 말문을 여셨다.

"특히 한국 사람들이 항암치료를 할 때 잘 못 견디는 것 같아. 구역질도 제일 심하고 또 혈구수치도 많이 떨어져. 그나마 백혈구나 적혈구는 괜찮은데 혈소판이 떨어지는 게 문제야. 또 면역도 많이 떨어지는데 요즘은 쉽게 면역지표 검사가 되니까 연구해서 한의학 분야에서 이런 걸 풀어주면 좋지 않을까 해."

나 역시도 이러한 문제를 인지하고 있던 터라 박사님 말씀에 맞장구를 치고 또 나름대로의 소신을 말씀드렸다.

"맞습니다. 특히 항암치료 도중 발생하는 호중구 감소증이나 혈소판 감소증을 예방하는 치료법을 찾고 이를 과학적으로 임상시험 등을 통해 입증할 경우, 많은 암 환자들에게 증상 관리에도 도움이 되고 그 치료율 또한 높일 수 있습니다. 이를 위해서는 한국에서도 통합의학의 도입이 지금보다 훨씬 적극적으로 이루어져야만 합니다."

김 박사님이 말을 이어 나가셨다.

"엠디앤더슨을 비롯해서 다른 유명한 암센터에서도 요즘 통합의학 부서를 두려고 난리야. 근데 한국은 경희대가 의대와 한의대가 같이 있어 사람들을 만나 얘기해보면 별로 서로 뭔가를 하려고 노력을 안하는 것 같아. 내가 보기에는 같이 연구하면 좋을 것 같은데, 특히 양방 쪽에서는 한방을 너무 노골적으로 무시하고 알려고 하지를 않아.”

박사님은 나름대로 한의학에 대해 호의적이셨고 한의학이 나아가야 할 방향을 정확히 인식하고 계셨다. 내가 지금까지 해온 최상연속증례 프로그램이나 현재 엠디앤더슨 암센터에서 진행 중인 인삼 프로젝트에 대한 설명을 해드리니 바로 그거라고 용기를 북돋아 주셨다.

“박사님. 제가 이 분야를 연구하는 동안 한 가지 바람이 있다고 한다면 한국의 메이저 암센터들에서도 엠디앤더슨과 같이 통합의학부서가 만들어져서 환자들이 실질적으로 도움이 되는 치료들을 어디서든 마음 놓고 받을 수 있는 날이 왔으면 하는 것입니다. 그러기 위해서 저는

메이스클리닉에서 김의신 박사님과 함께

한의학의 치료법들에 대한 과학적 근거 정립을 위해 최선을 다하도록 하겠습니다."

현재 내가 지향하고 있는 방향에 대해 '세계 최고의 암 전문의'라는 수식어가 붙는 김의신 박사님께 긍정적인 확인을 받으니 지금까지 걸어온 길이 틀리지 않았음을 다시금 확인할 수 있었다. 김 박사님은 내 연수 기간 중인 2012년 8월 18일에 엠디앤더슨에서 은퇴하셨다. 은퇴식은 텍사스 한국 의사회가 후원하여 라이스 대학에서 성대하게 치러졌다. 이후 김 박사님은 캘리포니아의 얼바인 주립대학으로 소속을 옮기셨고, 한국과 미국에서 6개월씩 나누어 근무를 하시고 계신다.

세계 최고의 암 전문의로서 후학들을 위해 끊임없이 연구와 교육을 지속하시는 김 박사님과의 만남은 내게 구태의연함에서 벗어나 환자를 위한 진보의 노력에 더욱 박차를 가할 수 있는 동기를 부여해 주었다.

메소디스트 병원의 노재윤 박사님

내가 있던 기초과학 연구 빌딩 실험실에서 길 하나만 건너면 메소디스트(감리교회) 병원이 위치하고 있다. 휴스턴의 가장 유명한 병원 중 하나인 이곳은 텍사스 메디컬 센터에서 엠디앤더슨 다음으로 많은 건물과 면적을 차지하고 있는 병원이다. 항상 실험실 쪽으로 갈 때면 바로 앞에 건물이 있기에 한 번 구경 가봐야지 하고 생각하고 있었지만 막상 가보진 못하고 있던 상황이었다.

한국에 있을 때 엠디앤더슨 암센터에서 근무하신 분들 중 처음으로 알게 된 분이 바로 현재 메소디스트 병원 병리과에 근무하고 계시는 노재윤 박사님이다. 노 박사님과는 2004년 국립암센터에서 진행했던 '생명과학 최고 연구자과정'에 함께 다녔던 인연이 있었다. 당시 노 박사님은 2001년까지 엠디앤더슨 암센터의 병리과에서 근무하시고 난 후 한국으로 오셔서 서울아산병원과 국립암센터에서 근무하던 때였다. 이후 2006년 이곳 메소디스트 병원으로 주 소속을 옮기시고 최근에는 일 년의 절반은 미국의 메소디스트에서, 나머지 절반은 한국의 이화여대병원 암센터에서 근무를 하시고 계신 중이었다. 노 박사님은 한국에 계실 때 현재 강릉과학기술원에 계시는 양현옥 박사님과 나를 아산병원으로 초대해 주셨다. 그래서 같이 점심도 먹고 국립암센터 병리조직은행을 구경시켜준 적도 있었다. 또 내가 처음 엠디앤더슨으로 연수를 와야겠다는 생각을 가졌을 때 그 구체적인 방법에 대해서도 여쭤보고 사람도 소개받은 등 많은 도움을 주시기도 했다.

마침 친하게 지내던 한 연수 오신 선생님이 노 박사님을 한 번 찾아뵙기로 했다는 것이었다. 이참에 나도 한 번 인사를 드려야겠다고 생각하고 동행했다. 박사님은 우리를 반갑게 맞아주셨다. 그리곤 매일 진행하는 병리조직 슬라이드 실습 강의에 참여시켜 주셨다.

실습실에는 5~6대의 전자현미경이 구비되어 있었다. 현미경으로 병리조직 슬라이드를 펠로우나 레지던트들이 박사님과 함께 보면서 그 진단 및 감별을 하는 수업이 진행되었다. 박사님은 우리에게 시그넷링 셀 타입(동그란 모양의 예후가 안좋은 악성종양세포)의 세포를 보여주시면서 물어보셨다.

"이것이 어디 기원인지 아나?"

"예. 대부분은 위나 대장의 악성종양에서 보입니다."

"일반적으로는 그렇게 알지만 이것은 폐, 유방, 심지어는 몸의 어느 조직에서라도 발견될 수 있어."

이어 박사님은 본인이 경험하셨던 특이한 경우들과 또 세계 최초로 발견한 내용들에 대해서도 언급하셨다. 이밖에도 정상세포를 구분하는 법, 기원조직을 유추하는 법 등을 수련의들과의 질문 대답 형식을 통해 알려주셨는데, 매일 이와 같은 강의를 1시간 동안 근 20년 이상 쉬지 않고 지속을 하셨다고 하니 참으로 놀라운 열정이었다. 이것은 어느 누가 시켜서 할 수 있는 일이 아니다. 교육에 대한 열의에 의해 그렇게 오랫동안 지속할 수 있는 것이 무척이나 감동적이었다. 누가 시키지도 않는데 알아서 매일매일 후학들을 위해 강의를 한단 말인가? 박사님께서는 지금도 노령이심에도 불구하고 아침 6시 출근, 저녁 8시 퇴근의 원칙을 지키신다는 말씀하셔서 우리는 다시 한 번 놀라지 않을 수 없었다.

박사님은 병리조직은행을 유지하는 것도 중요하지만 이를 순환시키는 것 또한 매우 중요하다는 말씀을 해주셨다. 모은 조직들을 무조건 가지고만 있지 말고, 이를 적극적으로 순환시켜서 쓰고 또 모으고 해야지 연구에 너무 신중을 기하느라 너무 오래 가지고만 있다 보면 은행 본연의 기능을 하지 못한다는 것이었다.

2004년도에 처음 엠디앤더슨을 접한 후 어떻게 하면 갈 수 있을지를 한국에서 처음 여쭤본 분을 이곳에 와서 다시 만나니 감회가 새로웠다. 내가 이곳 휴스턴에 머물렀던 1년 동안 박사님은 우리 과의 전공의 선생님들이 방문했을 때 메소디스트 병원도 구경시켜주시고, 또 당신 집으로 초청도 해주시는 등 많은 추억들을 만들어주셨다.

나는 누구보다도 많은 열정을 지니시고 환자진료와 후학들 교육에 최선을 다하시는 노 교수님의 삶의 방식에서 내가 앞으로도 계속 배워가고 닮아가야 할 진정한 닥터 엠디앤더슨의 모습을 확인할 수 있었다.

오정훈 선생님과의 인연 및 병동과 외래 참관

금요일 아침마다 진행되는 내과강의가 끝난 후, 옆자리에 계시던 김의신 박사님이 나에게 한국 출신의 의사인 오정훈 선생님을 소개시켜 주셨다. 그는 어렸을 적 브라질로 이민 와서 의대를 졸업한 후 미국으로 건너와 내과 전문의를 따고, 현재 엠디앤더슨에서 부교수로 근무하는 중이었다. 오 선생님은 주로 환자들의 내과적인 문제, 이를테면 감염, 혈압, 심장문제, 전해질 대사, 뇌압상승, 간 기능 및 신장기능 등에 대하여 다른 과에서 의뢰를 받아 해결하는 일을 담당하고 있었다. 마침 이곳의 병동 시스템에 대해 한 번 봤으면 하는 생각이 있었기에 쉐도윙(의사를 함께 따라다니면서 환자치료를 참관하는 것)을 부탁했다. 그는 나의 부탁을 흔쾌히 들어주었다.

엠디앤더슨의 병실은 전체가 1인실로 구성되어 있다. 스테이션(간호사와 의사들이 차트를 보고 처방을 내는 곳)이 한가운데 위치하고 있으며, 원형으로 뼁 둘러 7~8개의 병실들이 있는 시스템이다. 한 층에서 겨우 환자 7~8명만을 관리하는 것이기에 보다 집중적인 치료가 이루어지기 쉽고 또 병실 안쪽도 투명유리를 통해 24시간 병동에서 관찰을 할 수 있는 것이 좀 특이했다. 최대한 많은 환자를 보기 위해 다인실을 두려고 하는 한국에서는 상상도 할 수 없는 시스템이었다. 물론 병원비는 이쪽이 훨씬 더 비싼 편이다. 아마도 이를 보험에서 지급해주기 때문에 이런 시스템이 가능할 수 있었을 것이다. 우리는 아침 9시부터 하루 회진해야 할 10여 명의 환자와 새로 의뢰된 2명의 환자를 살피기 시작했다. 그는 부교수의 위치임에도 불구하고 말 그대로 혈혈단신 혼자서 환자를 진찰하고 의뢰 온 내용에 대해 처방을 내리고 챠팅을 하는 등 바쁜 하루 일과를 소화해내고 있었다.

오정훈 선생님은 내게 외래진료를 참관할 수 있는 기회도 제공해 주셨다. 엠디앤더슨의 내과 부서에서 특화된 대표적인 클리닉 중 하나가 바로 만성피로 클리닉인데 이곳의 진료를 참관할 수 있도록 약속을 잡아주신 것이다. 약속된 시간에 맞춰 메이스 클리닉 6층에 위치한 진료실에 찾아갔다. 거기에선 만쥴로라는 미국인 의사가 나를 반갑게 맞아주었다. 외래는 의사와 환자가 진료실에서 1대 1로 진료를 하는 형식이었다. 만성피로 클리닉은 말 그대로 항암 치료 중이나 치료 후에 만성피로를 느끼는 환자들의 증상을 개선시켜 주는 것을 목적으로 하는 전문 클리닉이었다.

그녀는 환자들에게 내가 한국에서 연수 온 한의사라고 소개시켜 주었다. 진료를 진행하면서 내가 가장 흥미를 많이 느낀 것은 이 환자들 중에서 침 치료나 허브Herb 치료를 문의하는 환자들이 많다는 점이었다. 우리나라 같으면 하면 절대로 안 된다는 답이 나왔을 텐데 만줄로의 대답은 이보다는 훨씬 구체적이었다.

그녀는 환자들에게 '침 치료의 경우에는 근거의 수준이 어떤 정도이고, 만일 당신이 원한다면 엠디앤더슨의 통합의학 프로그램으로 의뢰하겠다, 또 허브치료의 경우에는 간 손상이나 항암약물에 영향을 줄 수 있는 부작용을 경험할 수 있고 지금까지 연구된 것으로는 이곳의 인삼을 이용한 임상시험 등이 있다'는 등의 최신정보들을 쉽고 자세하게 알려주었다. 또 치료방향에 대해서도 상담해주었다. 엠디앤더슨의 의사들은 홈페이지에 올라온 최신자료실을 이용해 최신의 연구에 대해 찾아보고 이를 환자진료에 이용하는 등 보다 확실한 최신의 근거들을 실제 임상에서 적극적으로 활용하는 모습을 보여주었다.

길지 않은 입원병동 및 외래 참관이었지만 나름대로 앤디앤더슨 암센터의 진료체계를 체험할 수 있었다. 또 이를 통해 우리의 문제점 및 개선해야 할 문제들을 확인할 수 있었다. 좋은 기회를 제공해주신 오정훈 선생님께 이 자리를 빌려 감사를 표하는 바이다.

통합의학 실험실이 위치한 기초과학연구빌딩과 김선희 박사

내가 1년간 실험을 진행했던 통합의학 부서의 실험실은 메인 빌딩 오른쪽 뒤쪽에 위치한 기초과학연구빌딩 7층에 자리했다. 미국의 관련 학회들에 참가하면서 내가 항상 고민하던 것은 한국 한의학을 가지고 외국에 소개함에 있어서 도대체 어떤 주제가 가장 흥미롭고 관심을 끌 것인가 하는 것이었다. 특히 미국에 와 있는 1년 동안 엠디앤더슨에서 어떤 주제를 가지고 실험연구를 진행하는 것이 이 사람들의 관심을 끌 수 있고 또 세계화에 적합할 것인지에 대해 계속 생각했다.

이전에 볼티모어를 방문했을 때 존스홉킨스 암센터에서 연수 중이셨던 경희대 침구과의 이상훈 교수님이 나에게 하신 말씀이 생각났다. "주로 한국의 전통 침법인 사암침에 중심을 두어 연구를 한다. 이미 기존의 침법들은 중국의 것과 차별이 없기 때문이다." 즉, 한국적 색채가 있는 것으로 해외연수시의 테마를 잡을 것을 조언해 주셨다. 결정적으로 내가 연구테마를 잡는 데 중요한 영향을 끼친 한 분이 더 있다. 바로 엠디앤더슨에서 유명한 인도 출신의 바렛 아가왈 교수다. 그는 카레의 기원물질인 강황의 주성분인 '커쿠민' 연구를 통해 이미 전 세계적으로 유명해진 분이다. 인도의 전통음식인 카레로부터 항산화작용 및 항암작용, 그리고 암 예방효능까지 정말 많은 연구를 진행하셨다.

몇 차례 아가왈 교수의 강연을 들어보면서 나는 '외국인들에게 한국을 호소력 있게 대표하는 것은 무엇일까'를 생각해봤다. 오랜 고민 끝에 정답은 바로 인삼이라는 결론에 도달했다. 하지만 인삼에 대해서는 이미 많은 연구가 이뤄져 나온 상태였고, 그냥 인삼 또는 그 성분의 항암효능을 주제로 하기에는 좀 밋밋한 감이 있었다. 다행히도 내 곁에는 인삼에 대한 많은 연구를 진행해 오고 계신 권기록 교수님이 계셨다.

권 교수님은 전 상지대 한의대 침구과 교수 및 병원장을 역임하신 분이다. 이전에 그분에게 중국에서 항암보조제로 개발되어 항암 진세노사이드 Rg3으로 만들어진 '삼일교낭'이라는 약물을 소개시켜드렸었다. 그러면서 한국 인삼에서 이러한 항암 진세노사이드를 강화시킨 약물을 만들 수 있을는지에 대해 상의를 드렸던 적이 있는데, 권 교수님은 당신의 노하우를 총 동원하셔서 대표적인 항암 진세노사이드인 Rg3, Rh2, 컴파운드 K 등을 기존의 것보다 획기적으로 강화시킨 인삼을 만들어 내셨다. 또 내가 연수 오는 것과 때를 맞춰 이를 가지고 엠디앤더슨에 와서 실험을 진행하게끔 도와주셨다.

보통 인삼에는 큰 분자구조의 진세노사이드인 Rd, Rb, Rc 등이 많이 들어있는 반면, 산삼에는 작은 분자구조의 진세보사이드인 Rg3, Rh2 등이 많이 들어있다. 일반적으로 산삼이 인삼보다 항암효능이 뛰어나다고 하는 이유는 삼이 땅속에 오랫동안 보존되면서 효소반응 등을 통하여 큰 분자구조가 작은 분자구조로 바뀌게 되기 때문으로 이해되고 있다. 누구나 산삼이 좋다고 생각은 하고 있지만 물량이 한정되어 있고 가격이 비싸다. 그래서 일반적으로 구할 수 있는 약물로 이용되기 어렵다. 결국 인삼의 큰 분자구조의 진세노사이드를 작은 분자구조로 인위적으로 바꿀 수만 있다면 저렴한 비용으로 대중적으로 이용할 수 있는 약물이 탄생할 수 있겠다는 것이 우리가 이를 개발하고자 한 동기였다.

이미 엠디앤더슨에 오기 전에 제출한 실험계획서에는 이러한 내용들이 있어서 실제 진행을 해 나가는 데에는 큰 무리가 없었다. 실험 중간에 용량결정이나 용해 등등의 문제가 발생하기도 했고 빠듯한 스케줄 때문에 주말에도 나와 실험을 해 가족들의 원성을 사기도 했지만 나름대로 1년간 실험에 최선을 다했고 결국은 자가포식이라는 기전을 통해 폐암세포의 성장을 억제시킨다는 사실을 확인하고 그 기전을 관련된 단백발현을 통해 밝혔다.

실험실은 페이잉 양이 담당하고 있었고, 그 밑에는 내 실험 진행에 있어서 많은 도움을 준 에킴 부부, 성격이 깐깐하기는 하지만 그래도 물질분석에 있어서 전문성을 가진 데이비드와 그를 대신해 나중에 합류한 링, 중국 출신으로 다리 꼬고 앉아서 고스톱 치는 자세로 실험을 진행하던 실험실 경력 20년 이상인 융, 중국에 남편을 남겨두고 와서 항상 힘들다고 투정을 부리던 막내 샤오핑, 파트타임으로 나와 묵묵히 실험을 진행하던 베트남 출신 프랭크 등등이 함께하였다.

가장 잊지 못할 사람은 김선희 박사다. 그녀는 내가 왔을 당시 같은 실험실을 쓰고 있는 세포 생물학 부서에서 엠디앤더슨의 강사로 재직하고 있었다. 이후 부서장인 드보이스가 다른 기관으로 이동함으로 인해 흑색종 부서로 자리를 옮겨 연구에 전념하고 있다. 같은 실험실에 근무하는 유일한 한국사람이었기에 처음 내가 이곳으로 올 때부터 많은 조언을 해주었고 또 실험을 진행하다가 기술적인 문제가 발생할 때면 항상 함께 성심성의껏 상의를 해주곤 했다. 김 박사는 엠디앤더슨에서 한국의 위상을 높이고 있는 대표적인 연구자인 셈이다. 그녀는 우리가족이 휴스턴을 떠나기 얼마 전, 집으로 우리를 초청해 맛있는 김치부침개와 불고기를 대접하는 세심한 배려까지 보여주었다.

엠디앤더슨의 실험실에서는 청소하는 사람도 박사PhD라는 우스갯소리가 있을 정도로 여기에서 박사학위를 가지고 있는 것은 별로 중요하지 않다. 누구나 박사이기에 사실 박사라는 칭호조차도 서로 안 부른다. 중요한 것은 얼마나 좋은 결과를 내서 이를 좋은 잡지에 게재하는가이다. 업적이 좋으면 그만큼 인정받고 높은 자리로 올라갈 수 있는 곳이 바로 미국인 것이다. 우리가 '꿈의 과학 잡지'라고 부르는 셀, 사이언스, 네이쳐에 엠디앤더슨 출신의 과학자들은 연구결과를 꾸준히 올리고 있다. 여기서 일하는 사람들은 그 꿈을 실현하기 위하여 하루하루 묵묵히 실험에 전념한다. 김선희 박사도 그녀의 꿈을 위해 오늘도 열심히 연구에 매진 중이다.

한국에서 연수 오신 여러 선생님들과 엠디앤더슨의 카페(식당)들

엠디앤더슨으로 연수하러 오시는 대부분의 한국 선생님들이 가장 선호하는 메뉴는 바로 집에서 싸가지고 오는 도시락이다. 보통 한 끼 식사비용이 간단히 먹어도 8~9불은 족히 들어가니 매일 사먹기도 좀 애매하거니와, 또 미국 음식을 계속 먹다보면 아무래도 한국 사람들의 입맛에 안 맞는 경우가 많으므로 결국은 자의반 타의반으로 도시락을 싸서 다니게 된다. 한국에서야 주변 눈치를 보느라고 약간 꺼릴지도 모르겠지만 여기는 점심식사가 말 그대로 한 끼 때우는 정도의 개념이어서, 강의를 들으며 먹거나 컴퓨터 앞에서 일하면서 도시락을 먹는 모습을 흔히 볼 수 있다. 나의 경우에는 중국어를 할 줄 알았기에 초반에는 중국에서 온 실험실의 연구원들과 식사를 몇 번 함께했는데 아무래도 식사를 할 때는 우리말을 쓰면서 먹는 것이 편한지라 점차 한국에서 연수 오신 선생님들과 어울리게 되었다.

가장 많이 이용한 곳은 실험실이 위치한 기초과학연구건물 옆의 커먼스 건물 식당이었다. 점심을 함께 먹으려고 가까이 지내던 연수 오신 선생님들이 모일 때면 자연스레 중간에 있는 커먼스가 집결지가 됐다. 물론 다른 곳에 계시는 여러 선생님들도 종종 이곳으로 오셔서 점심식사와 커피 한잔의 여유를 즐겼다. 야외에서 식사를 하고 있노라면 커먼스 옆에 위치한 커다란 워터월(물이 폭포처럼 벽을 타고 항상 흐르고 있다)에서 물이 쏟아져 한여름의 무더위를 식혀주었다.

전망이 가장 좋았던 곳은 메인 빌딩 24층에 위치한 전망대였다. 텍사스 메디컬센터의 전체 전망뿐만 아니라 휴스턴의 시내까지도 한 눈에 들어오는 곳이다. 가끔씩 엠디앤더슨의 전망을 느끼고 싶거나 여유있는 시간을 갖고 싶을 때는 여기를 찾아와서 점심식사를 즐겼다. 또 종종 이용하던 곳으로는 메이스 클리닉의 워터폴(자그마한 폭포수를 만들어 둔 곳) 카페가 있다. 이곳 야외의 테이블에서 식사를 하고 있노라면 새들이 날아와 심지어는 사람 발을 쪼는 경우도 있었다. 이곳은 샐러드 바가 비교적 잘 나온다는 평가를 받고 있어 도시락을 안 싸가지고 왔을 때 가끔씩 이용했다.

사무실들이 밀집한 피켄스 센터 3층에 위치한 랜턴 카페나 로터리 하우스 카페는 패컬티 센터와 피켄스 센터에 계시던 여러 선생님들이 선호하는 곳이어서 중간에 만나기에 참 좋았다. 내가 근무하는 사무실과 가까운 곳에 위치해 있어서 간단히 점심을 해결할 때나 또 가볍게 아는 사람과 함께 식사하기에 적당한 곳이었다. 여기서 식사를 마칠 때는 으레 근처 스타벅스에서 여럿이 커피타임을 즐기곤 했다.

메인빌딩의 앤더슨 카페 옆의 24/7 카페는 24시간 동안 개방되는 곳이어서 혹시라도 늦게까지 병원에 남아있는 경우나 공휴일 출근 시 식사를 해결할 수 있었다. 앤더슨 카페 또한 메인병원 안에 위치하여 혹시라도 한국에서 손님들이 올라치면 셔틀버스를 타기 전 간단한 식사를 위해 가끔 이용했다.

처음에는 아내가 도시락을 정성껏 싸주었지만 그 기간은 그리 오래 지속되지 않았다. 아무래도 아이들도 관리해야 하고 또 내가 교통 혼잡 등을 피해 상대적으로 이른 시간인 새벽 5~6시면 집에서 나오는지라 점차 재료만 냉장고 속에 준비해주면 직접 아침에 도시락을 만들어 이를 가방 속에 넣고 다니게 됐다. 김치볶음밥, 계란볶음밥, 참치볶음밥, 오징어덮밥, 새우덮밥, 쇠고기덮밥, 샌드위치 등 그래도 나름대로는 다양한 메뉴를 돌려가면서 만들었던 기억이 난다. 예전 학생시절에 자취하던 실력이 되살아난 것도 사실이다. 내 인생 중 언제 또 도시락을 싸가지고 다닐까 하는 생각으로 즐겁게 요리를 했다.

이처럼 엠디앤더슨 안에는 많은 카페들이 있고 여기저기 돌아다니며 여러 아는 선생님들과 또 같이 근무하는 동료들과 함께 도시락을 즐긴 기억은 아직도 생각만 하면 미소가 절로 머금어지는 행복한 휴스턴의 추억으로 남아있다.

한국에서 연수 오신 다른 암센터 선생님들과 종종 점심식사를 함께 하던 커먼스 건물 식당의 인공폭포 전경

고신대 병원 신성훈 선생님과의 인연

내가 휴스턴에서 살았던 동네는 한인 타운과 가깝고 학군이 좋아 한인들이 선호하는 곳이었다. 따라서 주변에는 한국에서 엠디앤더슨 암센터로 연수 오신 많은 선생님들이 살고 계셨다. 이 중에서도 가장 친하게 지낸 사람은 바로 고신대 병원 종양내과에 근무하고 계신 신성훈 선생님이다. 신 선생님과의 첫 만남은 바로 통합의학 부서의 수장인 코헨이 '통합종양학의 현재와 미래'라는 주제로 의료인들을 대상으로 세미나를 할 때였다. 신 선생님은 원래부터 완화의학과 호스피스 등에 많은 관심이 있으셨기에 보완대체의학에 대해 흥미를 느끼고 계셨고, 그래서 관련된 강의가 있으면 가급적 참석을 하신다고 했다.

개인적으로는 신 선생님이나 나나 모두 아침형 인간인지라 주말이 되면 종종 일찍 일어나 집 주변 골프연습장에 같이 가서 스윙연습도 했다. 나도 초보이지만 신 선생님은 더 초보이신지라 본의 아니게 내가 골프 티칭프로가 되어 폼을 교정해드리기도 했다. 아무튼 이런 연유로 친해지게 됐고, 나는 신 선생님이 이 분야에 관심을 가지고 계시다는 사실을 알고는 예전 내가 번역하여 국내에서 출간되었던 『통합종양학』 책을 선물로 드렸다. 신 선생님 또한 내게 도움이 될 것이라며 현재 연수 중인 과에서 출간된 『암 증상완화 관리법』이라는 책을 선물해 주셨다.

신 선생님은 군복무를 한국국제협력단 프로그램KOICA을 통해 3년간 페루에서 하신 경력이 있기에 스페인어도 잘 하시고 남미에 대한 사랑이 남다르셨다. 나 또한 비슷한 시절을 중국에서 보낸지라 중국어를 할 줄 알고 또 중국을 좋아하기에 신 선생님과 동질감을 느낄 수 있었다. 신 선생님은 이후에도 매년 의료선교단에 참여하여 이곳 휴스턴을 거쳐 페루로 의료봉사를 가시곤 하셨다. 물론 이번 연수 기간 동안에도 페루에 의료봉사를 1년간 두 번이나 갔다 오실 정도로 봉사정신과 종교적 헌신이 남달랐고 또 페루를 좋아하셨다.

엠디앤더슨 암센터에는 좋은 강의를 들을 수 있는 기회가 많아서 종종 함께 강의를 들었다. 간혹 내가 잘 이해하지 못하는 내용이 나오면 신 선생님은 명쾌한 답변을 주시곤 했다. 연수 기간 동안 담당교수와 함께 주제를 선정하여 좋은 논문을 세 편이나 쓰고 또 이를 국제학술대회에서 구두발표까지 하시는 등 연수 기간 중 학술적인 부분에 있어서도 귀감이 되어주셨다.

"부산에서 한 유방암 환자를 본적이 있습니다. 이 환자는 임파부종이 무척 심해서 상당히 힘들어하고 계셨는데 우연히 침 치료를 받으셨고 증상이 굉장히 많이 완화되셨어요. 그때 난 이런 치료법이 연구가 되어 대중화되면 참 좋겠다는 생각을 가졌습니다. 유화승 선생님이 꼭 이런 연구를 많이 진행해주셔서 환자들에게 그 이득이 돌아가게끔 하면 좋겠다고 생각합니다."

나는 엠디앤더슨이 아닌 한국에서 그를 만났더라도 과연 지금과 같은 관계가 유지될 수 있을까 하는 생각도 해보았다. 한의사와 의사로서 만나는 것이 아닌 같은 목표를 지닌 의료인으로서 만나 환자를 중심으로 서로의 지견을 피력하고 협력하는 모습을 한국에 돌아와서도 기대할 수 있을는지…. 그는 내가 휴스턴에 머문 1년간 엠디앤더슨에 함께 근무한 동료이자 또 주말 아침마다 만난 골프 친구로서 나의 연수 기간 중 많은 시간과 공감을 함께 나눈 통합의학의 동반자였다.

미국으로 간 허준

그리고 그 후

3장

엠디앤더슨의 통합의학 프로그램

연구라는 것이 아주 주제가 거창할 필요는 없습니다. 소소하게라도 아이디어를 내어 임상적 질문을 하고 이에 대한 답을 찾는다면 이 또한 매우 훌륭한 연구가 될 수 있습니다.

코가 핸섬하니까 코헨이야?

앞에서도 언급한 것처럼 이곳 엠디앤더슨의 통합의학 부서로 연수를 오게 된 계기는 수장으로 있는 로렌조 코헨과의 인연 때문이다. 그는 2002년부터 엠디앤더슨에 근무하였고 2004년부터 통합의학에 대한 상해 복단대학과의 공동연구를 주제로 미국 국립보건원의 지원을 받으면서 이 분야에서 유명해진 인물이다.

그와의 첫 번째 만남은 2004년 뉴욕에서 개최되었던 제 1차 통합암학회에서였다. 당시 그는 통합암학회의 실무를 담당하고 있었고, 하버드 다나파버 암센터, 메모리얼 슬론 케터링 암센터와 함께 이 학회를 만든 창립멤버이기도 했다.

원래 그는 포틀랜드의 리드대학에서 심리학을 전공했다. 이후 베데스다 보건과학대학원에서 의료심리학으로 석·박사 과정을 마치고, 캐나다의 국립암연구소에서 박사 후 연구원을 했다. 2002년 엠디앤더슨 암센터로 와서 통합의학부서의 수장을 맡게 되었다. 이때부터 연구 과제를 찾아 중국, 인도, 일본 세계를 돌아다녔는데 2004년에는 한국을 방문하기도 했다.

결국 2004년부터 상해의 복단대 종양병원과 함께 전통중의학의 암 치료에 대한 공동연구를 시작하게 됐다. 양국의 정부로부터 지원금을 받으며 두꺼비 껍질 추출 항암주사약물인 화찬수의 항암효능, 침과 기공의 항암제 부작용 감소 효능 등의 연구를 복단대학과 함께 진행하게 된 것이다. 내가 북경과 상해에서 연수할 때 유심히 살펴보았던 주사제제인 화찬수가 미국에서 연구가 진행되는 순간이었다.

코헨은 상해에서 2007년 말부터 2008년 초까지 6개월간 방문교수로 머물면서 통합암학회의 분과학회를 개최하였고, 『통합암치료』라는 책을 저술하여 발간하기도 하였다. 이 책은 우리 과에서 내게 수련을 받은 방선휘 선생과 내가 함께 번역작업을 하여 2010년 국내에 출판되었다. 상해 학술대회에 자극을 받아 한국에서 관련학회를 개최한 것이 바로 2009년의 주제를 통합종양학으로 잡은 침구경락 국제학술대회이다. 그를 기조연설 연자로 초청하기 위해 나는 2008년 초부터 이메일 등을 통해 연락을 취하기 위해 노력했다. 마침 상해에서 개최되는 상해중의약대학 개교행사에 그가 참석할 것이라는 정보를 입수하고서 그곳에 참석하시기로 예정된 조종관 교수님께 의사타진을 부탁드렸다. 조 교수님은 그의 사진을 보시고서는 "코가 잘생겼네, 코가 핸섬하니까 코헨인가 보지"하고 농담을 하셨다. 아무튼 코가 큰 것은 사실이다.

최근 그는 국립의료원의 지원을 받아 명상, 티베트 요가, 파타잘리 요가, 태극권/기공, 기타 행동치료(스트레스 관리, 감정 글쓰기, 뉴로 피드백 등)와 같은 '심신 치료에 해당하는 생물학적 행동을 통해 암치료의 부정적인 면을 감소시키고 삶의 질을 개선시키는 효과'에 대한 무작위 대조임상연구를 진행하고 있다. 그는 통상의료와 협력이 쉬운 다양한 형태의 보완치료 프로그램들의 심신장애를 감소시키고 치료율을 높여주는 것에 대해 많은 관심을 가지고 있다.

그는 다음과 같이 심신의학에 대한 소견을 밝혔다.

"최근의 의학에 있어서 심신의학적인 접근, 즉 치료에 있어 정신과 육체를 함께 고려하는 것이 중요해요. 스트레스 호르몬이 감소되는 것은 면역력 향상에 도움이 됩니다. 최신 연구들은 암 환자의 삶의 질을 높이는 연구를 병행하는데, 심리적인 치료가 육체적인 치료에 어떤 영향을 주는지를 알고자 하는 거죠. 예를 들어 심리 치료를 한 뒤 스트레스가 얼마나 줄었는지를 혈액수치 등을 통해 확인할 수 있는 결과를 찾고 있는 중이에요."라고 말했다.

그는 현재 인디아의 방갈로의 연구자와 함께 유방암 여성 환자들에 대한 요가의 효과에 대한 3상 임상연구, 중국 상하의의 연구자와 함께 '침의 방사선 유발 구강 건조 증의 예방효과에 대한 2상 임상연구'의 주관연구 책임자 역할도 맡고 있다. 또 최근에는 식이, 영양, 운동, 스트레스 관리, 인간관계형성 등 생활습관의 변화가 암치료 결과에 영향을 미칠 수 있다는 연구를 진행하고 있다. 아무튼 내가 통합종양에 대한 길을 가는데 있어서 많은 영향을 주었고 결국 이곳 엠디앤더슨으로 나를 이끈 인물이 바로 코헨인 것이다.

엠디앤더슨 암센터의 통합의학 프로그램

이곳 통합의학 부서를 이해하기 위해서 우선 비전, 사명, 연구, 교육, 환자관리를 살펴보기로 하자.

비전
암 예방, 치료 그리고 생존 관리 면에서 엠디앤더슨이 근거에 기초한 통합의학의 임상적 관리법을 제공하는 데 있어서 선두가 되게끔 한다.

사명
통합의학 프로그램의 사명은 맞춤 교육과 근거 기반의 임상 치료를 통해 건강, 삶의 질, 임상 결과를 최적화시켜 암 환자들과 그 가족들에게 신체적, 정신적 그리고 사회적 건강의 힘을 실어주는 적극적인 파트너가 되는 것이다.

연구
우리의 연구는 부작용을 치료하고 삶의 질을 개선시키는 침술과 요가 등의 프로그램을 이용하여 암 진단과 치료의 부정적 결과들을 감소시키는 데 주력한다.

교육

보완통합의학 자료 웹사이트는 보완 혹은 통합의학 치료로 암을 안전하게 치료하는 법에 대해 알기 원하는 건강관리 전문가, 보호자 그리고 환자들을 위해 권위 있는 최신 정보를 제공한다. 이 웹사이트는 또한 천연 의약 종합 데이터베이스, 국립암연구소와 미국 식물 위원회와의 협조를 통해 엠디앤더슨에서의 온라인상의 연속교육, 월간 연속강좌 등의 교육 활동을 한다.

환자 관리

통합 의료센터와 입원환자 서비스에서 통합의학의 임상적 적용이 이루어진다. 센터는 보완 치료와 관련된 환자들을 돕기 위한 전문적인 가이드라인을 제공한다. 치료는 형상화, 명상, 요가, 태극권, 음악 치료, 침술, 마사지 등의 보완 요법과 같은 정신, 육체, 영혼에 초점을 맞춘 프로그램을 통해 환자의 삶의 질을 향상시킨다.

즉 이들의 목표는 통합의학에 대한 근거를 확립해서 어떻게 해서든 환자에게 도움을 주고자 하는 것이다. 암과 그 치료법은 환자와 가족, 그리고 관련 있는 모든 사람들에게 커다란 영향을 미치게 된다. 통상적인 관점을 갖고 있는 종양전문가와 보완대체적인 관점을 갖고 있는 통합종양 전문가는 이들에게 많은 도움을 줄 수 있다. 그러나 문제는 의견이 잘 일치하지 않는다는 것이다.

엠디앤더슨의 통합의학 프로그램이 지향하는 목표가 바로 여기 있다. 기존의 암 치료와 함께 대체의학과 통합의학적인 접근을 원하는 환자들을 위해 근거를 만들고 또 이를 직접 임상에서 사용할 수 있는 가이드라인을 제시하여 최종적으로 환자에게 혜택이 돌아가게끔 한다는 것이다.

통합의학 프로그램 팀은 정기적인 자체 토의를 통해 보완통합요법에 관한 자료 조사에서부터 대체 물질, 상호 물질 간의 작용과 기존 약물에 대한 작용 등의 전문 지식을 제공한다. 그리고 엠디앤더슨 전체 의료진 또는 직원들에 대한 교육을 통해 통합의학이 어떤 역할을 할 수 있는지에 설명한다. 통합의학 센터에 방문하는 환자들은 의료진의 강연, 환자상담, 체험학습 등을 통해 통합의학을 직접 경험해 볼 수 있다. 통합의학 센터는 암의 부작용이나 통증, 불안, 스트레스 등의 증상을 해소하는 보완대체요법을 제공하며 통합의학 상담, 침술, 명상, 음악 치료와 종양 마사지 등이 여기 포함된다.

실제 치료기술이야 한국이나 중국이 월등히 앞서지만 한국과 다른 점은 일반 의료센터에서 환자를 의뢰하여 치료가 진행된다는 점이다. 결국 연구와 교육 시스템을 통해 이를 임상까지 연결시킨다는 것이 양^한방이 대립하고 있는 우리나라의 시스템과의 차이점인 것이다. 여기서 이루어지는 통합의학적 치료법에 대해 좀 더 구체적으로 살펴보기로 하자.

● 신체적 프로그램

간단한 이완 마사지
간단한 상체 이완 마사지를 경험하기 위한 혼자만의 시간을 가져보자.

차에 대한 모든 것
차는 반성과 휴식에 적합한 명상을 위한 음료다.
네 명의 공인된 차 달인들과 함께 차의 유래, 방법, 그리고 각각의 장점에 대해 배우자.

게스트 요리사

현지 요리사들이 요리 실력을 발휘하고 고객에게 맛있는 시식 음식을 제공한다. 특히 암 환자들이 조리하고 먹을 수 있는 영양식품을 위주로 한다. 임상 영양사들도 레시피의 영양적 요소들을 고려한다.

펠덴크라이스® 방법과 의식 운동

운동을 통해 일상생활에서의 기능을 향상시키는 법을 배운다.
이 프로그램은 휴스턴 기부 재단으로부터 동의를 받았다.

니아: 신체의 활력소

이 부드러우면서도 생동감 넘치는 원기회복을 위한 운동 수업을 경험해보자.
이 수업은 요가, 태극권 그리고 니아 댄스(놀이) 등의 기법을 포함한다.
운동들은 따라 하기 쉽고 편안한 음악적 비트에서 영감을 받는다.

영양 강좌

당신이 부작용에 대처하거나 건강을 유지하고 싶다면 이 시간에 암 관련 문제들, 치료 그리고 최적의 식이 등에 대해 이야기할 수 있다. 암 환자들을 위한 영양 식품, 유기농 음식에 대한 정보 등에 대해서도 배워보자.

필라테스

골격을 바로하고 전반적인 유연성을 개선시키는 근육 강화 운동을 하자.
복장은 편안하고 신축성 있는 것이 좋다. 이 수업은 매트 위에서 이루어진다.

암 환자를 위한 안전한 마사지 테크닉

부드러운 터치 마사지 기술을 배우자.
마사지가 언제 어떻게 쓰이고 암 환자에게 어떤 장점들이 있는지 알아보자.

태극권

정신과 몸을 연결시키는 지속적인 운동을 통해 균형과 힘을 찾아보자.

요가

어느 건강 상태에도 적용 가능하고 안전하면서 부드러운 스트레칭을 하고 요가 자세와 호흡 기법을 이용해 집중해보자. 당신은 활력과 휴식을 얻은 상태에서 이 수업을 마치게 될 것이다.

● 정신–영적 프로그램

향기 치료와 셀프 마사지

아로마 오일과 그 치료용도에 대해 알아보자.
종합적인 지침서를 집에 가져가서 혼자만의 아로마 오일 혼합을 만들어라.
샘플들은 수업 중에 구할 수 있다.

휴식을 위한 음악 체험

워크숍과 같은 분위기 속에서 라이브 음악이나 음반을 이용해 이완 기법을 배운다.

신뢰할 수 있는 건강 정보 찾기

부작용을 줄여주는 식이 보충제나 치료에 대해서 건강교육 전문가로부터 자료를 제공받는다. 웹 사이트를 탐색하는 방법과 천연물의 품질과 안전성의 평가, 특히 보완통합의학에 대한 것은 의사에게 배우는 것이 좋다.

기도를 중심으로 소개

고대 기도의 기원과 역사적 배경을 공유한다.
신앙, 믿음 혹은 교파에 속한 사람들 모두 환영한다.

증상 관리를 위한 쿤달리니 요가 명상

증상을 완화시키는 호흡, 소리 그리고 묵상의 집중 등 다양한 조합을 배워보자.

P.I.K.N.I.C

암 관련 문제들에 관심 있는 환자, 보호자, 교직원을 위한 주간 교육포럼이다.
세션은 엠디앤더슨이나 휴스턴 지역 사회 전문가들에 의해 진행된다.

스트레스 감소를 위한 명상

현재의 순간에 친절하고 부드러운 관심을 기울이는 것이 명상의 본질이다.
삶을 더 충분하고 평온하게 살기 위해 스트레스 완화 기술을 배우고 효율성과 연민으로 어려움을 이겨내자.

기공

이 고대 중국 시스템의 명상, 호흡 그리고 운동을 이용한 자가 치료를 통해 신체 에너지 흐름의 균형을 경험해 보자.

티베트 명상
정신, 몸, 마음을 연결해 깊은 의식에 접근하고 당신의 '집'을 찾자.
평화를 가져오고 긴장을 풀기 위해 정신과 호흡을 연결하는 법을 배우자.

요가 (하타)
자세, 호흡 훈련 그리고 명상을 통해 정신과 몸을 스트레칭 한다. 수업은 매트 혹은 의자에서 진행된다.

요가 (쿤달리니)
신체의 웰빙을 강화시키는 정신적이고 명상적인 연습을 경험해보자.
쿤달리니 요가는 유연성을 증가시킴과 동시에 정서적 균형, 정신의 투명성, 스트레스 해소와 개인의 변화를 가져온다.

● 사회적 프로그램

표현 예술
이와 같은 유쾌한 수업은 창의적인 방법으로 문제를 탐구하면서 말로 표현하기 어려운 감정이나 경험을 쉽게 전달할 수 있도록 도와준다. 수업은 나만의 도자기 칠하기, 구슬 세공, 모자이크 매니아, 먹 미술, 디지털 사진술, 수채화 등이 있다.

건강의 웃음
건강의 웃음은 요가의 심호흡, 스트레칭, 가짜 웃음 훈련, 아이 같은 장난기 등을 포함한다. 참여자들은 스트레스, 혈압, 우울증 등의 감소효과를 경험했다.

안색과 기분이 좋아지다
이 프로그램은 전문미용사가 진행하며 일시적, 영구적인 외형 변화를 돕는다.
첫 수업에는 메이크업 키트, 헤드커버 및 가발을 준다.

지원 단체
전문가가 이끄는 지원 단체는 통합의료 센터에서 교육, 그룹 토론, 초청 연사 등을 위해 모인다.

– 유방암 지원단
– 등반 지원단
– 자궁 내막암 지원단
– 난소암 지원단
– 전립선 지원단
– 척추종양 지원단

초청 가수
당신은 노래를 좋아하는 암 생존자 혹은 보호자입니까?
만약 그렇다면 당신을 위한 특별한 합창단을 준비했습니다!
합창단의 목적은 아름다운 음악을 만들고, 재미있게 놀며, 새로 진단받았거나 오랫동안 생존한 환자들에게 영감을 주는 것입니다.

이들은 이상에서 언급한 신체적, 정신적^영적, 사회적인 접근을 통해 암 환자의 치료에 있어서의 전인적인 종합치료를 시도한다. 실제 제공되는 임상 서비스로는 다음과 같은 의료상담, 침 치료, 명상, 음악 치료, 종양 마사지 등이 있다.

의료상담
보완통합의학과 관련한 치료법의 유효성과 안전성에 대해 전문의가 근거중심적인 상담을 진행한다.

침 치료
전문 침술사의 시술을 통해 암환자의 부작용을 감소시키기 위해 안전하고 효과적인 침 치료를 제공한다.

명상
호흡과 소리를 통해 안정을 취하고 정신, 몸, 마음을 연결시키도록 돕는다.

음악 치료

어린이와 성인 입원환자, 외래환자 및 그 가족들에게 제공된다.

전문 음악치료사가 수동적인 청취나 다양한 악기 연주를 통해 개인 및 집단 세션을 제공하기도 한다.

종양 마사지

엠디앤더슨 환자들과 그 가족들을 위해 전신 마사지와 이완 의자 마사지 등을 제공한다.

메이스 클리닉의 통합의학센터에서 매주 열리는 암환자들을 위한 태극권 수업에 필자가 참여하고 있다.

통합의학의 의료상담을 책임지는 종양전문의 리차드 리

엠디앤더슨 암센터에서의 통합의료 상담은 주로 대만계 미국인 종양내과 전문의인 리차드 리를 통해서 이루어진다. 환자들을 현대 의학적 관점에서 바라보고 정확한 상태를 파악한 다음 그들이 필요로 하는 '과학적인 근거가 있는' 보완대체의학적 치료방법들을 적절히 소개해 주는 것이 주된 내용이다.

리차드 리는 조지 워싱턴 의과대학을 졸업한 후 미래에 관한 고민을 많이 했다고 한다. 그러던 중 풀브라이트 장학금의 지원을 받게 되었고 잠시의 휴식기간을 가지자고 생각한 그는 이 장학금으로 모국인 대만에 1년 동안 방문하여 동양의학과 침 치료에 대한 공부를 했다. 이후 그는 다시 미국으로 돌아와 전문의 과정을 마치고 대만에서의 경험을 계기로 엠디앤더슨의 통합의학센터로 오기로 결정했다. 그는 보완대체의학이 빨리 과학적으로 근거를 확립하는 것이 중요하다고 늘 강조한다.

"우리는 과학적 근거가 없이는 그 어떠한 치료법도 환자들에게 적용할 수 없습니다. 예를 들면, 암 환자들에게서 볼 수 있는 통증들, 오심구토, 신경병증, 구강건조증 등은 침을 이용한 연구가 비교적 잘 되어 있고 많은 논문들이 발표되었죠. 저는 이처럼 근거들이 명확한 치료들을 명확한 적응증에 대해서만 환자들에게 소개하고 또 권유하고 있습니다."

그의 또 다른 일은 간호사, 침구사, 물리치료사, 마사지사, 영양사, 마음치료사 등 다양한 보건전문가들과 함께 환자를 함께 파악하고 치료방향을 논의하는 것이다. 차트 리뷰와 지난 한 주 동안의 치료 경과를 다 같이 공유하고 환자의 신체적 물리적 사안부터 환자 및 가족들의 심리적 요소까지 세세히 토론한다.

"우리 엠디앤더슨 암센터의 통합의학팀에서는 팀워크를 아주 중요하게 생각합니다. 현대의학과 환자에게 도움을 줄 수 있는 이런 훌륭한 보완대체의학들이 적절히 합쳐질 때 최상의 결과를 얻을 수 있기 때문이죠. 가장 중요한 것은 환자가 치료의 중심이 된다는 사실입니다."

나의 연수 기간 동안에도 그는 보완대체의학에 대한 가장 최신의 근거들을 제공해주었고 또 내가 매주 아침마다의 환자 토론에 참석해서 발표할 때 혹시 다른 근거수준 높은 새로운 치료법이 있는지를 경청하고, 내게 발표기회를 최대한 많이 주려고 노력했다. 하지만 그는 잠깐의 개인적인 만남에 있어서도 반드시 비서를 통한 스케줄 약속을 요구하는 전형적인 미국인으로서의 고지식한 성향도 갖고 있다. 아시아계 미국인 의사인 그에게서 통합종양학의 미래를 기대해본다.

침 치료의 연구와 임상을 담당하는 케이 가르시아

가르시아는 1970년대 미국의 전 대통령 닉슨의 중국 방문을 통해 침 치료가 미국에 처음 공식적으로 알려질 때부터 침에 대해 배우기 시작했다. 그리고 현재 엠디앤더슨 암센터 통합의료부서에서 침구사로서 일하고 있다. 그녀는 간호학으로 학사, 석사학위를 받았으며 공중보건학 석사 및 박사학위와 동양의학 석사학위가 있다.

1981년 그녀는 전통 중의학과 연관된 첫 연구를 진행했다. 그때 당시 미국에서는 이러한 전통 치료에 대한 연구의 기회가 매우 제한되어 있었다. 하지만 이 연구는 눈부신 성과를 거뒀으며 이후에도 그녀는 관심사를 추구하기 위해 연구를 계속해왔다. 그녀는 나중에 중국에서 임상 인턴십을 수료하였고 현재 진행되는 몇몇 침 치료 연구를 공동으로 진행하고 있다.

"아주 오래전에 제가 키우던 개가 심장병으로 많이 아팠어요. 당시 그 개는 11살이었는데 수의사는 개의 수명이 거의 다한 것 같다고 했지요. 제게는 가족 같은 애완견이었기 때문에 마지막 희망을 걸고 수소문 끝에 침 치료를 하는 수의사를 찾아갔어요. 그리고 치료를 받았는데 정말 기적이 일어났어요. 끙끙 앓고 있던 그 개가 갑자기 뛰어다니기 시작하는 거예요. 꾸준히 치료를 받았고 제 개는 그 후 4년이나 더 살 수 있었어요."

그 후로 그녀는 당시 준비 중이던 간호학 석사 졸업논문을 이압치료(귀의 경혈자리에 좁쌀 크기의 물체를 붙여놓고 이를 자극하는 침 치료의 일종)에 관하여 쓰는 등 침 치료에 대해 꾸준한 관심을 가졌다.

"당시에는 미국에서 동양의학을 배우기가 쉽지 않았어요. 지금처럼 정부가 인정한 학교들도 없었고 교육 시스템도 정립되어있지 않았지요. 그래서 저는 공중보건학 박사 과정을 택했고 박사를 마친 후 중국에 가서 더 심도 깊게 침을 배울 수 있었지요. 엠디앤더슨 암센터와는 1998년 전립선암과 면역과의 관계에 대한 연구를 진행하며 인연을 맺은 것이 지금까지 계속 되고 있네요. 그동안 통증, 오심구토, 구강건조, 신경변증 등 수 많은 연구들이 진행되어 왔고 또 현재에도 진행되고 있어요."

그녀는 말을 계속 이어갔다.

"얼마 전에는 상해 복단대학과의 방사선 치료 후 구강건조증 예방을 위한 침 치료에 관한 연구가 성공적으로 끝났어요. 연구뿐만이 아니라 임상에서도 침 치료는 암 환자들에게 자주 쓰이고 있어요. 각종 암치료 부작용 및 증상 완화에서부터 흔히 생각하기 힘든 중환자실에서 까지 호출이 오곤 해요. 처음 여기서 침 치료를 시작했을 때와는 비교도 안 되게 많은 의사들이 자신들의 환자를 보내오지요. 과학적 근거가 하나하나 쌓여가고 무엇보다 치료결과를 눈으로 직접 보게 되면 생각의 벽이 점차 허물어지는 것을 느낄 수 있어요."

이곳 엠디앤더슨에서는 미국의 침술사 면허를 소지한 보건전문가가 다른 부서에서 환자 의뢰를 받아 암 환자에게 침 치료를 진행하고 있다. 전통 한의학의 산물인 침술은 암치료에 관련한 부작용을 완화시키는데 사용되는 안전하고 효과적인 치료법이다. 일반적으로 침술이 사용되는 영역으로는 구역질, 구토, 통증, 신경관련 질환, 구강 건조, 대장 및 소화 문제, 우울, 피로 등이 있다.

침술의 연구가 이루어지면서 과학자들은 특정 혈을 자극하면 특정 화학 물질이 분비된다는 사실을 믿게 되었고, 이러한 화학 물질들은 자연스럽게 신체 조절 시스템을 자극하고 웰빙을 촉진시켜 생화학적 불균형이 개선된다고 알려졌다.

침술은 제대로 수행되기만 하면 안전하고 부작용이 매우 적은 최소한의 외과적 치료이다. 부작용으로 흔히 보고된 것은 기절, 타박상, 그리고 가벼운 통증뿐이다. 감염 또한 잠재적 위험요인이기 때문에 미국 식품의약품 안전청은 소독되고 일회용으로 표시된 침이 오로지 전문 의료인에 의해서만 사용되도록 요구한다. 의료인은 침을 놓기 전에

치료 부위를 알코올이나 다른 살균제로 닦아야 한다. 출혈성 질환이나 최근 항응고 치료를 받은 경험이 있는 환자에게는 침술치료를 받는데 각별한 주의가 필요하다. 다만 국소 또는 전신 감염이 있거나 혹은 면역력이 저하된 경우라면 침 치료를 받을 수 없다. 또 심박 조율기를 착용하고 있는 경우에는 전침(침에 전기자극을 이용한 치료법)을 받을 수 없다. 전자 장치 혹은 금속 이식을 한 환자들도 특별한 주의가 요구된다.

현재 한국에서는 양·한방 협진제가 시행되고 있다. 그래서 법적으로 양방병원 안에 한방과를, 한방병원 내에 양방과를 설치할 수 있으나 아직 대형 암센터 내에 한방과가 신설되어 침 치료를 의뢰하는 경우는 거의 찾아보기 힘들다. 내가 떠나기 얼마 전 그녀가 주 저자가 되어 기술한 '암 관리에 있어서의 침 치료'라는 논문이 종양학계에서 매우 영향력이 있고 권위가 높은 과학지인 〈임상종양학회지〉에 게제가 되었다. 이러한 현대의학의 대표적인 과학지에 전통의학의 침 치료를 이용한 치료를 주제로 논문이 실리는 것은 매우 고무적인 일이다. 가르시아가 제시하는 엠디앤더슨의 침 치료 체계적 분석 자료와 같은 근거 중심적인 접근을 통해 향후 상호 간의 보다 적극적인 노력에 의해 환자들의 치료에 도움이 되는 치료들이 활발히 시술되기를 기대해 본다.

암 환자에 대한 마사지 치료를 담당하는 샛 시리

샛 시리는 엠디앤더슨 암센터에서 마사지 치료사로 근무하고 있다. 그녀는 마사지 치료와는 다소 거리가 있어 보이는 작고 가냘픈 체구의 소유자다. 하지만 작은 고추가 맵다고 했던가. 자기 몸집의 몇 배나 되어 보이는 환자들을 손쉽게 상대하는 그녀를 보고 있자면 어디서 그런 힘이 나오는지 역시 베테랑은 다르다는 소리가 절로 나온다.

샛 시리는 2003년 엠디앤더슨 암센터 통합의학 프로그램의 일원이 됐다. 그 후로 암 환자들을 대상으로 하는 마사지요법 외에도 각종 수업들과 워크샵 그리고 일반인과 의료인들을 대상으로 하는 여러 컨퍼런스에서 강연활동을 맡아왔다.

그녀는 국가 공인 된 마사지사로서 1991년부터 암 환자들과 함께 일해 왔다. 특히 스웨디쉬 마사지, 노약자를 위한 마사지, 아로마테라피, 하이드로테라피, 발반사요법, 그리고 중환자를 위한 마사지 등을 전문으로 하고 있다. 그녀는 마사지사 자격증 외에도 요가강사 자격증을 보유하고 있으며 국제 쿤달리니 요가 강사 협회의 회원이자 쿤달리니 요가 센트럴 협회의 공동 명예이사직도 맡고 있다.

그녀는 요가에 대한 열정으로 명상, 호흡법, 음악 등을 이용한 '특정 증상완화를 위한 쿤달리니 명상 테크닉'이란 강좌를 개설하게 됐다. 이 강좌는 일주일에 한 번씩 엠디앤더슨 통합의학센터에서 만나볼 수 있다. 어렸을 적부터 유난히 건강에 관심이 많았던 그녀는 18살 때부터 지금껏 엄격한 채식주의식단을 고수하고 있고, 요가와 명상도 틈이 날 때마다 거의 매일 한다고 한다.

"지금은 암 환자들에 대한 마사지에 대한 시각도 많이 나아졌고 림프순환에 대한 연구도 많이 진행되고 있지만 불과 십여 년 전만 해도 그렇지가 못했어요. 학계에서는 마사지가 전이를 일으킬 수 있다는 생각이 팽배했지요. 제가 그때부터 지금까지 암 환자들을 대상으로 마사지를 해올 수 있었던 것은 저도 한때 암 환자였기 때문이에요. 1990년도에 저는 악성 흑색종 진단을 받았었고 그로 인해 엄청난 충격을 받았었죠. 믿을 수가 없었어요. 다른 사람도 아닌 바로 나라니요. 나는 채식주의자에 운동도 열심히 하고 지내왔는데…. 내 몸에 배신감을 느꼈어요. 하지만 포기하지 않고 꾸준히 건강한 습관들을 유지했고 2번째 수술을 끝으로 완치 판정을 받을 수 있었지요.

더 놀라웠던 점은 제가 암 진단을 받은 것을 알고 다른 마사지 치료사들과 지인들이 제게 암 환자들을 하나둘씩 의뢰해오기 시작했던 것이었죠. 아마 제가 환자들과 같은 배를 탄 입장이니 그들을 치료하기에는 적격이라 생각했던 것 같아요. 그때 저를 찾아온 어느 여성 환자는 항암치료로 인해 머리카락이 다 빠져버려서 가발을 쓰고 있었어요. 제가 마사지를 편히 받기 위해서는 가발을 벗어두는 것이 좋다고 해도 그녀는 괜찮다며 벗기를 한사코 거부했어요. 제가 3번째 그녀를 만나던 날 그녀가 제게 묻더군요. '제가 이 가발을 벗으면 당신은 많이 놀랄 건가요?'라고요. 전 그녀에게 전혀 그렇지 않아요. 저도 한때는 당신처럼 암 환자였고 당신이 가발을 벗어준다면 난 두피 마사지를 해 줄 수 있어, 당신의 머리카락이 좀 더 빨리 자라는 데 도움을 줄 수 있을 것이라고 대답해 주었죠. 그리고 그때부터 그녀는 제게 올 때마다 가벼운 마음으로 가발을 벗어둘 수 있었어요. 이처럼 마사지는 닫혔던 마음을 어느 치료요법보다 빨리 열수 있게 만들어줘요. 사람의 따뜻한 손길만큼 마음을 빨리 녹이는 것이 또 있을까요?"

그녀는 말을 이어갔다.

"이러한 경험들을 바탕으로 저는 암에 대해서 또 암 환자들에게 특화된 마사지 치료에 대해서 더 열심히 공부했고 결국 여기로 오게 되었네요. 마사지 치료가 암을 치료할 수는 없지만 환자들에게 큰 변화를 줄 수는 있다고 생각해요. 제가 요즘 보고 있는 환자 중에는 24살의 굉장히 건강한 체구의 대학교 미식축구 쿼터백 선수가 있어요. 고등학교 때부터 미식축구 유망주로 기대를 많이 받았었고 대학교도 스카우트가 되어 들어갔지요. 하지만 얼마 지나지 않아 그는 암 진단을 받았고 지금은 뼈를 포함한 몸의 여러 곳에 전이가 진행되어 극심한 통증을 호소하고 있어요. 이 통증은 하루 종일 지속되며 그를 끊임없이 괴롭히죠. 병원에서도 진통제와 다른 치료요법들을 모두 동원해 보았지만 그 어느 것도 아무 효과가 없었고요. 하지만 그의 통증을 유일하게 완화 시켜주는 것은 마사지였답니다. 제가 마사지하는 그 삼십 분 동안은 그는 통증에서 벗어날 수 있는 거예요. 그 효과는 안타깝게도 지속되지는 않아서 마사지가 끝나면 환자는 다시 통증과 싸워야 하지만 하루 24시간을 통증에 시달리던 그에게는 30분의 마사지 시간이 어느 무엇보다 소중한 것이죠."

통합의료센터에서는 엠디앤더슨 암센터를 찾은 환자들과 가족에게 전신 마사지와 이완 의자 마사지를 제공하고 있다. 외래환자는 짧은 이완 마사지를 받을 수 있으나, 종양 마사지를 예약하기 전에 의사의 지시를 받아야 한다. 입원 환자들은 입원실에서 간단한 머리말 이완 마사지를 받을 수 있다. 온라인 상담을 보내려면 주치의에게 문의하면 된다. 보호자나 가족도 간단한 이완 마사지 또는 전신 마사지를 받을 수 있다. 특정 조건 때문에 마사지 요법을 받지 못하는 환자들도 있다. 특정 의료 조건에 해당하는 환자는 마사지 전에 의사와 마사지 치료사의 상담을 받아야 한다.

일부 환자들은 마사지 요법을 받을 수 없지만 대부분은 압력, 부위, 자세 등의 적절한 제한을 두고 마사지가 가능하다. 마사지는 근육의 강찰법康擦法, 유연법柔軟法 혹은 스트레칭 등을 포함한다. 마사지가 암 환자와 보호자에게 육체적으로나 정신적으로 효과적이라는 증거들은 충분하다. 수많은 연구들이 마사지와 같은 암 설정에 맞는 스트레스 해소 프로그램이 치료의 부작용을 경감시키고 치료 후 삶의 질 개선에 도움이 된다고 제안한다.

암 환자에 대한 마사지 요법은 통증, 불안, 메스꺼움을 감소시키는 방법으로 최근에 이르러 흔해지는 추세이다. 마사지는 중국 전통의학에서 출발했지만, 일본, 인도, 아메리카 원주민, 이집트, 그리스와 로마의 역사에 걸쳐 사용되었다. 히포크라테스 또한 관절과 순환계 문제에 마찰의 사용을 권장했었다. 오늘날, 마사지는 여러 물리적 재활 프로그램에 허용되며 스트레스, 긴장, 그리고 만성질환을 치료하는데 효과가 있다고 입증된 치료법이다.

암 환자에 대한 음악 치료를 담당하는 마이클 리차드슨

매주 목요일 아침. 통합의료부서 미팅에서 만나는 마이클은 사람들을 기분 좋게 만들어주는 능력이 있다. 멀리 복도에서부터 들려오는 그의 흥얼거리는 노랫소리에는 밝은 에너지가 넘친다.

마이클 리차드슨은 공인 음악치료사다. 1985년에 서던 메소디스트 대학을 졸업한 후에 그는 그의 경력을 쌓기 위해 첫 번째 음악치료 프로그램을 텍사스의 법원 재판부에서 시작하였다. 그 후로 걸프 파인스 정신병원, 듣기 말하기 센터 및 마텔 빌라에 거주하는 노인 수녀들을 위한 특별 음악 치료 프로그램을 개발하기도 했다. 현재 그는 샘 휴스턴 주립대학에서 음악치료 분야에서 실습 학생들을 지도하고 있다.

마이클은 1991년에 엠디앤더슨 암센터에서 계약직원으로 시작해 지금은 통합의학센터의 정 직원으로 병원 전체에 음악서비스를 제공하고 있다. 그는 2005년 암 의학 부문에서 '환자 지지 우수상'을 수상했다.

"제가 처음 이 분야의 일을 시작했을 당시에는 음악치료란 것이 세상에 많이 알려지지 않았었어요. 하나의 직업이라기보다는 봉사라는 의식이 강했고 그만큼 음악치료와 관련된 사회적 관심들이 부족했지요. 제 첫 직장은 주에서 정신적인 문제가 있는 범죄자들이 격리 수감된 보호시설이었어요. 저는 당시 젊었었고 도전정신이 강했었지요. 제가 맡은 일은 이들에게 음악을 들려주고 그들의 마음을 안정시키는 일이었답니다. 하루는 제가 피아노를 치며 노래를 부르고 있을 때 가만히 앉아 노래를 듣고 있던 수감자들 중 한 사람이 갑자기 일어나 저를 공격했죠. 제 얼굴은 찢어지고 금세 아수라장이 되어버렸어요. 하지만 저는 거기서 멈추지 않고 그 일을 계속했답니다. 그곳에 수감된 사람들은 모두 정신적인 병을 가지고 있기 때문에 일어난 사고였지 결코 제게 악감정을 가지고 생긴 일은 아니었기 때문이죠.

여기서의 일은 정말 보람이 있어요. 각자가 자신이 맡은 일에 최선을 다하죠. 제가 사람들의 암을 고칠 수는 없지만 그건 제 분야가 아니에요. 저는 환자들이 치료를 잘 받을 수 있게 도와줄 수 있어요. 어린 친구들의 경우 주사바늘이나 수술에 대한 두려움을 잊도록 같이 악기를 연주하고 음악을 들려주며 병원을 순식간에 놀이터로 바꾸어 버리죠. 성인 환자들은 갑자기 마주한 병마와 오랫동안 계속된 치료, 재발의 두려움, 상실감 등으로 많이들 괴로워하며 외부와의 소통에 소극적인 경우가 종종 있어요. 저는 그들이 잃어버린 웃음을 되찾아주고 또 병에 대한 생각을 잠시라도 잊게 해주려 노력합니다.

이곳에 오는 많은 환자들의 삶은 자신의 병을 중심으로 돌아가고 있거든요. 오늘 아침에는 중년의 여성 환자분과 그녀의 집에 있는 고양이에 대한 노래를 했어요. 그녀가 미소를 짓게 만드는 유일한 얘깃거리였죠. 그녀가 가사를 붙이고 제가 음을 더해서 우리는 하나의 멋진 노래를 만들고 있어요. 아직 완성하지 못한 가사의 나머지는 그녀가 다음 시간까지 완성해 오기로 했어요. 적어도 오늘 그녀는 집에 가서 가사를 생각하는 동안에는 암에 대한 생각을 조금은 내려놓지 않겠어요?"

음악 치료는 음악을 이용해 육체적, 정서적, 인지적 그리고 사회적 요구를 충족시키는 건강관리 요법이다. 음악이 건강을 향상시킨다는 생각은 고대 이집트로 거슬러 올라가고, 암과 같은 질병을 가진 어린이와 성인의 삶의 질에 긍정적인 영향을 미친다는 최신 연구 결과가 나왔다.

형상화와 휴식을 위한 음악 개발을 목적으로 한 문헌 조사에 따르면 멜로디, 악기 연주, 화음 연결, 조표, 템포 그리고 박자표 등과 같은 음악적 요소는 휴식을 목적으로 한다. 음악은 건강 증진, 스트레스 해소, 통증 완화, 감정 표현, 기억력 향상, 커뮤니케이션 개선, 신체 회복 촉진에 도움이 되며 엠디앤더슨의 통합의료센터는 어린이와 성인 입원 환자, 외래환자 및 가족에게 음악 치료를 제공하고 있다.

암 환자의 명상치료를 담당하는 알레잔드로 차올

단정히 땋아 내린 긴 머리, 손목에 겹겹이 감겨있는 노란 색의 구슬 팔찌, 사무실 한쪽에 걸린 수도승의 사진. 그는 언뜻 보기에도 여기서의 사람들과는 확연히 달랐다. 팔찌가 멋지다고 말을 건네니 우리 아들은 강냉이 팔찌라 부른다며 활짝 웃는 그의 모습은 영락없는 마음씨 좋은 동네아저씨다.

차올은 암 환자에게 심신기법을 적용하는 것을 위주로 한 심신응용 분야의 전문가다. 그는 통합의학 프로그램에서 암 환자 지지시스템 내의 개인과 그룹 명상 강의 및 상담을 진행하고 있다. 또한 맥거번 센터에서 의대생을 대상으로 정신적 영역, 보완대체의학, 임종 대비 관리에 대해 가르치고 있다.

그는 부서장 코헨과의 협동연구를 통해 지난 10여 년 동안 다양한 암 환자를 대상으로 한 국립암연구소 지원 심신관련 임상 연구를 진행했다. 특히 그는 항암치료를 받고 있는 유방암 환자를 위한 티베트 요가법, 인지장애를 보이는 유방암 환자를 위한 티베트 명상법, 방사선 치료를 하고 있는 유방암 환자를 위한 인도 요가의 스트레스 관리 방법 등을 고안하는 데 중요한 역할을 했다. 또한 예비연구에서 몇몇 심신의학적 중재방법을 만들어냈는데, 최근에는 유방조직검사를 진행 중인 여성을 위한 명상방법을 고안해냈다.

그는 1987년 보스턴 대학에서 집단 커뮤니케이션과 철학을 전공하여 학사학위를 받았다. 그 후 버지니아 대학에서 1999년 인도-티베트 종교를 전공하여 석사학위를 받았고, 2006년 휴스턴의 라이스 대학에서 티베트 종교를 주제로 하여 박사학위를 받았다. 그는 1999년 엠디앤더슨 암센터의 통합의료부서에서 자원봉사로 티베트 명상법을 시작하면서 인연을 맺었다고 한다. 지난 13년간 이곳에서 환자들 개개인에 맞춰진 명상 시간뿐만 아니라 다른 여러 수업도 추가해왔다. 그의 연구와 출판물들은 통합관리를 위한 심신단련에 중점을 두고 있으며, 이러한 심신단련이 어떻게 만성적인 스트레스와 불안, 수면장애를 개선하고 삶의 질을 개선할 수 있는가를 보여준다. 종교학, 의학, 의료인류학의 분야에서도 그의 출판물을 쉽게 찾아볼 수 있다.

그는 대학 때부터 철학과 종교 그리고 티베트에 심취하여 직접 티베트에 가서 수련을 하고 왔다며 자신의 이야기들을 하나둘 늘어놓기 시작했다.

"저희 아버지도 암 환자셨어요. 전립선암이었는데 병을 얻기 전에는 제가 하는 일을 도무지 이해하지 못하셨지요. 하지만 병원에서 환자의 입장에서 제 수업을 들으셨고, 저는 간병인의 입장에서 또 전문가의 입장에서 아버지를 보게 되었지요. 우리는 모두 마음에 짐을 가지고 있어요. 현실이 마주하기 두렵고 싫어질 때가 있지요. 그럴 때는 마음 수련을 해보세요. 한결 편안함을 찾을 수 있을 거예요. 저도 매일 명상을 해요. 아이들을 학교에 데려다주기 전의 30분 명상, 저녁에 잠들기 전의 단 몇 분이 하루에 얼마나 큰 변화를 가져다주는지 몰라요. 모든 병은 마음에서부터 시작한다는 말도 있잖아요. 내일 제 수업에 한번 참가해 보시겠어요?"

다음날 아침. 나는 그의 수업이 열리는 메이스 클리닉으로 향했다. 통합의학 서비스 안내원이 알려주는 방에 들어서니 하얀 방석 여러 개와 몇 개의 의자가 커다란 원을 그리며 빙 둘러 놓여 있었다. 사람들이 하나둘씩 모이기 시작하자 차올 씨도 중간에 있는 방석에 자리를 잡고 앉았다. 사람들이 모두 모였을 때 그는 사람들에게 돌아가며 이름과 간단한 자기소개를 해달라고 말했다. 내 옆에 앉아있던 젊은 여인이 말했다.

"저는 아르헨티나에서 왔어요. 지금 임신 중인데 제가 임신을 알게 된 일주일 후 저희 남편은 폐암 진단을 받았어요. 제가 그의 보호자이기는 하지만 지금 제게는 모든 것들이 너무 힘들고 패닉 상태예요. 이 수업은 저를 많이 위로해 주었어요."

다음은 어느 금발 아주머니의 차례였다.

"저는 130킬로가 넘는 거구였어요. 하지만 어느 날 갑자기 이렇게 살아서는 안 되겠다고 생각해 운동을 했고 40킬로를 넘게 감량했어요. 내 안의 새로운 몸을 찾은 거지요. 하지만 작년 킬리만자로를 등반을 하던 중 몸에 이상이 있음을 느꼈고 갑상선암이 생긴 것을 알게 되었어요. 하지만 수술은 성공적이지 못했어요. 저는 만성적인 기관지 질환이 있어 숨쉬기도 힘들거든요. 수술 도중 전 정말 죽을 뻔 했죠. 그 후로는 수술에 대한 트라우마가 생겨 아직도 수술을 못하고 있어요."

이 밖에도 러시아에서 온 뇌종양 환자와 그의 보호자, 암 환자인 아들을 간호하고 있는 뉴올리언스에서 오신 아저씨 등 전 미국 아니, 세계 곳곳에서 온 사람들이 자신의 이야기를 풀어 놓았다. 모두의 소개가 끝나자 다소 무겁지만 맑은 소리를 가진 작은 종이 울리며 명상은 시작되었고, 사람들은 차올 씨의 지시에 따라 자신만의 세계 속으로 빠져들었다. 한 시간가량의 수업이 끝나고 금발의 아주머니는 이렇게 말했다.

"당신이 초록색의 빛을 생각하며 호흡을 하라고 했을 때 저는 정말 기분이 좋아졌어요. 초록색은 제가 가장 좋아하는 색이거든요. 그것은 마치 초록색의 기운을 호흡을 통해 빨아들이고 제 안의 탁한 것들을 밖으로 배출하는 것 같은 느낌이었어요. 보세요. 지금 숨 쉬는 것도 한결 나아졌잖아요!"

범상치 않은 외모를 가진 알레잔드로 차올과 함께

암 환자에 대한 식이교육을 담당하는 스테파니 맥손

곱슬거리는 금발머리를 길게 늘어뜨린 채 천진난만한 웃음을 지닌 그녀는 올해 가을에 새로 통합의료부서에 합류한 엠디앤더슨 암센터의 중견 영양사다. 그녀는 바스티아 대학에서 영양학을 전공했으며 댈러스에 있는 베일러 대학 메디컬 센터에서 인턴십을 마쳤다.

스테파니는 다양한 임상경험을 가지고 있는데, 그중에서도 댈러스 소아 의료센터에서 식이에 각별한 주의를 요하는 암 환자들 및 줄기세포 이식환자들과 함께 하며 쌓은 소중한 경험은 그녀가 엠디앤더슨 암센터에서 일할 수 있는 큰 밑거름이 되어 주었다. 그녀는 통합의료센터에서 암 환자들을 위한 1:1 맞춤 영양 컨설팅을 비롯하여 종양환자들의 영양상태를 쉽게 측정할 수 있는 점검 가이드라인 개발, 환자들을 위한 다양한 요리교실 및 체험강좌들을 열고 있으며 또 아이들을 위한 '맛있는 채소요리' 메뉴개발에도 힘쓰고 있다. 그녀의 수업들은 환자들의 먹을거리에 대한 지대한 관심과 높은 호응도에 힘입어 인기가 꽤나 좋은 편이다.

"저는 요리하는 것이 너무 좋았어요. 그러다 보니 무엇을 어떻게 먹느냐를 생각하게 되었고 결국 이 분야로 오게 되었죠. 사실 저는 이 일을 하기 전에는 동물학자였어요. 자연 생태계를 연구하고 동물들을 추적하는 일이죠. 영양학 쪽은 제게는 제 2장인 셈이에요."

관심 있는 분야이다 보니 열정도 그에 못지않다.

"저는 미국에서 태어나서 미국에서 자랐지만 엠디앤더슨에는 세계 각국에서 환자들이 와요. 제가 환자들과 1:1 영양 상담을 할 때 그들에게 제가 먹는 음식을 그대로 권하기에는 무리가 있어요. 예를 들자면 야채 섭취량을 늘리는 데 있어서 미국에서는 주로 샐러드나 데운 야채를 섭취하지만 동양에서는 나물류로 요리를 많이 해먹지요. 같은 콩으로 만든 요리라고 해도 동양권에서는 두부나 찌개를, 여기서는 칠리(콩과 다진 고기, 각종 향신료를 넣어 매콤하게 만든 남미식 요리)나 각종 샐러드, 소스 등을 만들 때 많이 사용하구요. 그래서 저는 끊임없이 공부를 해야 합니다. 그들이 평소에 어떤 음식을 먹고 무엇을 좋아하는지를 알고 연구해야 나중에 그들이 치료를 마치고 집에 돌아가서도 여기서 배운 지식들을 적용할 수 있도록 제가 도울 수 있으니까요. 또 음식을 잘 삼키거나 먹지 못하는 환자들, 수술 후 장루 주머니를 달고 있는 환자들, 소화계통의 문제가 있는 환자들 등 특수한 경우에도 그에 맞는 식단을 짜고 관리를 해야 하지요. 많은 사람들이 잘못된 식습관을 가지고 있지만 그것을 단칼에 바꾸기란 쉽지 않아요. 정작 저 자신부터 금요일 저녁에는 달콤한 아이스크림과 쿠키들이 당기는걸요? 하지만 중요한 것은 변화를 준다는 것이죠. 어제보다 오늘 좀 더 건강하게 먹을 수 있다면 그다음 날 그리고 또 그다음 날 만드는 조금씩의 변화가 큰 차이를 만든답니다. 하루정도 무너질 수도 있지만 그 사실을 본인이 인지하고 있고 바꾸려는 본인의 의지만 있으면 큰 문제가 없어요. 저는 그들이 올바른 선택을 할 수 있도록 최선을 다해 도울 것입니다."

그녀는 임상적으로 웰빙 그리고 피트니스 분야로 굉장히 많은 경험이 있다. 그녀는 자연산 통 곡물 식이에 대한 깊은 식견을 가지고 있으며 이 정보들을 여기 환자들에게 알려준다. 그녀의 일상철학인 '밥이 보약이다'에서 알 수 있듯, 그녀의 열정과 관심은 환자들이 어떠한 음식이 필수적이며 어떻게 먹는 것이 좋을지에 맞추어져 있다.

통합 영양 전문가가 갖는 의미는 한 사람의 몸과 정신, 그리고 영혼의 합일合一을 지원한다는 것이다. 그녀는 이것이 궁극적인 균형이며 환자들이 달성할 수 있도록 용기를 북돋아야 하는 것임을 알고 있다. 그녀는 본인의 개인적이고 전문적인 지식을 공유하기 위해 헌신하고 있으며, 건강한 영양학적인 삶의 길을 걸을 수 있도록 다른 사람들에게 알려주기를 바라고 있다. 통합 의학 센터에서 그녀는 각자의 생활방식과 맞는 의료 영양치료의 권장사항을 구현하는 방법을 환자들에게 교육시킬 수 있는 깊은 영양학적인 상담과 계획을 제공해 줄 것이다. 그녀는 환자들이 그들의 개별화된 영양과 관련된 목표를 성공적으로 달성하는데 도움이 되기를 기대하고 있다.

통합의학부서의 실험연구를 담당하고 있는 페이잉 양

페이잉 양은 텍사스 대학 엠디앤더슨 암센터의 조교수로서 통합의학 부서의 실험연구를 전담하고 있다. 그녀는 북경 중의약 대학에서 학사 및 석사 학위를 받았다. 이후 미국으로 와 캔터키 대학의 약학과에서 석사 학위를 또 받고, 마인 대학에서 영양학 박사 학위를 받았다. 지난 수년 동안 그녀는 암 치료와 예방에 있어서 인체에 영향을 미치는 지방(오메가-3과 오메가-6의 대사), 천연물(협죽도, 두꺼비 껍질, 액체 수지, 노린재나무 차)에 대한 이행성 연구에 참여했다. 천연물과 암 치료 및 예방에 대한 그녀의 연구는 미국 국립보건원과 국립암센터의 지원을 받아왔다. 여기에는 생선기름이 폐암예방 효과에 관한 보조금도 포함된다.

내가 그녀를 처음 만난 것은 2005년 미국 샌디에이고에서 열린 2차 통합암학회에서였다. 물론 그때는 코헨과의 만남이 주였고 그녀는 그냥 코헨에 속한 사람이었을 뿐이었다. 그 후로 코헨과 엠디앤더슨에서의 연수 얘기가 오가면서 그녀를 한국으로 초대를 하게 되었다. 이것이 인연이 되어 매년 학회 때 마다 미국에서 만나는 등 친분을 쌓아오다 올해 연구년을 오게 되면서 진세노사이드 강화 인삼의 암 예방효능에 대한 공동연구를 진행하게 된 것이다.

그녀는 중의학과 약학의 두 학문을 결합할 수 있는 능력을 인정받아 엠디앤더슨 암센터에서 천연물 신약개발 분야에서 일하고 있다. 누구보다 열정을 가지고 열심히 일하며 끊임없이 노력하는 그녀를 보고 있자면 '슈퍼우먼'이라는 단어가 떠오른다. 그도 그럴 것이 통합의학부서에서 진행되는 모든 실험 연구는 그녀가 책임을 지고 있으며 엠디앤더슨 내에 단 두 개 밖에 없는 천연물개발 연구소 중의 하나가 그녀의 담당이기 때문이다. 그녀가 늘 달고 사는 말은 "정말 바빠요."이다.

"지금 이만큼 오기까지 저는 얼마나 열심히 노력했는지 몰라요. 중국에서 대학을 마치고 미국으로 와서 또 긴 학업기간을 거친 후에야 엠디앤더슨 암센터로 왔어요. 엠디앤더슨 암센터로 오게 된 것도 정말 행운이었죠. 처음에는 남편을 따라 텍사스로 오게 되었고 직장을 구하기 위해 이력서를 여러 군데 넣었었어요. 하지만 정작 연락이 온 곳은 제가 이력서를 넣지도 않은 엠디앤더슨 암센터였어요. 제 이력서가 돌고 돌아 이곳으로 오게 될 줄은 상상도 못했죠. 그 당시 제 상사는 독성테스트와 제약개발 전문가였는데 천연물 쪽으로도 많은 관심을 가지고 있었지요. 하지만 학계 분위기상 기초과학 전문가인 본인이 천연물 연구에 손을 댄다는 것을 부끄럽게 여기고 있었고 그를 대신해서 연구들을 진행할 사람이 필요했어요. 천연 약물인 한약과 양약을 동시에 전공한 저는 바로 그가 찾던 사람이었던 것이죠. 이제 이곳에 온지

십 년…. 아니 벌써 십오 년이 다 되어 가네요."

그녀가 잠시 말을 멈추고 울리는 전화를 집어 들었다. 빠른 중국말로 통화를 하다 다시 영어로 대화를 이어나갔다.

"미안해요. 남편 전화예요. 저는 여기서 박사 후 과정을 5년 넘게 거쳤어요. 여자로서 엄마라는 타이틀 그리고 아내라는 타이틀을 함께 가지다 보니 남들보다 어쩌면 좀 더뎠을 수도 있어요. 강사에서 교수가 되기까지 또 정년을 보장받기까지 하나하나의 산을 넘어 온 거죠. 쉽지는 않았어요. 병원 내부의 정치적 갈등도 있었고, 아이가 어릴 때는 내가 여기서 뭘 하고 있는 건가도 싶었지요. 솔직히 지금 그 시절로 다시 돌아가야 한다면 아마 일을 당장 그만 둘지도 몰라요. 물론 지금도 13살짜리 아들은 절 항상 필요로 하지만요. 저는 연구가 너무 재미있었어요. 지금도요. 대학을 졸업하고도 전 한 번도 일반약사로서 일해 본 적이 없어요. 항상 연구만 했었거든요. 그것만이 내가 갈 길이라고 생각했어요."

중의사 출신 엠디앤더슨 암센터 교수 페이잉 양 연구실에서

곧이어 그녀는 현재 진행되고 있는 연구들과 천연물 신약 개발이 나아가고 있는 방향에 대해 얘기를 하며 눈을 반짝였고 잠시 후 시계를 보더니 말했다.

"미안해요. 이만 제안서를 마무리를 해야겠어요. 오늘 낮까지는 보내주겠다고 했거든요. 정말 바빠요!"

임상연구센터에서 만난 판페이 콩

이곳 엠디앤더슨 통합의학부서에서는 지금도 여러 건의 임상시험이 진행 중이다. 가장 큰 규모로 이루어 진 것은 인지와 행동의 변화가 유방암 환자의 생존율에 미치는 영향에 대해서다. 또 침 치료가 두경부 방사선치료를 받는 암 환자들의 구강건조증에 미치는 영향에 대해서도 이루어지고 있다. 이러한 임상시험의 진행을 위해서 4~5명의 연구원(코디네이터)들이 일하고 있는데 판페이 콩도 그들 중 하나다.

그녀는 라이스 대학에서 보건학을 전공하고 현재 이곳에서 석사 연구원으로 일하고 있는 재원이다. 라이스 대학은 남부의 하버드로 불릴 정도로 휴스턴에서 손꼽히는 대학교다. 부모님이 대만 출신이어서 중국어도 할 줄 알아 센터장인 코헨의 자녀들에게 중국어 과외도 했다고 한다. 물론 나와도 초반에는 중국어로 대화를 했으나 나중에는 영어를 주로 사용하였다. 내가 엠디앤더슨에 온 초창기에 그녀가 먼저 인사를 하며 말을 걸어와서 친해지게 되었다. 초반 이곳이 익숙지 않은 상황에서 그녀는 베일러 의대나 라이스 대학 등 주변을 함께 가서 소개시켜주는 등 내게 많은 도움을 주었다.

그녀와 우리 가족이 결정적으로 친해지게 된 계기는 갤버스턴으로 함께 여행을 가면서 부터다. 갤버스턴은 휴스턴의 남동쪽으로 자동차로 1시간 정도 떨어져 있는 섬이다. 2008년 허리케인 아이크의 피해를 가장 많이 본 지역이어서 여전히 항구 등 상당 지역에서 허리케인의 피해를 확인할 수 있었다. 그녀가 해변에서 캠프파이어를 하자고 제안했다. 그녀와 우리 가족은 페리호를 타고 갤버스턴의 북동쪽에 있는 볼리바 섬의 크리스탈 해변에서 캠핑을 하게 되었다. 하지만 막상 도착하니 물도 없고 전기도 없이 밤이 깊어왔다. 짙은 어둠이 깔린 해변에서 그나마 위안이 된 것은 주변이 어두워 별이 잘 보인다는 것뿐이었다. 라이스대학의 물리학 박사과정에 있는 그녀의 남자친구 콜린과 함께 모래로 벽을 쌓고 석탄으로 불을 지펴 철판 하나 깔고 바비큐를 만들어 오붓하게 저녁식사를 했다. 어찌되었건 그녀는 우리 가족이 미국에서의 첫 캠핑을 경험하도록 기회를 만들어 준 셈이다.

나는 그녀가 논문을 쓰고 싶어 한다는 사실을 알고 우리 과에서 진행되고 있는 연구논문 미완성본 2편을 소개해 주면서 그 논문의 영문 교정 및 내용보강을 맡겼다. 그녀는 열심히 이를 수행하여 결국 논문 두 편을 모두 학회지에 싣게 되었다. 그녀는 또 그해 이 논문들을 호주에서 열린 침구경락 국제학술대회와 통합암학회에서 포스터로 발표하는 기회까지 얻게 되었다.

연수를 마무리하기 얼마 전 그녀의 부모님은 우리 가족을 저녁식사에 초청해 주시고, 또 우리 가족의 미국 생활 추억을 오랫동안 보존할 수 있도록 전자 사진전시대를 선물로 주셨다.

"우리 딸에게 이런 좋은 기회를 제공해줘서 정말로 감사해요. 그녀의 인생을 살아나감에 있어서 정말로 소중한 경험이 되었다고 들었어요. 앞으로도 계속해서 좋은 인연이 이어져 나갔으면 하는 마음이에요."

현재 코헨 밑에서 석사 과정을 진행하고 있는 그녀는 기회가 되면 꼭 한국에 오겠다고 약속했다.

판페이 콩 가족이 우리 가족을 초청해 즐거운 저녁식사 시간을 보내고 있다.

통합의학부서의 교육 프로그램

엠디앤더슨의 통합의료 프로그램은 학부 및 대학원생, 연수생, 건강관리 전문가, 직원 및 대중에게 교육의 기회를 제공하기 위해 전념하고 있다. 교육 행사는 통합 의학 분야의 국제 전문가가 진행하는 컨퍼런스와 수업 그리고 강연 등을 포함한다. 교육 행사 내용은 통합 종양학에 대한 최신 주제, 경향, 그리고 혁신을 탐구하고 보급하도록 설계되었다. 이곳에서는 우수한 인턴십과 참관 프로그램을 통해 통합 의학 분야의 현존하는 혹은 미래의 건강관리 전문가를 위한 교육 프로그램을 제공한다.

또한 행사와 프로그램의 부속으로 온라인 교육도 제공하고 있다. 보완통합의학 자료실CIMER 웹 사이트는 보완통합 요법으로 기존의 암 관리를 안전하게 보완하는 법에 대해 알기 원하는 건강관리 전문가, 보호자 및 환자들을 위한 권위 있는 최신의 정보를 제공하고 있다. 그 목적은 전문 의료진의 지시 하에 이 치료법을 받기 원하는 환자들의 삶을 개선시키기 위함이다. 보완통합의학 자료실 웹 사이트는 천연물질과 대체요법에 대한 고찰, 교육 자료 및 관련 자료와 링크를 포함한다.

매년 4월과 11월 두 번씩 이루어지는 참관 프로그램은 이 분야에 관심이 있는 의료인, 대학원생, 수련의, 기타 보건직 종사자들에게 이 부서에서 이루어지고 있는 연구와 임상에 대해 소개하고 또 체험하는 기회를 갖게 해 준다. 보통 월요일에서 목요일까지 4일간 하루 종일 프로그램이 진행되며 각 파트의 담당자들이 해당분야에 대한 강의를 진행한다. 이어 웃음치료, 명상 등 몇몇 임상서비스에 대해 직접적인 참여기회를 가질 수 있도록 한다.

학회로는 7월에는 침구사, 마사지사, 요가 강사를 대상으로 하는 보수교육이 3일간 이루어지고, 2월에는 의사를 중심으로 한 보건전문가들을 대상으로 하는 보수교육이 이틀에 걸쳐 이루어진다. 이 두 교육 프로그램은 학회의 성격을 띠고 있으며 근거에 중심한 전문적인 내용들을 각 분야의 전문가들이 발표를 하고 이에 대한 질의 및 토론시간을 갖는다.

자체의 교육 프로그램은 주로 화요일 점심에 이루어지며, 매주마다 서로 다른 주제를 가지고 진행된다.

첫째 주는 저널 클럽이다. 최근 화제가 되거나 잘 쓰인 논문 한 편을 골라 이를 순서를 정해 한 사람이 정리해 발표하는 형식으로 진행이 이루어진다. 최신 연구경향을 놓치지 않고 따라잡으면서 종합적으로 이해하는 것이 그 목표다.

둘째 주는 주로 통합의료 서비스 부서가 중심이 되어 교육이 이루어진다. 즉 명상, 침 치료, 마사지, 영양 등 통합의료 서비스를 담당하는 사람들이 본인이 맡은 분야에 대해 설명하는 시간이다. 공개강의 형식으로 진행되어 의료인뿐만 아니라 환자나 그 보호자들까지도 참여할 수 있다.

셋째 주는 외부강사를 초청하여 히키 대강당이나 온스테드 대강당에서 그 강의를 듣는 시간이다. 여기에는 통합의학부서 뿐만이 아닌 참여하고 싶은 엠디앤더슨 암센터 구성원들이 다 참여할 수 있다. 보통은 통합의학부서 구성원들을 위해 전날인 월요일 저녁에 같은 강사가 약간 다른 주제로 강의를 진행한다.

넷째 주는 리서치 클럽이다. 새로운 연구를 위한 아이디어 창출을 위해 향후 연구 가능성이 있거나 알면 도움이 되는 내용들을 발표한다. 순서는 내부에서 정하고 해당자가 종합적으로 준비를 해가지고 와서 발표하는 시간이다.

앞서 엠디앤더슨 암센터의 교육시스템에 대해서 언급했지만, 나는 이곳이 세계 최고가 될 수 있었던 핵심이 바로 '활발히 이루어지고 있는 교육시스템'에 있다고 본다. 외부의 최신지견들은 부지런히 받아들이고 내부의 연구내용들은 적극 홍보하여 널리 알리는 유기적인 교육체계야 말로 현재의 엠디앤더슨 암센터를 만든 원동력이라고 말할 수 있을 것이다. 통합의학부서에서도 예외 없이 이러한 훌륭한 교육시스템이 적용되어 진행되고 있었다.

매주 목요일 아침의 증례 토론

한국에서는 보통 특정 환자에 대해서 전반적인 이해를 돕기 위해 회진 전 컨퍼런스를 진행한다. 엠디앤더슨 통합의학 부서도 마찬가지로 일주일에 한 번씩 정기적인 컨퍼런스가 이루어진다. 좀 특이한 것은 한국에서는 주로 교수와 수련의만 참석을 하는데 여기에서는 의사뿐만이 아닌 간호사, 영양사, 음악치료사 등 통합의료의 각 부서 담당자들까지 환자와 접촉하는 모든 구성인원들이 참석하여 함께 토론하고 환자에 대한 이해도를 높여간다는 점이다.

종양전문의인 리차드 리나 가브리엘 로페즈가 환자에 대한 의학적 브리핑을 하며 증례토론이 시작된다. 이어 그 환자의 서비스를 의뢰한 부서의 담당자가 그 환자와 대화한 내용이나 있었던 일들을 얘기하고, 각자 그 환자를 위해 더 할 수 있는 것이 무엇인지에 대해 의견을 제시하는 순으로 토의가 이루어진다.

리차드 리의 환자소개가 시작됐다. 그는 최근 임상시험에 참여하게 된 한 62세의 자궁내막암 환자에 대한 토의를 진행했다. 그녀의 문제점은 얼마 전부터 통증이 심해지고 우울증에 빠지는 것이었다. 통합의학센터로 의뢰가 온 내용은 침 치료, 마사지, 음악치료, 태극권 및 기공이었다. 환자 소개가 끝나자 가르시아가 말문을 열었다.

"1주일에 3회 동안 침 치료를 시행할 예정이에요. 침 치료는 주로 통증감소에 효과가 있는 경혈점을 위주로 할 예정이고요."

계속해서 마이클 리차드슨이 음악치료에 관한 이야기를 이어갔다.

"이 경우에는 음악치료가 통증 및 우울증을 경감시키는 데 도움이 될 거예요. 특히 환자를 돌볼 가족이 남편밖에 없는 것이 문제네요. 자녀들이 다 타지로 멀리 나가 있어 환자를 계속 도와주는 것이 어려워요. 우리는 유기적으로 이 환자의 삶의 질 개선을 목적으로 접근해 들어가야 해요. 무엇보다 환자가가 임상시험에 참여하고 있는 중인 것을 잊지 말아야 하고, 혹시라도 환자에게 나타날 수 있는 항암치료의 이상반응을 일반적인 암 관련 증상으로 착각해서는 안 됩니다."

이들은 환자에게 신체적인 접근만이 아니라 정신적·영적, 사회적 접근까지도 하려는 소위 전인적인 의학을 실천하려고 함께 노력하고 있었다. 한의학을 포함한 전통의학에서 그토록 강조하던 전인적인 치료가 막상 현대의학의 본 고장인 이곳 미국에서 유기적으로 이루어지고 있는 모습을 보니, 한편으로는 신기하고 또 한편으로는 약간은 부럽기도 하였다. 과연 어느 한국의 의료기관에서 저렇게 열심히 전인치료를 목적으로 환자중심의 의료를 할 수 있을까?

매주 목요일 아침마다 이루어지는 증례토론 시간은 잠시 임상을 놓고 있는 나에게 있어서도 감을 놓치지 않게 해주는 연수 기간 중의 소중한 시간으로 기억된다.

통합의학센터 프로그램에서 만난 유방암 환자 이야기

연수 기간 중 작정하고 한 주를 통합의학 프로그램에서 운영하고 있는 임상서비스를 직접 체험하는 시간을 가졌다. 이후 한국으로 돌아가 필요한 부분들을 받아들이고 실제 운영하는데 있어서의 아이디어를 배우기 위함이었다.

태극권 수업에 참여 중이었는데 마침 한국인 노부부가 이 수업에 참여하고 계셨다. 반가운 마음에 다가가 얘기를 나누어보니 로스앤젤레스 근처에 살고 계시며, 할머니께서 유방암 진단을 받고 이곳 엠디앤더슨 암센터에서 항암치료를 마치셨다고 한다. 현재는 외래진료를 통해 추적조사를 받는 중이셨다. 그분들의 말에 의하면 미국 내에서도 멀리 떨어진 의료센터로 가면 보험적용이 안된다고 한다. 하지만 외과의사인 사위와 상의한 결과 좀 더 높은 수준의 진료를 위해서 이곳 엠디앤더슨 암센터를 선택하셨다고 한다.

할머니는 현재 69세로 2007년 로스앤젤레스에 위치한 카이저 병원에서 유방암 2b기를 진단받았다. 문제는 트리플 네거티브(에스트로겐, 프로게스테론, HER2/neu 모두 음성으로 나와 표적치료가 어려운 경우)로 진단을 받았다는 사실이다. 이는 나중에 재발률이 높은 고위험군에 속한다. 할머니는 수술과 항암치료를 받았으나 6개월 후 림프절 전이가 발견되었고, 이후 항암치료와 방사선치료를 엠디앤더슨 암센터에서 받은 후 지금까지 계속 추적조사를 받고 계신 경우였다.

할머니의 가장 불편한 증상은 항암치료 도중 발생한 손발 저림과 피로감이었는데, 이러한 증상들의 개선을 위해 통합의학부서의 임상서비스에 참여하기 시작했다고 한다.

"치료 기간 중 내게 가장 많은 도움이 되었던 것은 운동이에요. 항암치료 중간에 너무 힘들어 포기하고 싶은 적도 많았지만, 그래도 꾸준히 정기적으로 운동을 하고 나니 항암제로 인한 부작용들이 많이 줄어들었어요. 물론 중간 중간에 받은 침 치료, 마사지 치료, 그리고 뜸치료도 일정 정도 도움이 되었어요. 여기 통합의학부서에서 운영하는 프로그램들에 참여하면서 어떻게 증상을 개선시킬 수 있는지에 대해 많이 배우게 되었고 또 실제로 실행을 하면서 많은 도움이 된 거죠. 보다 중요한 문제가 전이와 재발인데 아직까지는 아무 문제가 없답니다. 그래서 계속 생활습관을 잘 유지하면서 관리할 계획이에요."

어찌 보면 한국에서도 임상상 흔히 경험할 수 있는 일반적인 경우기도 하다. 하지만 중요한 차이점은 주 치료병원 내에 위치한 통합의학

부서에서 증상경감을 위한 보완통합의학에 대해 전문적인 교육과 치료를 받는다는 사실이다. 만일 한국에서라면 어땠을까? 아마도 "기다리세요. 시간이 지나면 좋아져요."라던가 "그게 중요한 게 아니에요. 항암치료가 얼마만큼 효과가 있을지가 가장 중요해요."라는 답변만을 들었을 것이다.

한의학의 종주국인 한국에서는 정작 환자들은 이원화된 치료체계 속에서 본인의 선택에 의해서만 보완통합의료를 접할 수 있는 반면, 미국에서는 대형암센터 내에서 유기적인 협조 속에서 환자 전체를 바라보는 전인적인 치료를 시술받는 현실이 약간은 씁쓸하기도 했다. 향후 통합의학이 그 대안이 되어 국내에서도 유기적으로 환자의뢰가 이루어지고 또 협진을 통해 더 나은 치료결과를 도출해내는 날을 기대해 본다.

엠디앤더슨 암센터에서 인삼을 이용한 임상연구가?

이곳에 온지 3개월 정도가 지났을 때 코헨이 우리 식구들과 본인 식구들이 함께 식사를 하자는 제안을 했다. 원래 미국인들이 사적으로 밖에서 식사초청을 잘 하지 않는다는 사실을 알고 있었다. 그래서 별로 기대하고 있지 않았는데, 코헨은 예외였다. 아무래도 그가 '중국에서 살아본 경험이 있어서인지 아시아인들의 손님접대 문화를 이해하고 있구나' 하는 생각이 들었다. 나와 우리가족은 나름대로 휴스턴에서 유명한 펑스키친(펑씨네집 식당)이라는 중국식당으로 초대받았다. 그의 세 자녀들과 부인이 함께 나와 우리 식구들을 환대해 주었다.

식사 중에도 역시 전공 관련 이야기로 주제가 흘렀다. 엠디앤더슨에서도 현재 우리의 실험물질인 인삼의 암 관련 피로 개선 효능에 대한 임상연구가 이루어지고 있다는 말을 듣게 되었다. 또 2주 후에 계획되어 있는 과 스터디에서 연구책임자인 인도 출신의 야누 박사가 직접 와서 발표를 할 것이라는 정보까지 주었다. 이미 인삼의 항피로 효능에 대해서는 많이 알려진 사실이만 막상 이것이 암연구의 세계적 메카인 엠디앤더슨에서 연구된다는 소식에 좀 묘한 기분이 들었다.

40% 이상의 암 환자들은 항암제나 방사선 치료 후 후유증, 그리고 암 자체에서 발생하는 악액질 등의 원인에 의해 피로를 경험한다. 이럴 경우 한의학에서 가장 많이 활용하는 처방은 인삼과 황기가 주가 되는 '보중익기탕'이다. 나는 이전부터 이에 대한 임상시험을 계획하고 있었던 터라 그의 발표에 대해 많은 기대를 하고 강의에 참여하게 되었다.

강의 당일 야누 박사는 지난 2년간 진행되었던 임상시험 준비 과정 및 환자 모집 등의 과정과, 현재 어떤 항목에 대하여 평가하면서 임상시험을 진행하는지에 대해 소개했다. 아쉬운 것은 이 연구가 아직 종료가 되지 않은 상황이어서 그 효과나 중간 결과에 대해서는 아직 알 수 없었다. 일단 "내년 시카고에서 열리는 미국 암연합회에서 발표를 하겠다."는 답변으로 대신했다.

강의 후 나는 야누와 다음과 같이 질문 대답을 주고받았다.

"이 연구에 있어서 몇 가지 질문이 있습니다. 이 연구에서 갑상선 호르몬과 같이 피로 관련된 호르몬의 영향을 받는 환자군은 배제했는지요?

"기본적으로 항암치료나 방사선치료에 기인한 피로라고 평가되는 환자에 대해서만 진행되었습니다."

"환자에게 투여되는 용량에 대해서 약리역동실험은 진행을 하였는지요?"

"하루 2회 1g씩 총 2g의 인삼이 투여되었는데 이는 일반 건강식품으로 먹을 수 있는 정도의 양이기 때문에 다른 항암제와 특별하게 상호작용을 하지는 않는다고 판단하여 약리역동실험을 진행하지는 않았습니다."

"인삼의 표준화는 어떻게 진행했는지요?"

"표준화는 진세노사이드인 Rg1과 Rb1의 비율로 하였습니다."

한국에서 워낙 이와 같은 연구에 대해 많은 공격을 받았던 터라 실제 임상시험의 메카인 이곳 엠디앤더슨에서는 얼마나 철저하게 준비가 되어 연구가 진행될지에 대해 기대를 하며 던진 질문이었다. 하지만 돌아오는 대답은 생각보다 단순하여 약간은 허탈하기까지 했다.

오히려 여기서 느낀 것은, 매우 실용적이고 간단하게 연구를 수행할 수 있게 해줌으로써 실용화를 빠르고 간편하게 실현시킬 수 있다는 점이었다. 반면 한국의 경우에는 마치 암 환자가 한약관련 제제를 복용하는 것이 엄청나게 잘못이라도 하고 있다는 식으로 몰아세우고, 임상연구에 있어서도 기본적인 투여량에 대한 약리역동자료를 요청하는 식이다. '앞으로 실제 환자에게 적용하는 데 있어서의 기본 자료는 오히려 미국에서 더 많이 나오겠구나.' 하는 생각도 들었다.

강의 후 야누 박사는 내게 강의에 참가해주어 고맙다는 인사를 하였다. 또 나중에 관련된 자료를 제공해주고 SBS 방송 인터뷰에도 응해주는 등 연수 기간 동안 계속 좋은 인연을 이어갈 수 있었다. 향후 한국에서도 이러한 선행연구들이 기반이 되어 보다 많은 임상시험이 좀 더 자유롭게 이루어져 이 분야의 근거들이 견고히 구축되기를 기대해 본다.

골성 통증에 침 치료를?

하루는 종양관련 세미나가 끝난 다음 한국에서 연수 오신 한 혈액종양 전문의 선생님과 이야기를 나눌 기회가 있었다. 다발성 골수종에 종종 사용되는 보테조미브bortezomib라는 표적치료 항암제를 사용할 때 환자들이 손발 저림 증상과 통증 때문에 너무도 고통스러워 한다는 것을 주제로 그와 이야기를 나눴다. 나는 이미 이곳 엠디앤더슨 암센터에서 관련 연구가 이루어졌고 또 몇몇 보테조미브 관련 임상연구들을 메드라인(의과학 검색 전문 사이트)에서 검색할 수 있다는 사실을 알고 있었다. 그래서 나는 그 선생님에게 침 치료를 이용하여 환자증상 관리를 할 수 있다고 알려드렸다.

"선생님, 제가 이런 경우를 종종 경험했는데 실제 다발성 골수종 환자들이 느끼는 증상을 개선하는 데 침 치료가 도움이 돼요. 비록 높은 근거수준은 아니더라도 참고는 되실 거예요. 제가 자료들을 보내드릴께요."

나는 펍메드를 검색하여 엠디앤더슨 암센터에서 쓴 고찰논문 한 편과 미국 메릴랜드 대학에서 쓴 증례논문을 보내드렸다. 선생님은 즉각 답변을 주셨다.

"와우. 벌써 찾으셨네요. 유용한 자료가 될 것 같아요."

사실 검색된 논문이 대규모로 무작위 배정된 임상연구거나 계통적 고찰이 아닌 단순 고찰과 증례연구이기 때문에 그 근거 및 권고수준이 높다고 볼 수는 없다. 하지만 처음 접해보는 입장에서 지금까지는 신비하다거나 또는 비과학적이라고만 여겼던 침 치료에 대해 이와 같은 연구 자료를 통해 최소한의 근거만이라도 제시해 줄 경우 기본적인 신뢰감은 확보할 수 있을 것 같다는 생각이 들었다. 왜냐하면 이 분야가 아직은 연구초기 단계이고 전통의학이 대부분 그렇듯이 인체에 오랜 세월동안 적용되어지고 있던 터라, 향후 이러한 연구들이 지속되어 일정 수준의 근거가 확보된다면 보다 널리 활용되어질 수 있기 때문이다.

이미 엠디앤더슨 암센터에서는 과학적 근거들을 바탕으로 본인이 치료하고 있는 많은 암 환자들의 통합의료적 치료에 대한 의뢰건수가 증가하고 있다. 침 치료 의뢰의 경우 2006년에 비해 5년 뒤인 2011년도에는 무려 4배 가까이 증가한 것이다. 이러한 이해를 돕기 위해 통합의학부서에서는 1년마다 보건의료 전문가들을 위한 세미나를 개최하고 또 수시로 부서장인 코헨이 의료인들을 대상으로 세미나를 하고 있다.

국내에서의 가장 큰 문제는 이쪽 분야를 잘 알지 못한다는 데에 있다. 이 분야의 전문가인 한의사들이 지금까지 나온 결과들만이라도 근거 중심적으로 명확히 소개한다면, 많은 의료인들에게 있어 이 분야를 접할 수 있는 더 많은 기회를 제공할 수 있을 것이다. 그렇다면 분명 환자들에 대한 의뢰가 가능할 것이고 또 이로 인한 수준 높은 연구도 이루어질 수 있을 것으로 확신한다.

중의사예요? 서의사예요?

5월 초순경에 우리 부서에 3개월 단기연수로 중국에서 의사가 새로 왔다. 상해 복단대 종양병원의 연합병원인 제 5 인민병원 종양과에 근무하는 허셩리 선생이었다. 그는 안회 중의약대학을 졸업하여 중의사가 된 후 상해의 복단대학으로 와서 의학 대학원을 졸업한 케이스이다. 중국은 중의사나 서의사나 모두 의료 영역의 제한이 없기 때문에 중의사가 양약을 처방하고 항암주사를 놓을 수 있다. 서의사도 한약을 처방하거나 침을 놓을 수 있다. 허셩리의 경우에는 비록 중의대를 졸업했으나 전공의와 박사 과정을 복단대 종양병원의 대장암으로 유명한 서의사인 리진 교수의 지도를 받아 수료했다. 그렇게 종양과 전문의가 되었으니 중의사인지 서의사인지 좀 헷갈리는 경우이다(중국에서는 이를 중서의 결합의라고 한다). 하루는 국립암센터에서 연수를 오신 한 선생님과 셋이서 함께 식사를 할 때 이에 대한 얘기가 나왔다.

"허 선생님은 주로 어떤 환자를 보세요?"

"대부분 오는 환자들이 간담도와 췌장암 환자들이에요. 기본적으로는 항암치료를 하고 다음에 항암치료의 부작용 감소나 전이 재발 억제를 목적으로 한약을 사용해요."

"그렇다면 허 선생님은 중의사예요 서의사예요?"

"별로 그런 건 신경써보지 않았어요. 그냥 환자가 오면 그 환자에게 필요한 처방을 하는 거예요. 양약이 필요하면 양약을 쓰고 한약이 필요하면 한약을 써요. 양약은 서양의학적 기준대로 쓰는 거고 한약은 한의학의 변증시치에 따라 쓰는 거예요."

우리나라처럼 의료이원화가 뚜렷한 상황에서는 이해하기 힘든 답변이다. 물론 나야 중국연수의 경험도 있고 하여 이러한 내용들을 속속들이 잘 알고 있었지만, 한약을 양약과 함께 쓴다는 개념이 이해가 안 가는 양방 선생님의 경우에는 잘 감이 오지 않았을 것이다. 그래서 나는 모두의 이해를 위해 양방 선생님의 입장에서 이런 질문을 던졌다.

"그렇다면 허 선생님이 쓰는 한약들과 항암제 간의 상호작용이나 또는 몸 안에 들어갔을 때 약리역동(약물이 체내에 흡수되어 배출되는 과정)에 대한 연구는 충분히 되어 있나요?"

허 선생님은 약간 당황하며 대답하였다.

"이렇게 함께 사용하는 경우가 생존율이 더 높아지고 환자의 삶의 질도 좋아져요."

다시 내가 말을 이었다.

"한국에서는 아직까지 그런 형태의 임상이 정식으로 이루어지고 있지 않아요. 한약과 양약을 함께 사용하는 것에 대해 아직 충분한 근거가 있다고 생각하지 않기 때문이에요. 중국에서는 같이 쓰는 것이 당연하다고 하지만 진짜 당연한지에 대해 다시 한 번 생각해 볼 필요가 있어요. 물론 닭이 먼저냐 달걀이 먼저냐의 얘기겠지만 중국은 보다 기초적인 근거를 확보해야 할 필요가 있고 한국은 보다 적극적인 임상적인 접근이 이루어져야만 해요."

중국의 경우에는 실제 임상이 이루어지고 후에 그 근거를 정립하려는 상황이고, 한국은 임상행위는 소규모나마 이루어지지만 보다 공식적인 과정을 통해 임상 연구가 이루어지지 못하고 있는 상황이다. 무엇보다 양·한방 간의 불신의 벽이 높기 때문에 이를 넘기 위한 기초자료들의 준비도 보다 철저히 이루어져야 할 필요가 있다.

아무튼 중의와 서의의 구분이 서로를 발전시키기 위해 존재하는 중국이 한편으로는 부럽기도 했다. 그렇다고 해서 중국이 모두 맞는 것은 아니다. 오히려 충분한 기초연구 없이 접근하는 경우에는 이상반응이나 항암제의 효과감소 등의 예상치 못한 결과가 발생할 수 있기 때문이다. 이와 관련해서 메모리얼 슬론 케터링 암센터에서는 홈페이지에 '어바웃허브aboutherb'라는 사이트를 제공하고 있다. 이 사이트에서는 이러한 한약과 양약의 상호작용 및 그 적응증과 금기증, 용량 등에 대해 과학적인 근거 중심으로 기술되어 있어서 누구나 접속하여 관련 정보를 갖고 치료에 접근할 수 있다.

허셩리 선생이 중의사인지 서의사인지는 중국의 입장에서는 크게 중요하지 않다. 등샤오핑의 흑묘백묘론(검은 고양이건 흰 고양이건 쥐만 잘 잡으면 된다)적 실용주의 사상이 지배하고 있기 때문이다. 하지만 이를 한국에서 적용하기 위해서는 현재 이루어지고 있는 통합의학적인 연구가 그 대안을 제시해 줄 수 있을 것으로 믿는다.

황련과
베르베린

황련이라는 미나리 아재비과에 속하는 한약이 있다. 황련의 대표적인 성분으로는 베르베린이라는 알칼로이드가 있고 기타 콥티신, 팔마틴, 야트로리진 등이 알려져 있다. 이를 사용한 대표적인 처방으로는 황련해독탕이 있으며 한방에서는 제반염증성 질환에 이전부터 널리 쓰이고 있는 약이다.

하루는 한국에서 오신 선생님들과 얘기를 하던 중 항암제 치료 유발 구강점막염에 대한 이야기가 주제로 나왔다. 나는 '방사선 치료 유발 구강건조증에 대한 침 치료의 효능'과 '항암제 치료 유발 구강점막염에 대한 황련해독탕의 효능'에 대해 논문을 발표한 적이 있었다. 그래서 이 중 임상적 효과가 뛰어난 황련해독탕에 대해 잠깐 설명하게 됐다.

"저희 병원에 항암제 치료를 받는 도중에 후유증을 관리하러 오는 환자들이 종종 있는데 이때 황련해독탕이라는 한약을 잘 활용해요."

"해독한다는 게 어떤 의미인가요?"

"염증을 억제해주고 조직재생을 도와준다는 의미예요."

"그 주된 성분이 뭐죠?"

"베르베린이라는 성분이 가장 잘 알려진 거예요. 물론 세균 및 바이러스 억제와 염증 효과에 대해 알려져 있고요."

"그렇다면 왜 베르베린만 추출해서 약으로 개발하지 않는 거죠? 식물이 가지고 있는 성분들이 모두 약이 되는 것은 아니잖아요?"

맞는 말이긴 하다. 그 식물이 가지고 있는 모든 성분들이 질병 치료나 증상개선에 도움이 되는 것은 아니다. 하지만 한의학이나 자연의학에서 주장하는 것은 자연적 상태의 것을 최대한 있는 그대로를 이용하는 것이지 유효성분을 확인하고 이를 화학적으로 합성해서 복용하는 것은 아니다.

현대의학에서 계속 딜레마에 빠지는 것이 바로 '기전'이다. 어느 하나의 성분이 한 분야에는 작용점을 갖고 정확히 기전파악이 되지만 이것이 점차 확대되면 미궁으로 빠져버리고 만다. 한쪽은 차단하지만 다른 쪽에서 뻥 터져버리는 것이다. 내성이 발생하는 것도 문제고, 천연물 추출물과 화학합성물이 반드시 같이 작용을 한다는 보장도 없다. 예를 들어 베타카로틴이 흡연자에게는 폐암 발생률을 높인다는 연구가 있지만, 화학적으로 합성된 비타민C를 섭취하는 것이 자연 그대로의 형태인 당근이나 브로콜리를 먹는 것과 같다고 말할 수는 없는 것이다.

천연물은 이러한 복합기전에 대한 대안을 제시해 주고 있다. 한의학에서는 밸런스(균형)를 강조한다. 어느 하나의 기전만을 차단하거나 강화하는 것이 아니라, 항진된 것은 억제시키고 억제된 것은 항진시키는 것이 천연물의 싱글 패스웨이(한 방향 기전)가 아닌 멀티플 패스웨이(복합 기전)를 조절하는 방법인 것이다.

중국만이 아닌 미국에서도 이제는 단일 성분만을 연구하는 것이 아니라 전통 복합처방 자체를 하나의 물질로 인정하고 연구를 진행시키고 있다. 그 표준화에 대한 방안들도 이미 상당 부분 발전되었다. 황련해독탕에는 황련뿐만이 아니라 비슷한 효능을 가진 황백, 황금, 치자라는 약물도 함께 들어있다. 만약 여기서 대표적인 유효성분인 베르베린만을 뽑거나 이를 합성하여 쓴다면 본래 황련해독탕이 가지고 있는 효능이나 적응증을 만족시킬 수 있을 것인가? 나는 단연코 그렇지 않다고 본다. 특히나 이들 복합성분이 인체에 들어가 조화를 이루게끔 만들어주는 효과는 절대로 기대할 수 없을 것이다.

최근 계통생물학이라는 학문이 매우 인기이다. 생물학적으로 기존에 밝혀진 방대한 정보들을 종합하여 이를 전체적인 차원으로 접근하고 또 이를 신약개발 등에 있어서 이용을 하는 학문분야다. 한의학의 가장 큰 단점은 포괄적인 접근은 맞게 하면서도 그 구체적인 기전을 제시하지 못하는 데 있다. 계통생물학은 이러한 한의학적인 해석을 하는데 있어서 분명 도움을 줄 수 있는 영역이다. 미래의 한의학에서는 황련해독탕과 같은 복합약물의 다경로 기전을 명쾌하게 제시하고, 복합약물이 부작용이 적고 내성이 잘 발생하지 않게끔 스스로 조절능력이 있다는 사실을 밝혀내 더 많은 환자에게 도움이 되길 바란다.

하버드 의대 통합의학센터 오병상 선생님과의 인연

10월에는 참가해야 할 국제학회가 두 건이나 있었다. 하나는 호주에서 열리는 국제침구경락 학술대회였고, 또 하나는 뉴멕시코 주의 앨버커키에서 열리는 통합암학회였다. 마침 연결 가능한 일정이어서 호주를 갔다가 뉴멕시코로 오는 경로로 비행 편을 예약했다. 휴스턴에서 시드니로 직접 가는 비행 편이 없던 터라 우선 로스앤젤레스를 거쳐 시드니 공항에 도착했다. 한국에서 온 팀과는 다음날 만나 합류할 예정이었다.

민박집에서 마중을 나오기로 해서 운전기사와 공항 내 맥도날드 앞에서 만나기로 약속했다. 그런데 아무리 기다려도 나오지 않는 것이었다. 혹시 다른 곳에도 맥도날드가 있나 하고 공항을 둘러봤다. 낯익은 얼굴이 눈에 띄었다.

"오병상 박사님. 어떻게 이렇게 만나요?"

"아! 유화승 교수님. 결국은 이렇게 만나게 되었네요."

오병상 박사님은 호주 한의사 자격을 갖고 계시면서 현재 호주 시드니 대학에서 교수로 재직 중인 분이다. 그는 암 환자에 대한 기공치료의 효과를 주제로 임상연구를 진행하여 박사학위를 취득하였는데, 나와는 2006년 보스턴에서 개최된 제 3회 통합암학회에서 처음 만났다. 이후 통합암학회에서 몇 번 더 만났고 학회에서 계속 기공에 대한 연구를 주제로 논문을 발표하시는 것을 보아왔던 터이다. 이번 국제침구경락 학술대회는 오 박사님이 속해있는 호주 시드니 기술과학대학과 공동으로 주관한 것이었다. 그래서 나는 이미 그가 이번 학회에 참가해서 발표한다는 사실을 알고 있었다.

오 박사님은 나와 비슷한 시기에 하버드 대학 다나파버 암센터의 통합의학 부서인 자킴센터로 1년간 연구년을 와 계셨다. 오 박사님은 데이비드 로젠탈 교수와 함께 기공치료에 대한 임상연구를 공동으로 진행하고 계시던 중이었다.

나는 시드니에 오기 전 미국에서 그에게 연락을 취하였었지만 시간이 어떻게 될지 몰라 그냥 학회장에게 보기로만 했는데 이렇게 우연히 공항에서 만나게 된 것이다. 마침 오 박사님도 숙소를 정하지 않았기에 우선은 내가 예약한 민박집에서 같이 지내기로 했다. 둘이 함께 다시 맥도널드 앞으로 가보니 약속한 운전기사가 나와 있었다. 우리는 시드니에서 한인들이 많이 모여서는 스트라스필드에 위치한 민박집에 도착해 짐을 풀고는 전철을 타고 오 박사님이 속해 있는 시드니 대학으로 향했다.

"하버드에서의 연구는 잘 진행되나요?"

"예. 현재 같이 국립암연구소에 제안서를 써서 연구자금을 받는 과정을 진행 중이에요. 이 분야에 대해 이미 호주에서 연구를 진행해본 경험이 있고 또 하버드의 환경이 워낙 좋아요. 자금이 확정되면 하버드에서 근무할지도 모르겠어요."

나와는 또 다른 경로를 거쳐서 미국을 대표하는 하버드 대학의 통합의학센터에서 한국인이 활발하게 활동한다는 사실이 무척이나 뿌듯했다.

"유 교수님의 진세노사이드 강화 인삼의 암 예방 효능 연구에 대해서도 듣고 싶네요. 미국에 계실 때 하버드에 오실 기회가 있으면 말씀하세요. 제가 자리를 마련해 볼게요."

생각만 해도 흥분이 되었다. 모두의 꿈인 하버드에서 강의를 한다니. 하지만 나 스스로 생각하기에 아직은 아니라고 판단되었기에 정중히 거절하였다.
"아직은 아닌 것 같아요. 나중에 어느 정도 연구가 완성이 되었다고 판단되면 그때 말씀드릴게요."

아무튼 또 하나의 목표가 생긴 셈이다. 언젠가는 내가 연구한 결과를 가지고 하버드 대학에서 발표하는 날이 올 수 있을 것이다. 미국의 대표적인 암센터에서 통합의학이라는 주제를 가지고 연구하는 또 다른 학자와의 우연한 만남은 내게 하버드 강연이라는 새로운 꿈을 가슴속에 품게 해준 연수 기간 중의 유쾌한 기억으로 머릿속에 자리 잡고 있다.

한국에서 날아온 반가운 얼굴들

통합의학부서에서는 1년에 두 번, 봄과 가을에 참관 프로그램을 운영하고 있다. 통합의학 프로그램에 대해 알고 싶은 신청자들에게 4일간의 집중적인 교육 및 참관 기회를 제공하기 위해서이다. 나는 연수 오자마자 봄에 열린 프로그램을 이수했다. 또 가을 프로그램에는 내게 교육을 받은 우리 과 전공의 및 전공의 출신 선생님들이 내가 여기 있는 김에 와보고 싶다고 해서 무려 8명이나 신청하였다.

과 전공의 과정을 마치고 로컬에 나가 있는 방선휘 선생, 연수온 나를 대신하여 진료하고 있는 이종훈 선생, 대구한의대로 간 김경순 선생, 동서암센터 통합암연구소 연구원으로 있는 윤정원 선생, 3년차 박재우 선생, 1년차 김종민 선생, 이들과 함께 온 임철휘 선생, 김세란 선생 등이 이번 프로그램에 참가하게 위해 휴스턴으로 날아 왔다. 전체 제한 인원이 8명이었는데 한국에서 온 참가자들이 모두 자리를 차지해버린 것이다.

몇몇은 도착하자마자 내가 공항에서 픽업하여 바로 병원 근처의 메모리얼 허먼 파크에 데리고 갔다. 그리고 엠디앤더슨에 연구년을 오신 친하게 지내던 선생님들 가족과 함께 바비큐 파티도 하고 또 모두를 우리 집에 초청하여 저녁 식사를 하면서 미국 생활을 약간이나마 맛볼 수 있게 해주었다.

메소디스트 병원의 노재윤 박사님께서는 이 친구들에게 저녁을 사주시겠다고 해주셔서 함께 식사도 하고 또 박사님 집으로 초청을 해주셨다. 젊은 친구들이니 만큼 큰 꿈을 가지고 한의학을 세계적으로 인정받는 학문으로 발전시키라는 격려의 말씀도 잊지 않으셨다.

나는 이 친구들에게 어떻게든 좀 더 많은 만남의 기회를 주고 싶어서 점심시간에는 고신대병원 종양내과의 신성훈 선생님과의 만남을 주선했다. 신 선생님은 현재 연수 중인 '암 재활 및 완화의료' 부서에서 이루어지고 있는 연구들에 대한 목록을 인쇄해가지고 오셔서 짧은 시간이나마 이에 대해 설명해주셨다.

"연구라는 것이 아주 주제가 거창할 필요는 없습니다. 소소하게라도 아이디어를 내어 임상적 질문을 하고 이에 대한 답을 찾는다면 이 또한 매우 훌륭한 연구가 될 수 있습니다."

우리는 보통 연구라고 하면 대규모의 무작위 배정 임상시험을 통해 약물을 개발하는 것만을 생각한다. 하지만 이에 대한 연구를 진행할 수 있는 곳은 국내에서 몇몇 대형암센터에 한정되어있다. 암을 전공하는 많은 선생님들에게 현실적으로 가능한 연구는 환자의 삶의 질 개선이나 증상완화를 위한 '암 재활 및 완화의료' 부서의 연구들이다. 또 소위 보완대체의학 쪽을 전담하는 한의학 분야에 있어서도 접근이 용이하기에 신 선생님의 연구 트렌드에 대한 설명은 이번 방문을 한 젊은 한의사들에게 나름 연구에 대한 동기부여를 해 주었을 것이다.

모두들 좋아했지만 그중 방선휘 선생이 특히나 좋아하는 것 같았다. 방 선생이 내게 말했다.

"교수님, 정말로 감사합니다. 교수님이 있으셔서 저희가 여기에 와서 이 거대한 시스템을 구경하고 또 좋은 분들을 만날 수 있는 기회를 가진 듯합니다."

"뭘. 본인들이 하고 싶은 마음이 있고 의지가 있어서 된 거지."

"아닙니다. 그래도 저희가 오려고 마음먹기까지는 여기 아는 분이

통합의학센터에서 운영하는 참관 프로그램에 참여하기 위해 한국으로부터 온 반가운 얼굴들과 함께

있기 때문에 쉽게 용기를 낸 겁니다. 와서 실제로 보니 우리가 어떻게 학문을 발전시켜야 할지가 좀 더 구체적으로 와 닿습니다."

방 선생은 2007년 나와 함께 샌프란시스코에서 열린 통합암학회에도 참가하고, 중국 상해에 있는 악양병원 종양과에서도 1개월간 연수한 경험이 있다. 그래서 좀 더 이해도도 높고 또 공감이 가는 부분이 많았을 것이다.

아무튼 1주일도 안 되는 짧은 방문이었지만 나도 반가웠고 그들에게도 인생에 있어서의 좋은 경험이 됐을 것이다. 그들의 방문은 "집을 떠난 사람이 길을 안다"는 조병화 시인의 말을 다시 떠올리게 된 휴스턴의 즐거운 추억들 중 하나다.

사물탕을 소개합니다

앞서 얘기한 대로 통합의학 부서에서는 매주 화요일마다 자체적인 스터디를 진행하고 있다. 이 중 셋째 주에는 잘된 연구 중 하나의 주제를 정하여 미리 정한 순서대로 발표하는 '리서치 클럽'이 진행된다. 하루는 이곳의 부센터장인 리차드 리가 아침 환자 증례토론이 끝난 후 내게 리서치 클럽에서 발표를 해주면 어떻겠냐는 요청을 해왔다. 기왕이면 이 친구들에게 한국에서 이루어진 연구에 대해 소개하는 시간을 가지는 것도 좋겠다는 판단이 들어 그렇게 하겠노라고 했다. 막상 하겠다고는 했는데 어떤 주제를 가지고 할지 고민됐다. 한참동안 생각하다가 최근 우리가 한국원자력연구원과 공동으로 임상연구를 진행하기로 한 '헤모힘'이 떠올랐다.

'헤모힘'은 사물탕이라는 조혈기능 개선 목적의 한약 기본처방인 당귀, 천궁, 백작약, 숙지황 중에서 비교실험을 통해 가장 좋은 효과를 보이는 조합을 만들고, 이에 대한 조혈작용이나 면역기능 강화 등에 대한 전임상연구를 통해 탄생한 약물이다. 이미 기존의 전임상연구가 탄탄하게 되어있기 때문에 이쪽에서도 관심을 가질 만하다는 생각이 들었다.

사실 천연물 신약인 SB(백두옹, 인삼, 감초) 주사제에 대한 발표도 고려를 했었지만 아무래도 엠디앤더슨 측에서 관심을 가질 만한 것이 직접적 치료약물보다는 증상완화를 위한 보조약물일 것이라는 판단이 들어 최종적인 결정을 '헤모임'으로 한 것이다.

발표에 가장 관심을 가진 것은 역시 페이잉 양이었다. 당연히 천연물 신약 개발을 책임지는 그녀가 표준화부터 임상시험 가능성까지 많은 질문을 쏟아냈다. 또한 통합의학 부서의 혈액종양내과 전문의인 가브리엘 로페즈도 임상시험 대상자 선정에 대한 본인의 의견을 제시하는 등 열띤 분위기가 이어졌다. 마침 하버드에 있다가 최근에 이곳 통

통합의학센터 리서치 클럽에서 사물탕 기원의 조혈 및 면역기능 개선물질에 대해 발표하고 있다.

증의학부서로 자리를 옮기신 한국의 약사 출신인 김희기 선생님도 강의에 참여하셔서 질의응답 시간에 나를 지원해주셨다.

약 한 시간가량의 발표를 마치고 나니 왠지 기분이 묘해졌다. 이렇게 이들에게 우리 한의학의 고유지식을 활용한 처방을 소개하고 지금까지 이루어진 모든 실험 및 임상연구를 기반으로 약물을 개발하는 과정을 설명함으로써, 사물탕이 과학이라는 옷을 입고 엠디앤더슨 암센터에 처음으로 모습을 드러낸 것이다. 첫술에 배부를 수 없듯이 당장 이 연구가 현실화되어 엠디앤더슨에서 공동연구가 진행되기는 어렵겠지만, 이러한 시도가 꾸준히 이루어진다면 언젠가는 세계 속에 당당히 우뚝 설 수 있는 한국을 대표하는 브랜드가 탄생할 것으로 믿는다. 앞으로 제 2, 제 3의 사물탕이 계속 나타나 전통한의학이 새로운 변모를 통해 과학적 근거를 취득하고 또 이것이 많은 암 환자들에게 활용되어지기를 바란다.

SBS 취재단의 휴스턴 방문

11월 초에 휴스턴의 우리 집으로 한 통의 전화가 걸려왔다. 그녀는 SBS 안수연 작가라고 자신을 소개했다. 안작가는 '원래 SBS 측에서 엠디앤더슨 암센터로 공문을 보냈는데 요청사항 중 환자 인터뷰 등의 내용이 있는지라 거절을 당했다'며 아쉽다는 듯이 운을 뗐다. 2013년 1월에 방영될 특집 다큐멘터리를 제작하고 있는 중인데, 주제가 '통합의학과 면역'이었다. 그녀는 나에게 '엠디앤더슨 암센터의 통합의학부서에 대한 취재를 중재해주고 또 현재 진행 중인 연구에 대해 인터뷰를 해줄 수 있겠냐?'고 문의했다.

"원래 미국에서는 환자에 대한 보호 장치가 잘 발달되어 있어서 환자에 관해 인터뷰를 하는 것은 원천적으로 어려워요. 일단 내게 공문을 보내보면 직접 코헨과 얘기해서 해결해 볼게요."

그렇게 우여곡절 끝에 내가 SBS를 대신해서 코헨에게 상황설명을 하고 다시 공문을 보냈다. 그런데 문제는 한국 측에서 벌어졌다. 공문 대행사에서 내가 이렇게 진행시키고 있는 상황을 모르고 코헨에게 엠디앤더슨 방문을 취소한다는 연락을 해온 것이다. 한창 분위기가 좋게 흘러가고 있을 때 확 찬물을 끼얹고 말았다. 나는 다시 정확하게 작가와 통화를 하고 잘못된 내용임을 확인한 후 코헨을 직접 만나 다시 상황을 설명하고 결국 취재승인을 받아낼 수 있었다.

11월 말 휴스턴으로 SBS의 김원석 피디와 지유현 피디가 찾아왔다. 휴스턴의 한인회장인 폴 윤 씨의 집에서 홈스테이를 하고 이사인 배성일 씨가 동행을 맡았다. 내가 처음 휴스턴에 정착할 때 집 문제와 보험 문제를 담당해주신 분들이기도 하여 친분이 있던 터였다.

인터뷰 순서를 수장인 로렌조 코헨, 임상의인 가브리엘 로페즈, 완화의학 부서의 실로암 야뉴 그리고 나의 순으로 잡았다. 마침 당일 실험실 동료들에 대해 지금까지 내가 연구한 내용들에 대해 발표 계획이 잡혀있던 터라, 짧은 발표를 통하여 내가 한국에서 가져온 진세노사이드 강화 인삼의 폐암세포에 대한 암 예방효과 및 기전에 대해서 설명을 하였다. 또 동시에 이루어지고 있는 간암세포 및 위암세포에 대한 억제효능 및 기전에 대한 결과도 발표하였다.

앞서 언급한 대로 인삼의 성분 중 진세노사이드는 크게 두 그룹으로 구분할 수 있다. 당이 많이 붙어있는 그룹(메이저 진세노사이드)과 당이 적게 붙어있는 그룹(마이너 진세노사이드)이다. 항암작용은 대부분 마이너 진세노사이드 그룹에서 보인다.

하지만 일반 인삼에서는 이들을 거의 찾아볼 수 없고 산양산삼 등 보다 오래 땅 속에서 자란 인삼에서 이들을 발견할 수 있는 것이 특징이다. 여기서 '만일 인위적으로 메이저 진세노사이드를 항암 진세노사이드인 마이너 진세노사이드로 바꿀 수만 있다면 암 환자에게 도움이 될 수 있는 물질을 저렴하게 공급할 수 있지 않을까' 하는 생각이 연구의 출발점이 되었다.

이는 지금까지 진행한 연구를 통해 정상세포에는 영향을 미치지 않는 농도에서 각기 다른 기전으로 위암, 간암, 폐암 세포를 억제한다는 사실이 밝혀졌다. 주제가 통합의학과 면역에 초점을 맞추다보니 자연스레 인삼과 연결이 되었고 또 내가 지금까지 진행한 연구를 소개하는 기회가 생긴 것이다.

"보완대체의학이 최근 각광받는 이유는 무엇입니까?"

"융합과 통합에 대한 갈망입니다. 많은 분야에서 눈부신 성과를 이룩하고는 있지만 막상 이들이 실용화 되는 과정에 있어서는 유기적으로 연합하여 연결이 잘 이루어지지 못하고 있습니다. 인류 역사상 전통의학이 존재하였고 이들이 질병예방 및 퇴치에 많은 기여를 했다는 사실은 인정을 하지만 과학적인 설명이 이루어지지 못할 때 그 학문은 사장이 되고 맙니다. 이곳에서 보완대체의학에 대한 연구가 이토록 활발하게 이루어지는 이유는 인류의 건강증진에 기여할 수 있는 의료기술을 현대 과학적으로 입증하여 이를 융합하고 통합하기 위한 것 입니다."

"면역이란 무엇입니까?"

"내 안의 잠들어 있는 힘을 깨우는 것입니다. 암에 대해서 현대 의학적이던 자연적이던 면역요법만 가지고 암을 치료할 수는 없다고 생각합니다. 대체의학적인 면역요법에 의존했다가 안 좋아진 환자들은 수 없이 많습니다. 반드시 수술, 항암제, 방사선 같은 통상의학적 치료를 받고 나서 면역체계를 이용해야만 합니다. 면역을 증강하는 대체요법만으로는 암을 제거할 정도로 충분히 강력하지 못합니다."

"인류 최대의 질병도전 과제는 암 정복입니다. 암에 있어 면역력은 어떤 의미를 갖습니까?"

"수술 전후의 면역력 향상시키기, 통상 치료 견뎌내기, 치명적인 합병증의 위험 줄이기, 종양의 성장과 전이 억제하기, 일상 기능 극대화하기 등 암치료 전반에 걸쳐 많은 의미를 가지고 있습니다."

"자연치유력(면역력)을 극대화하는 통합암치료가 암 환자들에게 주는 영향은요?"

"통합암치료의 핵심은 신체적 접근뿐만이 아닌 사회적, 정신적, 영적인 접근으로 접근한다는 점입니다. 통합암치료에서는 비단 약물만이 아닌 운동, 식이, 스트레스 관리, 영성까지 세계보건기구에서 규정한 건강의 정의를 실현하기 위한 다각적인 노력을 기울이고 있으며, 이는 점차 모든 의료영역으로 확산되고 있는 추세입니다. 통합암치료는 인류 최대의 난치병이라 일컬어지고 있는 암치료에 있어서 암만이 아닌 몸도 함께 치료한다는 점에서 분명히 경쟁력 있는 치료의 영역이라 할 수 있습니다."

"현대의학의 현실이자 한계점은 무엇이라고 생각하십니까?"

"성분을 중심으로 화학합성물로 접근하는 것이 약물 내성을 유발하고 유전자 변형을 일으킨다고 생각합니다. 모든 것을 자연 친화적인 방법으로 접근할 수는 없겠지만 통합의학 등의 학문적 영역을 보다 적극적으로 도입하여 유효성과 안전성이 확립되어진 치료방법들에 있어서는 적용범위를 넓혀야 한다고 생각합니다."

"국내에서 양·한방 협진을 통한 암치료에 있어 기대하는 점이 있다면요?"

"아직까지 국내에서 양·한방 협진을 통한 암치료의 가시적인 성과는 나오지 않고 있습니다. 현재 몇몇 대학병원을 중심으로 이에 대한 적극적인 시도가 이루어지고 있으며 결국은 보다 신뢰할 수 있는 근거를 창출해 내는 것이 환자들이 보다 양질의 치료를 받을 수 있게끔 하는 지름길임을 잘 알고 있습니다. 향후 전통의학이 잘 보존되어 있는 한국만의 특징을 살린 수준 높은 연구 성과들이 나오기를 기대하고 있습니다."

필자가 진행하고 있는 진세노이드 강화 인삼의 항암효능 및 기전에 대한 연구 결과를 설명하고 있다.

취재가 끝나고 같이 휴스턴의 한 한국 음식점에서 함께 식사를 하며 나는 다음과 같이 말했다.

"의료의 본질은 과연 무엇일까요? 결국은 환자가 중심인 것입니다. 심지어는 현대의학의 최고봉인 이곳 엠디앤더슨 암센터에서도 전통의학에 대한 연구가 이루어지고 있습니다. 통합의학은 융합에 대한 열정입니다. 그리고 그 중심에는 환자가 있는 겁니다."

의식동원, 식이가 암을 예방할 수 있을까?

엠디앤더슨 암센터의 통합의학부서에서 환자들을 대상으로 시행하는 중요한 서비스 중 하나는 바로 매달마다 '뉴스레터'를 발간하는 일이다. 뉴스레터는 4면으로 이루어져 있으며 첫 면에는 통합의학과 관련한 전문가들의 칼럼이 실려 암 환자들의 이해를 돕는다. 나머지 면에는 통합의학부서에서 이루어지고 있는 임상서비스의 내용과 한 달 스케줄, 그리고 관련 세미나 홍보 및 임상서비스 연락처 등으로 구성되어 있다.

칼럼의 주제를 살펴보면 페이잉 양의 '오메가-3의 화학적 암 예방', 차올의 '명상치료의 효능', 리차드슨의 '음악치료의 효능' 등 내부 전문가들이 돌아가며 쓰기도 하고, 또 가끔씩은 외부 전문가들을 초청하여 글을 싣기도 한다.

주제는 보통 부서장인 코헨이 정하는데, 나는 돌아오기 전 '식이와 암 예방'에 대한 칼럼을 요청받아 이를 2013년 2월호에 싣게 되었다.

제목을 무엇으로 할까 하다가 '의식동원(醫食同源, 음식과 약은 근원을 같이 한다)'으로 결정했다. 영어로 번역해보니 'Let food be your medicine(음식으로 약을 삼아라)'이 되어 이를 제목으로 잡았다.

내용을 요약해 보면 다음과 같다.

"생활습관 인자들 중에서 식이와 관련된 인자들이 암 예방에 있어서 중요한 역할을 한다는 사실은 이미 잘 알려져 있다. 하지만 수 십 년간의 역학적인 조사에도 불구하고 암의 발생부위와 특정 음식 및 영양인자와의 관계에 대한 과학적 근거는 아직도 불충분하고 확실한 결론을 내기 어렵다. 대표적으로 위암, 직장대장암, 폐암, 유방암, 전립선암 등에 대해서는 일정 정도의 음식이 암을 예방한다는 근거가 최근 연구를 통해 설립되어 있다. 사람에 대한 관찰연구의 근거들은 영양소와 암의 예후 간의 예상되는 관련성을 지지한다. 특히나 성분만으로 섭취하는 것에는 위험성이 따르므로 가급적 통곡식이나 통야채의 형태로 음식 섭취를 해야 한다. 이미 RNA 수준에서도 먹는 것이 인체를 변화시킨다는 결과가 입증됐다. 비록 과학적 근거가 아주 충분하지는 않을지라도 식이는 분명 암의 예방과 매우 밀접한 관련이 있다. 우리의 생활습관, 특히 음식에 관한 생활습관을 보다 자연친화적이고 소박한 것으로 바꾼다면 이는 암을 예방함에 있어서 분명 기여할 수 있을 것으로 기대된다."

분명히 이 글을 많은 암 환자들이 볼 것이고, 또 여기 근무하는 기라성 같은 세계적인 종양전문의들도 볼 터이니 대충 쓸 수만은 없는 일이었다. 시간이 좀 부족한 관계로 마감일을 맞추고자 새해 첫날에도 출근을 하여 나름 최선을 다해 글을 완성한 후 담당자에게 글을 넘겼다.

아무튼 방문교수로 와서 소위 세계 최고라고 일컬어지는 엠디앤더슨 암센터에서 환자들을 위해 발간하는 뉴스레터에 글을 실었다. '의식동원'이라는 한의학적인 테마를 가지고 써진 글이 엠디앤더슨 전체에 퍼져서 읽혀지니 기분이 그리 나쁘지만은 않았다. 세계화란 것이 결국 세계가 우리 속에 들어오고 우리가 세계 속에 진출하여 이것이 세상에 영향을 미치면 되는 것이다. 크게는 우리만의 기술로 획기적인 치료의 진보를 가져오는 기술을 개발하는 것이 세계화라 볼 수도 있지만, 소소하게는 이렇게 환자들을 위해 도움이 되는 글이 세계적인 암센터 내에서 조그마한 변혁을 일으키는 것 또한 세계화라 할 수 있을 것이다. 이후 보다 다양한 경로를 통해 한국 한의학의 지혜와 치료 기술들이 세상에 널리 알려지는 날이 빨리 올 수 있게 되기를 기대해 본다.

미국으로 간 허준

그리고 그 후

4장

암 환자가 꼭 지켜야 할 다섯 가지 법칙

생활방식을 바꾸게 되면 암의 전이 및 재발 위험을 낮출 뿐만 아니라 암 이외의 질병의 위험도 낮아지며 스스로 삶을 더 건강하고 활기차게 살아갈 수 있게 된다.

이 장에서는 암 환자가 꼭 지켜야 할 다섯 가지 법칙에 대해 좀 더 구체적으로 언급하고자 한다. 암과 싸우고 또 회복하는 과정은 등산에 비유할 수 있다. 등산은 철저한 준비뿐만이 아니라 전문가의 조언 및 본인 스스로의 노하우가 절대적으로 필요한 운동이다. 또 등산에서는 올라갈 때뿐만이 아니라 내려올 때의 과정도 매우 중요하다. 실제 등산 시 70% 이상의 사고가 하산할 때 발생하기 때문이다. 조심스레 천천히 내려오지 않고 서둘러 내려오다 보면 자칫 발을 헛디뎌 아무리 산을 정복했더라도 목숨까지 잃을 수 있다.

암치료에서 정상에 오르는 것은 수술, 항암제, 방사선으로 암을 제거하는 과정에 비유할 수 있고, 정상에서 내려오는 것은 이후 생활습관의 변화를 통해 전이와 재발을 막고 오랫동안 건강하게 사는 과정에 비유할 수 있다. 이 두 과정 중 어느 것이 더 중요하고 덜 중요하다고는 말할 수 없다. 수술, 화학요법, 방사선 요법과 같은 공격적인 치료를 통해 비록 눈에 보이는 암이 소실된다고 할지라도, 치료가 완전히 끝난 것이 아니라 그때부터 본격적인 관리가 시작되어야만 한다.

관리의 목표는 남아 있는 암이 더 이상 활동하지 못하게 하는 것이다. 현대의학에서 가장 간과하고 있는 부분이 바로 이 하산하는 과정이다. 환자들이 고통스러워하는 암치료의 부작용과 치명적인 합병증을 예방하거나, 공격적인 치료가 끝난 후 암의 전이 재발을 막는 데 있어서 가장 효율적인 방법을 바로 통합의학에서 제시해주고 있다. 통합의학의 암 관리를 통해 환자는 스스로를 돌보고 자신의 건강관리에 주도적인 역할을 계속해 나가야 한다. 바로 식단에 변화를 주고, 운동습관을 들이고, 정신적 스트레스를 잘 관리하고, 면역력을 유지시켜주고, 삶 속에서 사랑을 통한 봉사를 실천하는 것이다.

이렇게 생활방식을 바꾸게 되면 암의 전이 및 재발 위험을 낮출 뿐만 아니라 암 이외의 질병의 위험도 낮아지며 스스로 삶을 더 건강하고 활기차게 살아갈 수 있게 된다. 여기서는 식이, 운동, 정신이라는 세 가지 측면에서 암 환자가 따라야 할 생활습관의 원칙들을 제시하고 있다. 또 면역력을 높여주고 사회와 소통하고 봉사하는 생활의 관리를 통해 암의 전이와 재발을 막아주는 일상 속의 간단하지만 소중한 법칙들을 전달하고자 한다.

밥이 보약이다 - 식이

밥이 보약이라는 말이 있다. 실제 암 환자에게 있어서 식이는 무엇보다도 중요하다. 먹는 습관이 암을 예방하기도 하고 또 암에 걸리게도 하기 때문이다. 식이 지방과 정제 탄수화물(설탕, 백미, 흰 밀가루 등)을 많이 먹으면 체지방과 몸무게가 늘어나고, 면역계가 약해지며, 산화스트레스와 염증이 증가하고, 종양성장과 신 혈관생성을 촉진하는 물질의 혈중농도가 높아진다. 미국 암 학회는 암 예방을 위해서 과일과 채소, 통곡식, 저지방 단백질 식품을 권장하고 대신 해로운 지방, 정제 탄수화물, 지방이 많은 붉은 육류를 제한하고 있다.

하지만 암이 발병한 환자에 대해서는 먹을 수 있는 건 뭐든지 먹으라고 조언한다. 고기, 계란, 버터, 마가린, 고지방 유제품, 마요네즈, 치즈, 아이스크림, 땅콩버터 등등 고열량 식단이 악액질을 방지하고 또 암 환자에서 발생할 수 있는 악액질을 줄이기 때문이다. 그러나 이러한 고열량 식단은 모두 암을 촉진하는 특징을 가지고 있다는 사실을 간과해서는 안 된다. 2007년 〈미국의학회지〉에 보고된 연구에 의하면 대장암 3기 환자들 중 고기, 지방, 정제된 곡식, 디저트 등을 가장 적게 먹은 집단이 이런 음식들을 가장 많이 먹은 집단에 비해 사망률이 절반 정도 낮아졌다고 한다. 암 환자는 지방, 정제 탄수화물, 단백질 등을 섭취하는 데 있어서 다음과 같은 원칙들을 따르면서 조심스럽게 식사하는 습관이 권장된다.

● 통곡식으로 탄수화물 기본 에너지를 유지시켜라

밥은 한국인의 식단의 기본이다. 가급적 통곡식을 이용하여 주식을 만들어라. 백미대신 현미를 주식으로 삼는다. 통곡식은 복합탄수화물과 섬유질이 풍부하여 일상생활에 필요한 에너지를 천천히 지속적으로 공급해 주는 반면 암의 성장을 촉진시키는 성분은 거의 없다.

통곡식으로 밥을 할 때는 스테인리스 스틸 재질의 압력솥에 조리하는 것이 좋다. 높은 압력으로 조리하기 때문에 그냥 끓이는 것보다 부드러워 소화시키기도 쉽고, 영양소 손실도 적다. 현미뿐만 아니라 통보리, 콩, 팥, 기장, 수수, 통밀, 오트밀 등 다양한 통곡식을 이용하여 주식을 만들어 보면 생각 외로 맛이 좋아 깜짝 놀랄 것이다.

빵이나 국수를 먹을 때는 통밀을 비롯한 통곡식을 100% 사용하고, 트랜스 지방이 없으며, 정제당을 사용하지 않고, 방부제를 최소한만 사용한 것을 고른다. 평소 음식을 고를 때도 되도록 정제되지 않고 가공이 덜 된 음식을 먹는다. 물론 햄버거, 피자, 도넛, 콜라 등 패스트푸드(정크푸드)는 선택대상에서 제외되어야 한다. 설탕이 많이 들어간 단 음식이나 정크푸드가 당길지라도 억지로라도 매끼 식사를 통곡식으로 바꾸도록 노력한다.

심한 배고픔, 음식에 대한 갈망을 느끼거나 혈당이 널뛰듯 급격하게 오르내린다면 하루 종일 조금씩 자주 먹어서 이를 예방하도록 한다. 세 끼 식사와 두 번 정도의 간식이 이상적이다. 글루텐(보리, 밀 등에 들어 있는 끈적끈적한 느낌을 내는 단백성분)에 과민한 사람은 이를 피하고 대신 쌀, 옥수수, 메밀 등 글루텐이 없는 곡식을 선택한다.

● 암과 싸우는 단백질이 필요하다

비록 완전 채식을 할 필요는 없으나 가급적 식물성 단백질을 위주로 섭취하도록 한다. 동물성 단백과는 달리 식물성 단백에는 한 가지에 모든 필수 아미노산이 다 포함된 것은 없으나, 현미잡곡밥에 콩을 섞어 먹는 식으로 여러 종류의 식물을 함께 먹으면 필수 아미노산을 모두 섭취할 수 있다. 식사 때마다 상호 보완이 되므로 매끼마다 모든 필수아미노산을 다 먹을 필요는 없다. 고기와 비슷한 시각적 효과와 질감을 원한다면 두부, 콩고기, 밀고기 등 제품을 활용한다. 특히 우리 전통식품인 두부는 단백질 공급의 좋은 원천이 될 수 있다.

콩류는 단백질이 풍부할 뿐만 아니라 복합 탄수화물과 수용성 섬유질이 풍부하여 혈당을 적절히 조절하도록 도와준다. 하지만 콩을 많이 먹으면 방귀를 유발할 수 있으므로 식단에서 콩류의 양은 점진적으로 증가시키는 것이 좋다. 섬유질을 많이 섭취하고 음식을 잘 씹어 먹는 것이 가스를 줄이는 데 도움이 된다.

동물성 단백질 중에서는 생선류를 추천할 만하다. 고기가 먹고 싶을 때는 생선을 그릴이나 오븐에 구워서 먹는다. 조개류는 오메가-3 함량이 더 적으므로 생선류보다는 덜 섭취하는 게 좋다. 더욱이 조개류는 바다 밑바닥 청소부 역할을 하기 때문에 중금속 섭취의 위험이 있으므로 청정해역에서 생산된 것을 가급적 추천한다. 고기대신 두부나 콩고기, 밀고기를 넣어 조리하는 방식도 적극 추천되어진다. 콩고기와 밀고기는 채식전문식당이나 인터넷의 채식전문 쇼핑몰에서 구할 수 있고 또 이를 활용한 요리법을 찾을 수도 있다.

● 필수 지방산 섭취가 필요하다

전체 지방섭취량을 제한하고(특히 동물성 지방) 오메가-3 와 오메가-9 이 풍부한 음식인 깊은 바다에 사는 어류, 올리브, 아보카도, 견과류(호두, 아몬드, 잣, 땅콩, 아마씨) 등을 섭취한다. 물론 건강에 좋은 지방일지라도 과식해선 안 된다. 견과류의 트랜스지방산을 너무 많이 섭취하지 않도록 한다. 지방은 산패되기 쉽기 때문에 기름, 견과류, 종실류는 모두 냉장고에 보관한다. 기름 종류를 구입하고 사용할 때는 유통기한을 꼭 확인하여 기한 내에 사용하도록 한다.

기름을 발연점보다 높은 온도까지 가열하면 화학적 변성이 일어나면서 건강에 해로운 물질들이 생긴다. 그러므로 볶거나 부치는 등 조리에 사용하는 기름은 발연점이 충분히 높은 것을 사용해야만 한다. 볶지 않은 생 참깨 기름, 포도씨유, 카놀라유, 미강유, 땅콩기름이 추천할 만하다.

● 유제품 섭취는 줄여야 한다

우유 안에는 성장호르몬이 들어 있어 과량의 우유를 섭취하는 것은 권장되지 않는다. 우유대신 두유를 먹는다. 땅콩이나 아몬드, 잣과 같은 견과류를 이용하여 우유 대용 음료를 만들어 먹을 수도 있다. 콩이나 견과류를 볶아서 낸 가루(미숫가루)나 두부 등을 이용해서 크림이나 치즈와 같은 유제품을 대체하는 식품을 만들 수도 있다.

한국인은 서구인들에 비해서 우유 및 유제품 소비가 적은 편이지만 최근에는 많은 사람들이 유제품을 애용하고 있으며 빵, 과자, 빙과류 등 간식 제품들에는 유제품이 광범위하게 사용되고 있다. 국내에서 유제품을 대체할 식물성 제품으로는 두유와 콩, 요거트 외에는 거의 유통되지 않는다. 집에서 직접 치즈나 요거트 등을 만들어 먹는 것도 추천된다.

우유 섭취량이 줄어 칼슘이 부족할까 봐 걱정할 필요는 없다. 칼슘을 많이 함유한 식품은 유제품 외에도 많다. 멸치, 두부, 검은 콩 등이 대표적이다. 19~50세 성인은 하루 1,000mg, 50세 이상은 1,200mg, 골다공증 위험이 높은 환자는 1,500mg을 섭취해야 하는데 칼슘 보충제를 먹는 것도 좋은 방법이다.

● 암과 싸울 수 있는 미량영양소(피토케미컬)가 필요하다

다양한 채소로 다양하게 식단을 구성하는 것이 좋다. 가급적이면 유기농을 사용하라. 식단이 다양하면 즐겁게 식사할 수 있을 뿐만 아니라 암에 대항하고 건강을 증진시키는 피토케미컬들을 충분히 확보할 수 있다. 특히 다양한 색깔의 채소들, 푸른잎 채소, 십자화과 채소(브로콜리 등), 양파, 마늘을 많이 먹는다. 과일은 과다한 당분을 공급하는 것을 방지하기 위해 하루에 두세 번 이하로만 제한한다.

채소류를 살짝 익히거나 굽거나 볶아서 날 것보다는 부드럽지만 아삭아삭한 느낌이 살아있는 정도로 해서 먹는다. 채소를 살짝 익히면 세포벽을 터뜨려서 영양소의 이용률이 높아진다. 소화에 문제가 없다면 샐러드나 생채소를 먹는 것도 괜찮다. 다만 백혈구감소증이 있는 경우라면 생채소는 가급적 삼간다.

아래의 다섯 항암 영양소군의 채소들을 매일 골고루 먹도록 한다. 매일 모든 군을 먹을 수 없다면 적어도 일주일에 한 번씩은 먹도록 한다.

글루코시놀레이트 군: 십자화과 채소. 배추, 무, 양배추, 브로콜리, 케일
유기황 군: 파속 채소. 마늘, 양파, 파, 쪽파, 부추
라이코펜 군: 붉은 채소류. 토마토, 고추, 피망, 파프리카
루테인 군: 짙은 녹색 잎채소. 시금치, 케일, 미나리, 물냉이
카로틴 군: 주황색 채소. 당근, 늙은 호박, 단호박

● **단맛은 설탕 이외의 것으로**

단맛은 정제설탕 대신 과일과 쌀 조청, 보리 엿기름, 아가베 시럽, 스테비아, 과일소스, 메이플 시럽 등 비정제 감미료를 이용하는 것이 좋다. 가능하면 과일은 유기농과 국산을 선택한다. 국산 제철 과일이 수입산이나 제철이 아닌 과일보다 낫다. 과일에는 자연 당분이 포함되어

있으므로 너무 많이 먹지 않도록 주의한다. 생일이나 파티 등 특별한 이벤트가 있는 경우라도 케이크보다는 과일을 예쁘게 장식한 음식을 이용하도록 하자. 아가베 시럽은 이눌린(우엉 등에 들어있는 다당 성분)이 풍부하고 설탕보다 혈당을 천천히 상승시키므로 추천할 만하다.

- **물을 충분히 마시자**

물과 하루 3~5잔의 녹차와 허브차 섭취를 추천한다. 녹차는 많은 양의 항산화물질과 피토케미컬을 함유하고 있으며, 녹차의 카페인 함량은 체내 수분대사를 방해할 정도로 높지 않으므로 몸에 수분을 공급함에 있어 물보다 더 추천된다. 깨끗한 물과 산소는 가장 중요한 영양소로, 음식에 포함된 것 외에 하루에 1.5리터 이상의 물을 마신다. 특히 화학요법 중인 환자는 신장기능 저하나 부종 같은 수분저류 문제만 없다면 3리터까지도 가능하다. 이는 대사기능을 활성화시키고 피로회복에 도움을 준다.

수돗물을 바로 먹는 것은 수돗물에 중금속, 비소, 유기용매, 농약, 질산염, 각종 화학약품, 바이러스, 세균, 폐기된 의약품 성분이 포함될 수 있기 때문에 바람직하지 않다. 최근에는 수돗물에 첨가되는 염소와 불소도 잠재적인 유해성분으로 지적되고 있다. 수돗물을 조리에 사용하거나 마셔야 할 때는 30초~2분 정도 수돗물을 틀어놓아 관 속에서 농축된 물질들을 흘려보낸 후 받는 것이 좋다.

뜨거운 물에는 중금속을 비롯한 수도관내의 오염물질이 더 많이 녹아나오므로 뜨거운 수돗물을 받아 요리하거나 마시지 않도록 한다. 시판 생수는 취수원을 믿을 수 있는지의 문제와 플라스틱 병에서 녹아나올 수 있는 비스페놀-A와 같은 화학물질의 문제가 있을 수 있으므로 신중히 선택해야 한다. 특히 플라스틱 병에 담긴 생수를 자동차 안이나 한여름 같은 뜨거운 환경에 노출시키지 않도록 주의한다. 가장 믿을만한 물은 집에서 정수한 물이다. 역삼투압 방식, 중력 마이크로필터, 증류 방식의 정수기는 몸에 필요한 미네랄 성분까지 걸러내는 단점이 있으므로 활성탄 필터를 추천한다.

☞ **엠디앤더슨 통합의학센터 뉴스레터 〈2011년 4월호〉**

● 미국 연방 정부가 항암 식습관을 받아들이다

미국인 중 2/3 이상의 성인과 1/3 가량의 어린이들이 비만이거나 과체중이다. 최근에 암에 대한 위험요인의 증가가 과체중과 연관이 있다는 많은 근거들이 제시되고 있다. 사실상 미국 암연구학회는 1/3 이상의 대부분의 흔한 암들은 미국인들이 건강한 식습관을 유지하고 활동량을 증가시키며 적절한 체중을 유지할 경우 예방할 수 있다고 제안했다.
최근 연방 정부는 이러한 위험요인을 줄이는 데 도움이 되는 암 전문가들의 권고를 통해 새로운 식습관 지침을 보도했다. 미국 농림부와 보건복지부는 '2010년 미국인을 위한 식습관 지침'의 최신판에서 그 지침을 간략히 요약하고 있다. 이러한 지침은 5년마다 발간되며 건강을 향상시키고, 만성 질환을 예방하고, 과체중이나 비만의 위험을 줄일 수 있도록 설계되어 있다. 새로운 권고사항들은 규제당국이 비만 위기를 인식하게 하고 적절한 칼로리 균형 유지, 과영양 음식섭취의 중요성, 활동량의 증가에 대한 더 많은 정보를 제공함으로써 이전보다 진일보 한 것으로 보인다.

주요 권고사항

- 향상된 식습관과 활동량을 통해 과체중과 비만을 막거나 줄인다.
- 이는 과체중이거나 비만인 사람들에게 음식과 음료의 칼로리 섭취량을 줄이는 것을 의미한다(추정 칼로리 섭취량: 여성, 평균 활동량, 51세 이상 – 1,800

cal; 남성, 평균 활동량, 51세 이상 – 2,300 cal).

- 채소와 과일 섭취량 증가, 특히 진한 녹색 · 붉은색 · 주황색의 채소, 콩류, 완두콩류 등.
- 모든 정제 곡물 대신 미정제 곡물로 섭취. 정제된 곡물을 미정제 곡물로 대체함으로써 그 섭취량을 증가시킨다.
- 육류나 가금류 대신 해산물을 선택해 다양한 해산물 섭취량을 증가시킨다.
- 해산물, 살코기, 가금류, 계란, 콩 · 완두콩류, 무염의 견과류와 씨 등 다양한 단백질을 섭취한다.
- 가능한 한 고형지방을 식용유(식물성)로 대신한다.
- 미국인 식습관 중 중요 영양소인 칼륨, 식이성 섬유, 칼슘, 비타민D가 많이 함유된 음식을 섭취한다.
- 하루 나트륨 섭취량을 2,300mg 이하로 줄이고, 51세 이상 고령자, 모든 흑인, 혹은 고혈압, 당뇨나 만성 신장 질환이 있는 사람들은 섭취량을 1,500mg까지 더 줄인다.
- 고형지방과 당류 섭취량을 줄인다.
- 정제된 곡물(특히 고형지방, 당류, 나트륨이 함유된)의 섭취를 제한한다.
- 부분 경화유나 제한적 고형지방과 같은 합성 트랜스지방 음식을 제한하여 트랜스지방산 섭취를 최대한 적게 유지한다.
- 술은 적당히 섭취한다(하루에 여성은 한 잔까지, 남자는 두 잔까지).

이 권고사항을 따른다는 것은 어떤 음식을 얼마나 섭취하느냐에 집중한다는 의미이다. 이 권고사항은 일인분이 두 사람 분량 정도 되는 식당에서 식사를 하거나 가공식품을 섭취할 경우 따르기 쉽지 않다. 건강하고 균형 있는 항암 식습관을 위해 가급적이면 자주 집에서 가족 · 친구들과 신선한 음식을 요리해서 먹어라.

누우면 죽고 걸으면 산다 - 운동

낮에 적절한 신체활동을 하고 밤에 푹 자는 것이 건강에 좋다는 것은 널리 알려져있는 상식이다. 이는 암 환자들에게도 마찬가지이다. 과거 암 환자들에게 치료 후에는 절대 안정하고 육체적 활동을 줄이라고 가르치는 것이 일반적이었던 때도 있었다. 하지만 최근의 연구결과들은 적절한 운동이 암 환자의 생존율을 높이고 재발을 감소시킨다는 사실을 보여주고 있다. 2006년 〈임상종양학회지〉에 발표된 논문에 의하면 운동은 직장암 3기 환자에서 생존율과 재발률을 감소시키는 것으로 나타났다. 일주일에 3~5시간 보통 속도로 걷기 운동을 한 경우 유방암 환자의 사망률이 50% 감소된다는 연구결과도 있다.

많은 연구에서 암 환자들이 비활동적으로 지내면 더 허약해지고, 피로를 많이 느끼며, 중요 근육이 손실될 뿐만 아니라 수면 주기에도 지장을 주어 항암 치료의 반응을 떨어진다는 사실이 밝혀졌다. 신체적 활동이 감소하면 근육량이 줄어들고 면역 체계가 붕괴하여 폐렴 등 치명적인 감염의 잠재적 위험이 상승한다. 운동은 특히 암 환자들을 괴롭히는 활동성 저하, 수면 곤란, 기분 저하, 피로 등을 개선시키고 또 치명적인 합병증과 치료 부작용을 감소시켜준다. 신체적 활동이야말로 암 환자가 건강을 회복하는 데 있어서 마법의 열쇠인 셈이다.

반면 지나친 운동, 특히 적절한 준비운동 없는 과잉 운동은 도리어 조직을 손상시키고 산화 스트레스와 감염의 위험을 높인다. 과유불급이라는 말처럼 오히려 악성 세포의 생존과 전이를 촉진하고 환자를 피곤하게 만들어 항암치료를 견디기 어렵게 한다. 따라서 운동 전에는 반드시 스트레칭이나 요가로 근육을 풀어주고 체력에 따라 운동의 강도를 안배하는 것이 중요하다. 일반적으로는 걷기나 수영 등 너무 무리하지 않는 유산소 운동이 추천된다. 암 환자에게 도움이 될 만한 신체활동 방식으로는 다음과 같은 것들이 있다.

1. 요가 – 유연성 증가, 심신 조절
2. 필라테스 – 근력, 유연성, 심신 훈련, 근육 강화와 내부 장기 마사지에 탁월
3. 온수 목욕 – 긴장 완화, 통증 감소
4. 마사지 – 근육 긴장 완화, 통증 감소. 스스로 하는 마사지도 효과가 좋다.
5. 사우나 – 체온상승으로 인한 면역 증가 효과
6. 개인 트레이너 – 개인의 역량에 맞는 운동 프로그램 디자인

● 운동으로 개선시킬 수 있는 암 관련 증상

암 환자의 다음과 같은 증상들은 적절한 운동을 통해 개선될 수 있다.

– **오심과 식욕부진**: 암 환자가 악액질이 유발되는 주된 이유는 암으로 인한 염증이나 항암제로 인한 오심증상 때문에 식욕이나 먹으려는 의지가 사라지기 때문이다. 오심이 일어날 때 15~20분간 천천히 걷는 것은 오심을 가라앉히는 데 도움이 될 수 있다. 항암제 치료를 받으러 가기 직전 20분 정도 운동을 하고 가는 것도 권장할 만하다.

– **소화불량**: 항암제나 방사선치료와 같은 통상적인 암치료는 소화불량을 유발해 항암효과를 가진 미량영양소의 흡수를 방해한다. 아무리 좋은 식이요법을 해도 장에서 흡수가 안 된다면 소용이 없다. 운동은 소화 흡수를 촉진시키는 데 도움을 준다.

– **변비**: 항암화학요법을 받는 많은 환자들이 변비로 고생한다. 운동은 연동 운동을 촉진하여 소화된 음식물이 장을 통과하는 시간을 짧게 해 준다.

– **불안 및 우울**: 규칙적으로 운동하는 사람일수록 불안과 우울이 줄어든다. 운동은 수면의 질과 에너지 수준, 일상생활 수행능력과 내적인 쾌활함을 증가시키므로 기분을 좋게 한다. 또한 운동은 뇌에서 불안을 감소시키고 기분이 좋아지도록 작용하는 세로토닌 같은 호르몬의 분비를 촉진시킨다.

– **수면**: 암 환자의 50%가 불면에 시달린다. 운동은 수면의 질을 높인다. 운동의 종류가 무엇인지는 상관이 없다. 태극권, 티벳 요가, 유산소운동, 근력 운동 등 모든 운동이 수면의 질을 높이는 데 도움이 된

다. 규칙적인 수면은 전이성 암 환자의 생존율을 유의하게 연장시킨다는 보고가 있다.

– 피로: 암 환자의 80%가 피로를 호소한다. 특히 방사선치료는 피로를 심하게 유발한다. 암으로 인한 감정적인 타격과 수면 부족도 피로를 가중시킨다. 항암치료 중의 운동은 피로감을 줄여준다. 하루 30분 정도의 유산소 운동만으로도 화학요법 중의 피로감을 줄일 수 있다. 태극권 같은 부드러운 운동은 기력을 회복시키고 또 삶의 질을 향상시킨다. 태극권은 특히 느리고 부드러운 동작이 끊임없이 이어지며 편안한 각성 상태를 유도하므로 과잉운동을 할 염려가 적다는 장점이 있다. 태극권과 같은 각종 기공과 요가 등의 동양적인 운동법들을 추천할 만하다.

– 색전증: 항암치료와 비활동적 성향(침대에 누워만 있는 등)은 혈전이 생길 위험성을 증가시키므로, 암 환자들은 폐색전증이 생기거나 다른 곳에서 생긴 혈전이 폐로 흘러들어가 응급상황을 초래할 위험이 크다. 운동은 혈액순환을 증가시키고 혈액을 묽게 만들어 혈전의 위험을 줄인다. 또한 혈액순환량을 증가시켜 조직에 산소와 영양이 더 많이 공급된다. 체내 조직에 산소가 풍부하면 악성세포의 전이를 늦추는 데 도움이 된다.

엠디앤더슨 암센터에서는 구체적으로 다음과 같이 운동법을 제안하고 있다.

● 시작을 위한 팁

운동은 매우 쉬워 보이지만 실제로 하기는 쉽지 않다. 당신은 "나는 어떨까? 암 생존자로서 운동을 해야 할까?"라는 질문을 스스로에게 던질 것이다. 대부분의 생존자들의 대답은 '그렇다'이다. 연구들은 운동이 암 치료 중인 환자들에게 뿐만 아니라 치료를 마친 다음에도 이점이 있다는 사실을 보여준다. 운동은 암 환자의 기력을 회복시키고 체력 및 삶의 질을 향상시키는 것으로 밝혀졌다.

운동은 의학이다. (미국 스포츠 의과대학)

● 왜 운동을 해야 하나?

운동은 신체 및 정신 건강을 향상시키기 위해 할 수 있는 자연스러운 행위이며 운동의 효과로는 다음과 같은 것들을 기대할 수 있다.

• 불안 및 스트레스 해소 • 체중 관리 • 면역력 향상 • 에너지와 인내력 증가 • 혈압 감소 • 심장질환과 성인의 초기 당뇨병 위험 감소 • 골다공증 위험 감소 • 근육 탄력 및 균형력 향상 • 정신적 피로 감소 • 인지기능 개선

● 어떻게 시작할 것인가?

먼저 의사에게 피해야 할 운동이 있는지에 대해 문의하라. 암 질환 또는 그 치료 때문에 물리적·육체적 한계가 올 경우 물리치료사 또는 재활과 전문의와 상담해 보는 것도 도움이 된다. 의료인의 동의를 얻은 후 시작을 위해 다음의 팁을 활용하라.

– 당신이 즐길 수 있는 운동을 선택해라

당신이 즐길 수 있는 운동 프로그램을 선택하는 것이 더 쉽다. 춤을 즐긴다면 활동적인 댄스 수업에 등록하라. 팀 스포츠를 좋아한다면 지역사회의 스포츠 팀에 가입하라. 당신이 어떤 유형의 운동을 즐길 수 있는지 잘 모른다면 더 즐겁게 운동을 함께 즐길 수 있는 친구를 찾아라.

– 천천히 시작하라

중간 강도의 운동을 하루에 최소 30분, 일주일에 5일 이상 할 것을 추천한다. 중간 강도의 운동을 할 때에는 말은 할 수 있지만 노래는 할 수 없어야 한다. 심박수가 증가하고 평소보다 호흡이 빨라지지만 아주 열심히 하는 건 아니기에 몇 분이 지나야 피로가 느껴진다. 최근에 운동 프로그램을 시작한 경우라면 처음부터 한 번에 30분 내내 운동하는 것은 피하는 것이 좋다. 짧은 운동 세션부터 시작해 긴 세션으로 차근차근 밟아 올라가라. 5분의 짧은 세션으로 시작하고 점점 더 강도를 올려 10분, 15분… 이런 식으로 세션시간을 늘려라.

– 분배하라

전체 운동 세션에 대해 시간이나 에너지가 부족하다고 느껴지면 짧은 세션들로 나눠보라. 세 번의 10분 운동 세션은 30분 세션만큼 유익하며 일정에 꼭 들어맞게 할 수 있다.

– 단기간의 구체적이고 현실적인 목표를 세워라

예를 들어 일주일에 4일간 15분씩 운동을 해 보라. 달성하게 되면 운동 시간을 천천히 늘릴 수 있다. 장기 목표를 세우기 위해 단기 목표를 활용해라.

– 당신이 하는 운동을 점검하라

많은 사람들은 과정을 기록하여 점검하는 것이 도움이 된다고 말한다. 이는 냉장고에 붙여진 달력에 운동한 날을 기록함으로써 단순화할 수 있다. 또는 진행 과정을 볼 수 있게끔 매주 당신이 운동한 시간을 그래프로 그릴 수도 있다.

– 운동을 일상화하라

TV 시청을 하면서 러닝머신이나 사이클을 활용하라. 제자리에서 걷기, 조깅, 점프를 하는 것 또한 가능하다. 독서를 즐긴다면 독서 하는 동안 고정 사이클을 타보라. 목적지까지 운전하기보단 걷거나 자전거를 타는 것도 일상생활에 운동을 추가하는 또 하나의 방법이다. 엘리베이터 대신 계단을 이용하는 것도 좋다.

– 스스로 보상해줘라

운동은 많은 이점을 가지고 있지만 대부분은 장기적으로 시행해야 효과가 나타나기 때문에 바로 행동 변화에 집중하기는 어렵다. 목표를 달성했을 때 스스로에게 보상해 줄 이벤트를 찾아라. 스스로에게 보답하는 의미의 선물을 생각하는 것이 쉬울 것이다. '운동 목표를 달성할 때까지 새로운 CD, 책, 운동복 등을 사는 것을 미룰 수도 있다' 꼭 돈을 들여야 하는 것은 아니다. 예를 들어 한동안 대화를 못 나눈 친구를 불러내 수다를 떨거나 자유 시간을 마련하는 것도 좋은 방법이다.

– 한 두 세션을 놓쳤다고 해서 포기하지 마라

운동 프로그램을 시작하거나 운동량을 늘이는 것은 건강한 생활을 위한 중요한 단계이다. 하지만 생활습관을 바꾸는 것이기 때문에 결코 쉽지 않다. 몇 주간은 목표를 달성하더라도 다음 주는 달성하지 못할 수도 있다. 목표에 달성하지 못하더라도 그것을 당신이 '운동하는 사람'이 아니라는 의미로 해석하지는 말자. 목표실현이 가능한지 확실하게 재검토해보고 다음 주를 위한 계획을 세워라. 5분 걷기나 50분 걷기나 상관없이 당신이 확실히 만들 수 있는 가장 중요한 습관 중 하나는 걷는 동안 계획을 짜는 것이다. 그러니 당신이 즐길 수 있는 운동을 찾고 또 계획을 세워 움직이기 시작하라!

● 얼마나 운동을 해야 하나?

같은 결과를 위해서라면 높은 강도의 운동일수록 그만큼 짧은 시간이 필요하다. 다시 말하자면 같은 결과를 위해서라면 낮은 강도의 운

운동	강도	지속시간(주당)
걷기	3.5 mph 정도	150분
조깅	가볍게(5 mph 정도)	90분
수영	일반적 (왕복 수영 제외)	90분
춤	볼룸 댄스	180분
춤	빠른 현대 댄스	110분
에어로빅	낮은 강도	110분
수중 에어로빅	일반	135분
고정 사이클	가벼운 정도	180분
자전거	실외(10–11 mph 정도)	90분
테니스	일반 복식	80분

동으로는 그만큼 긴 시간이 필요하다. 다음 표에는 일반적인 운동과 그 강도 및 건강을 위해 주당 몇 분간 운동을 참여해야 하는 지를 써 놓았다. 목록에 없는 운동일 경우 중간 강도에 들어가는 평균 시간은 주당 150분이다.

악액질이나 소화기암으로 원치 않는 체중감소를 겪고 있는 환자라면 유산소 운동을 줄이고 대신 근육강화 운동에 힘쓴다. 이와 반대로 살을 빼야 하는 환자도 있다. 유방암이나 전립선암 환자로 과체중인 사람은 유산소 운동을 열심히 해서 몸의 남아도는 지방을 제거하는 것이 좋다. 항암제 치료나 기타 치료 기간 중에 특별히 힘든 증상을 겪었던 사람, 심장에 손상을 줄 가능성이 있는 아드리아마이신이나 허셉틴 등의 항암제를 사용한 사람, 뼈에 전이가 된 사람, 림프 부종, 수술유착, 신경병증을 경험했거나 암의 소실기에 있으면서 호르몬 제제를 복용 중인 사람은 운동을 시작하기 전에 반드시 의사와 상의해야 한다.

● 수면의 질을 높이기 위한 비결

피트니스라고 하면 흔히 운동하는 것만을 생각한다. 하지만 피트니스도 24시간 주기에 맞춰 휴식기와 운동기를 나눠 계획해야 한다. 휴식과 운동은 똑같이 중요하기 때문이다. 또한 휴식은 운동에, 운동은 휴식에 상호영향을 미친다. 건강하게 숙면을 취하면 낮 동안 활동할 수 있는 능력과 생기가 늘어나고, 낮 동안 적절한 운동을 하면 수면의 질이 좋아진다. 이렇게 선순환이 될 때 스스로 건강한 느낌을 가질 수 있고 일상 활동을 더 잘 견딜 수 있으며 암에 대항할 에너지도 커진다. 그러므로 운동 프로그램은 휴식을 취하는 것으로 시작한다. 수면의 질을 높이기 위한 방법으로는 다음과 같은 것들이 있다.

– 기상, 업무, 운동, 수면 시간을 일정하게 한다. 11시에 잠자리에 들고 7시에 일어나는 것이 일주기를 유지하는 데 가장 좋다.

– 낮에 최소한 30분 이상 햇볕을 쬔다. 날씨가 좋은 날은 아침에 산책을 하거나 밖에서 햇볕을 쬔다. 낮 시간에 햇볕을 쬐면 멜라토닌이 생성되어 수면리듬을 바로잡아준다.

– 자신에게 적당한 종류의 운동을 적당한 강도로 한다. 운동은 오전중이나 오후 느지막한 시간에 한다. 적어도 잠자기 5~6시간 전에는 운동을 마친다.

– 취침 시간 가까이에는 식사를 피한다. 밤에 속 쓰림으로 잠을 못 이루는 사람은 특히 주의한다.

– 카페인을 피한다. 카페인 섭취가 수면에 영향을 미치지 않는다고 느끼는 사람이라도 카페인을 많이 섭취하면 수면에 영향이 생길 수 있다. 카페인을 끊기 어렵다면 조금씩 줄여간다. 적어도 정오 이후로는 커피, 차, 콜라 등 카페인이 있는 음료를 마시지 않도록 한다.

– 이유가 있어도 늦게 자면 안 된다. 할 일이 남아있어서, 좋아하는 TV 프로그램을 보기 위해서, 모임에 참가하기 위해서 늦게 자는 것은 요즘 세상에 흔한 일이다. 하지만 암에 걸린 사람이라면 태도를 바꿔야

한다. 할 일을 줄이거나 다른 사람에게 도움을 청한다. 사람들과 만날 약속은 낮에 잡는다. 밤늦게 하는 TV 프로그램은 녹화하거나 인터넷 다시보기를 이용해서 본다. 자야 할 시간이 되면 반드시 자야한다.

– **수면 공간을 개선한다.** 잠자는 방은 잠자기 쾌적한 환경을 갖추고 그 방에서는 잠만 잔다. 일하거나 TV를 보지 않는다.

– **잠자기 전 편안한 상태를 만드는 자신만의 의식을 만든다.** 음악을 듣거나, 명상하거나, 아로마 오일이나 목욕소금을 탄 따뜻한 물에 목욕을 하거나, 무엇이든 자신이 편안해지는 행위를 잠자기 전마다 규칙적으로 한다.

– **완전히 어두운 곳에서 잔다.** 두꺼운 커튼, 안대 등으로 빛을 완전히 차단한다.

활동과 운동뿐만 아니라 적절한 휴식과 수면은 매우 중요하다. 적절한 휴식은 에너지와 스태미나를 높여준다. 많은 암 환자들이 밤에 불안과 불면에 시달리는데, 2000년 〈임상암연구지〉에 발표된 내용에 따르면 밤에 질 좋은 수면을 취하고 낮과 밤의 주기를 바로잡는 것이 전이된 암의 생존기간을 극적으로 연장시킨다고 한다. 밤에는 잠을 이루지 못하고 뒤척이거나 돌아다니고, 낮에는 낮잠을 자고, 비활동적으로 주로 앉아서 생활하는 사람은 정상적인 생활리듬을 가진 사람에 비해 2년 내 사망률이 5배나 높다.

한 연구에 의하면 낮과 밤의 생활주기가 망가진 사람은 암세포를 조장하는 사이토카인을 더 많이 분비한다고 한다. 더구나 불면은 암 환자들의 삶의 질을 현저히 떨어뜨리고 항암치료 관련 자각증상들을 악화시키는 경향이 있다. 결론적으로 암 환자에게는 휴식과 활동이 조화를 이룬 24시간이 건강한 신체를 유지하는데 있어서 매우 중요하다.

☞ **엠디앤더슨 통합의학센터 뉴스레터 〈2012년 8월호〉**

● 암 생존자들은 계속 움직여야 한다

신체 활동이 암 재발이나 암 관련 사망의 위험을 줄일 수 있다는 결정적인 근거를 제공할 만한 임상 연구는 아직 없다. 그러나 암 관련 지표에 대한 운동의 효과를 조사하는 관찰 연구와 임상시험에서는 신체 활동이 암 관련 사망 위험을 줄이는 역할을 할 수 있다는 근거들이 속출하고 있다.

국립암연구소의 밸러드-바바시 등이 최근 발표한 계통적 연구 논문에서는 이러한 근거들을 분석하고 있다. 저자는 암 생존자의 신체적 활동과 암 사망률과의 관계에 대한 27건의 관찰 연구를 분석하였는데, 이 중 17건은 유방암 생존자의 신체활동과 사망률의 연관성을 제시하였고 그 근거들은 상당히 일관성이 있었다. 즉 고도의 신체 활동을 하는 유방암 생존자는 유방암 관련 사망 위험이 적은 것으로 나타났으며, 이러한 결과는 대장암에서도 비슷하게 나타났다. 다른 암종에 대해서는 확실한 결론을 도출하기 위한 연구가 비록 부족하지만 기존의 자료들은 일관성이 있게 신체적으로 활동적인 것이 긍정적인 결과와 관련됨을 제시하고 있다.

다수의 연구들에서 운동의 암 관련 지표에 대한 효과에 관해 조사한 바 있다. 이는 운동이 생물학적 경로에 영향을 미치는지에 대해 약간의 근거를 제공한다. 예를 들어, 다섯 건의 연구는 인슐린 경로에 있어서의 운동의 효과를 조사했고, 네 건은 운동이 인슐린 관련 핵심 경로에 영향을 미친다는 사실을 발견했다. 하지만 결과들이 일관되지는 않았다. 또 다른 연구들은 운동 시 인슐린 경로의 생물적 지표에 대한 효과를 보고했다. 운동이 암 관련 생물적 지표를 조절할 수 있는지의 여부를 판단하기 위해서는 더 많은 연구가 필요하다.

증가된 신체 활동이 암 예후를 좋게 만들어 줄지에 대한 답변은 시작됐다.

초창기의 답변들은 대부분 긍정적이다. 그러나 이 질문에 대해 확실하게 답변되기 전일지라도 운동이 기분과 피로를 개선시키고 다른 만성 질환의 위험을 줄이는 등의 여러 이점이 있음을 기억하는 것이 중요하다. 따라서 "암 생존자들은 계속 움직여야 한다!"는 사실 만큼은 분명하다.

스트레스를 다스려라 - 정신

우리 몸은 스트레스가 가해지면 스트레스 호르몬을 분비하며, 또 만성적으로 상승된 스트레스 호르몬은 몸 안의 암세포에 우호적인 환경을 조성한다. 지속적 스트레스 호르몬 노출을 통해 우리 몸은 위험해지고, 회복에 필수적인 영양물질, 효소, 호르몬, 항생제, 면역 세포의 정상기능 유지에 차질이 생긴다.

대표적인 스트레스 호르몬인 아드레날린과 코티솔이 과잉될 경우, 이는 질병 악화에 기여하고 자연살해세포의 기능을 약화시켜 최종적으로는 암 환자의 생존율을 감소시키게 된다. 진행된 암 환자의 경우 DHEA(부신에서 생성되는 생식 호르몬)와 멜라토닌은 감소하는 반면 코티솔은 증가하는 경향을 보인다. 밤에 멜라토닌 분비가 부족하게 되는 것은 암의 공격적 성향과 관련이 있으며 이는 멜라토닌 분비가 정상적인 환자보다 나쁜 결과를 초래하게 된다.

전이성 대장암 환자 중 정상적인 수면(23시 취침~7시 기상)을 취한 그룹은 비정상적인 수면을 취한 그룹과 비교했을 때 치료반응, 신체 기능, 증상, 생존율 등에서 좋은 예후를 보인 반면, 제대로 수면을 취하지 못한 그룹은 진단 2년 후 사망률이 5배가량 높은 결과를 보였다.

이러한 스트레스 호르몬 상승의 대표적인 원인으로는 불량한 식사, 적은 활동량, 나쁜 수면패턴, 지속적인 심리적 스트레스 등을 들 수 있다. 이러한 호르몬 주기가 붕괴되면 수면-각성 주기도 붕괴될 것이고 이는 표준 암치료의 효과를 반감시키고 또 수술 회복과 상처 치유의 지연을 초래할 수 있다. 아울러 피로, 우울, 불면, 기억력 저하, 주의집중 감소를 초래하고 생체 내 다른 영역에도 악영향을 미칠 수 있다.

엠디앤더슨 암센터에서는 스트레스를 줄이는 방법에 대해 다음과 같이 제안하고 있다.

● 스트레스 줄이기

스트레스는 대처 능력을 넘는 요구가 몸과 마음에 주어졌을 때 발생한다. 요구는 실제 물리적인 위험에서부터 집을 구매하는 흥분까지 다양하다. 일상생활에서도 가정불화나 교통 체증과 같은 스트레스 상황이 초래될 수 있다. 다시 말해 스트레스는 육체적인 요소와 정신적인 요소를 모두 포함하는 신체 반응이다.

스트레스 상황을 대처하는 방법이 스트레스가 당신의 삶에 미칠 영향의 수준을 결정한다. 삶에서 스트레스를 조정하는 것은 육체적 및 정신적 건강에 도움이 된다. 긍정적 반응 또한 학습능률을 향상시키고 목표를 달성하는데 도움이 된다. 하지만 불행하게도 우리는 스트레스를 잘 조정하지 못하는 경우가 많다. 보통 스트레스가 우리의 대처 능력을 넘어서기 때문이다. 우리 신체는 건강에 해로운 불안, 우울 및 기타 스트레스 감정에 반응한다.

핵심은 건강 문제로 이어지지 않도록 삶에 있어서 스트레스를 일으키는 상황에 대처하는 방법을 익히고, 필요하다면 스트레스를 줄이는 것이다.

– 스트레스는 나의 건강에 어떤 영향을 미치는가?

스트레스는 건강 문제를 일으키거나 악화시킬 수 있다. 다음은 스트레스의 영향으로 일어나는 반응이다.

• 불안, 우울, 불쾌감 • 요통, 뻣뻣한 목 • 변비, 설사, 배탈 • 피로 • 두통 • 고혈압, 심박수 증가 • 불면증 • 집중력 저하, 집중 불능 • 대인관계 문제 • 호흡곤란 • 면역력 저하 • 체중 증가 혹은 감소

고도의 스트레스를 받을 때 어떤 사람들은 문제를 '망각할' 방법을 찾는다. 이는 흡연, 음주, 과식, 약물 남용 등의 습관들을 초래할 수 있다.

– 스트레스 줄이기의 장점은 무엇인가?

삶에서 스트레스를 줄이면 기분이 좋아진다. 이는 일부 건강 문제를 회복시킬 뿐만 아니라 특정 치료에 대한 필요성을 감소시킨다. 스트레스를 줄이는 것은 대인 관계도 개선시킬 수 있다. 불쾌감이 덜할 것이고, 피로가 풀릴 것이며, 집중력이 향상될 것이다.

– 스트레스는 어떻게 줄이는가?

스트레스가 많은 변화나 사건을 피하는 것이 항상 가능하지만은 않다. 대부분이 (일시 해고와 같은) 통제 불능이고, 나머지는 (결혼 계획을 세우는 것과 같은) 삶의 일부다. 하지만 이와 같은 변화에 어떻게 대처하는지는 감정적으로나 정신적으로 조절할 수 있다.

첫 번째 단계는 당신이 언제 스트레스를 받는지를 인지하는 것이다. 어깨와 목의 뭉치는 근육들 또는 주먹을 쥐는 행동은 스트레스의 전조 증상일 수 있다. 다른 스트레스 증상들은 위에 나열되어 있다.

스트레스를 인지하면, 다음 단계는 스트레스를 줄이는 방법을 찾는 것이다.

● **스트레스 줄이는 방법**

– 당신이 바꿀 수 없는 것들을 받아들여라. 당신이 바꾸거나 통제할 수 없는 상황이 스트레스를 만들지 못하도록 해라. 그 상황 속에서 나쁜 점 대신 좋은 점을 찾아라.

– 현실을 직시해라. 당신이 모든 일을 할 수는 없다. 만약 당신이나 가족의 일들에 너무 부담을 느낀다면 "아니요"라고 말하는 법을 배워라. 당신이 감당할 수 있는 수준을 넘어서는 것일 수도 있다.

– 삶에 유머를 더해라. 유머와 웃음은 삶의 문제에 대해 균형 잡힌 시각으로 바라볼 수 있게 해주고 불쾌감과 스트레스를 잊는 데 도움이 된다.

– 명상을 해라. 조용한 반성의 시간을 위해 하루 15~20분을 투자해라. 즐거운 일을 생각하거나 아무 생각도 하지 않는 시간을 가져라. 음악을 듣는 것도 도움이 될 것이다.

– 운동해라. 규칙적으로 운동하면 스트레스가 해소되고 건강이 회복된다. 걷기, 수영, 자전거, 조깅, 요가, 태극권, 기공 등 당신이 즐길 수 있는 운동을 해라.

– 취미를 찾아라. 당신이 즐기는 것을 하면서 걱정거리를 잊어라. 독서, 정원 가꾸기, 그림그리기, 스크랩북 만들기 등을 해봐라.

– 마사지를 받아라. 많은 사람들은 스트레스를 풀기 위해 마사지를 즐긴다.

– 예상해라. 당신을 속상하게 할 일이 생길 것 같으면 최대한 피하라. 예를 들어, 러시아워의 교통 혼잡 때 운전하지 않도록 일정을 바꿔라.

– 감정을 공유해라. 당신의 문제들에 대해 친구들과 가족에게 마음을 터놓아라. 그들이 힘이 되고 해결책을 줄 수 있을지도 모른다.

암에 관한 정보를 수집하고, 치료에 관한 결정을 내리고, 평상적인 삶을 회복하기 위해서는 먼저 마음의 평정을 회복해야 한다. 평정을 회복한다는 것은 괴한을 만났을 때처럼 당장 싸우거나 도망가기 알맞은 위기의 신체적 반응은 필요 없고 대신 스트레스 호르몬의 방출을 줄여도 된다는 점을 몸이 알게 하는 것이다.

암이라는 소식을 듣기 직전과 직후의 물리적인 변화는 없다. 그러나 의사에게 암이라는 말을 들었다는 심리적인 스트레스만으로도 심계항진, 혈압상승, 낮고 빠른 호흡, 불안상승 등이 나타난다. 이러한 신체 반응을 일으킨 원인이 심리적인 것이라면 반대로 심리적 요소만으로 이 반응을 가라앉히는 것 역시 가능하다.

시카고 대학교에서 암 환자들을 대상으로 심층면접을 통해 조사한 연구 결과, 암 진단을 받은 환자들은 암에 대해서 다음과 같이 느낀다고 한다.

1) 암이라는 보이지 않는 외계 괴물에게 침범 당한 듯 망연자실하게 된다.
2) 심각한 불확실성과 취약성을 느낀다.
3) 당장 죽을 만큼 심각한 상태가 아니라도 죽음을 분명하고 가깝게 인식하게 된다.
4) 이전까지 있었던 삶에 대한 예측가능성과 평범한 느낌이 산산이 부서진다.
5) 암은 그저 생물학적인 사실이나 단순한 진단명이 아니라 한 사람의 인생에 펼쳐지는 변화무쌍하고 험난한 고행길이다.

한 조사 결과 암 환자의 50% 정도가 우울증세를 보였다. 우울감, 충격, 공포, 망연자실함, 압도당하는 느낌 등은 많은 암 환자들이 공통적으로 느끼는 자연스러운 증상이다.

우울감이나 충격, 공포는 순전히 심리적인 문제로 느껴지지만 사실

이런 감정들은 생리적인 문제와도 밀접한 관련이 있다. 암 진단을 받는 순간 몸에는 어둠 속에서 괴한에게 습격을 당한 것과 같은 반응이 일어날 수 있다. 어깨와 목이 딱딱해지고 심장이 마구 뛰며 숨이 가쁘고 숨쉬기가 힘들다.

뇌는 이러한 신체반응을 비상 신호로 받아들이고 내분비계에 명령을 내려 스트레스 호르몬인 코티솔과 카테콜아민을 분비시킨다. 이러한 스트레스 상태에서는 성장인자나 자유라디칼, 혈당, 염증성 사이토카인, 면역억제 인자들이 많아진다. 따라서 암 환자의 스트레스 관리는 암을 효과적으로 극복하기 위한 신체적 전략으로서도 중요하다.

엠디앤더슨 암센터에서 제시하는 이완법을 살펴보면 다음과 같다.

● 이완법

이완법은 건강 유지에 있어서 꼭 필요하다. 이완법은 몸과 마음이 쉴 수 있는 기회를 주고 또 스트레스 상황에서 회복하도록 돕는다. 이는 심박수와 혈압을 낮추고 근육 또한 이완시킨다. 따라서 통증관리, 피로회복, 숙면 등에 도움이 된다.

이완을 위해 다양한 방법이 시도될 수 있다. 개개인이 스트레스를 받는 방법은 다양하기 때문에 당신의 이완법이 다른 사람에게는 전혀 효과가 없을 수도 있다. 다음의 방법들 중 당신에게 가장 적합한 것을 찾아라.

– 신속하고 쉬운 이완법

이완에 있어서 숙련된 기법이 꼭 필요한 것은 아니다. 매일 이완할 수 있는 기회는 많다. 시도할 수 있는 다음 몇 가지 방법이 있다.

1. 뜨거운 목욕을 해라.
2. 편안하게 반쯤 기대 누워 좋은 책을 읽어라.
3. 마사지를 받아라.
4. 좋아하는 TV 쇼를 봐라.
5. 산책을 해라.
6. 애완동물과 놀아라.
7. 좋아하는 노래를 들어라.
8. 예술이나 공예를 시도해봐라.
9. 야외에 누워 구름을 바라보라.
10. 긍정적인 친구나 가족과 이야기를 나눠라.

– 6초의 짧은 이완법

스트레스 상황이 발생하면, 다음의 짧은 이완법을 시행하라.

1. 당신을 괴롭히는 것이 무엇인지를 파악해라. 전화 벨소리나 담배의 욕구인가? 무엇이든 간에 이완을 해야 할 것인지 결정한 후 이 기법을 시작해라.
2. 조용히 "정신은 맑게, 몸은 고요하게"라고 속삭여라. 이 구절을 반복해라.
3. 눈과 입을 통해 마음속으로 웃어라. 마음속으로 웃는 것은 겉으로 드러나는 것보다 훨씬 느낌이 깊다. 이는 화난 표정을 지을 때 얼굴 근육이 조이는 것을 방지한다.
4. 셋을 세면서 천천히 숨을 들이마셔라. 발가락부터 밀려오는 숨을 상상

해라.

5. 천천히 숨을 내쉬어라. 숨이 다리 아래로 내려가 발가락을 통해 나가는 것을 상상해라. 턱과 어깨 근육은 편안히 늘어지게 해라.

스트레스 받을 때마다 이 기법을 하루에 여러 번 시행해라. 몇 달 후면 이는 스트레스에 대해 무의식적인 반응이 될 것이다.

– 심호흡

심호흡은 가장 쉬운 이완법 중 하나이다. 시간이 얼마 걸리지 않고, 어디에서나 할 수 있다.

깊이 호흡하기 위해서는 가슴이 아닌 배로 숨을 쉬어야 한다. 숨 쉬는 것이 배로인지 가슴으로인지를 확인하기 위해서 한 손은 가슴에 얹고 다른 손은 배꼽에 얹어라. 평소대로 숨을 쉬어봐라. 가슴에 있는 손이 더 많이 올라오면 가슴으로 호흡하는 것이다. 배꼽에 있는 손이 더 많이 올라오면 배로 호흡하는 것이다.

심호흡의 목표는 배로 호흡하여 체내 산소 흡입량을 늘이는 것이다. 몸을 이완하기 위해 천천히 조절을 하면서 호흡해라. 다음 순서를 따라 심호흡을 연습해라.

1. 편안한 자세를 취하고 눈을 감아라. 무릎을 구부린 채 똑바로 눕거나 의자에 앉아라. 벨트나 꽉 조이는 옷은 풀어라.
2. 배꼽 위에 양손을 올려라.
3. 코로 깊게 숨을 들이마셔 배에 공기를 채워라. 배꼽에 있는 손이 올라와야 한다.

4. 몇 초이건 당신이 편하게 느끼는 만큼 숨을 참아라.
5. 코나 입으로 모든 공기를 천천히 내보내라. 숨을 내쉬는 동안 배꼽의 손은 다시 내려가야 한다.
6. 길게, 천천히, 그리고 깊이 숨을 들이마시고 내쉬는 것을 반복해라. 스스로 이완되는 것을 의식하면서 소리에 집중하고 호흡을 느껴라.

* 주의: 몽롱하거나 어지러우면 너무 빨리 혹은 너무 천천히 호흡한 것이다. 이러한 증상들이 사라질 때까지 잠시 심호흡을 중단해라.

– 점진적 근육 이완법

점진적 근육 이완법은 근육이 긴장하거나 이완했을 때의 차이를 알려 준다. 근육이 이완하면 몸과 마음 또한 이완된다.

모든 근육을 하나씩 긴장하고 이완시켜야 한다. 근육을 긴장시킬 때는 경련을 일으킬 수 있으므로 너무 단단하게는 하지 마라. 다음의 지시를 따르면서 순서대로 근육을 긴장하고 이완시켜라.

1. 손과 팔
2. 머리와 얼굴
3. 가슴, 등, 어깨
4. 배와 엉덩이
5. 다리와 발

시작을 위해 방해받지 않는 조용한 곳을 찾아라. 꽉 조이는 옷은 풀고 신발 끈도 풀어라. 머리를 지탱해주는 편안한 의자에 앉고, 발은 바닥에 딱 붙여라.

1. 첫 번째 근육군(손과 팔)의 모든 근육을 긴장시켜라. 긴장이 어떤 느낌인지 집중해라. 5초 동안 그 긴장을 유지해라.
2. 배에서 깊이 숨을 들이마셔라.
3. 숨을 내쉬면서 손과 팔 근육의 긴장을 즉시 풀어줘라. 근육이 완전히 늘어지고 이완되게 해라.
4. 손과 팔의 근육을 긴장하고 이완시키기 위해 위의 순서들을 2번 이상 혹은 안정을 찾을 때까지 반복해라. 그리고는 다음의 근육군(머리와 얼굴)으로 넘어가라.
5. 모든 근육군을 긴장하고 이완시켰으면 심호흡을 계속해라. 몸 전체가 완화되는 효과를 즐겨라.

점진적인 근육 이완법을 매일 시행해라. 스스로 너무 조급해하지 마라. 처음엔 어려울지라도 연습을 계속 하다보면 몸의 근육을 더 빨리 이완시킬 수 있을 것이다.

– 명상

명상은 한 곳에 집중함으로써 몸과 마음을 안정시킨다. 원하지 않는 생각들을 지워주기 때문에 삶의 더 많은 기쁨과 주의력을 불러온다. 명상에는 대표적으로 두 가지 유형이 있다.

집중: 한 가지 대상에 초점을 맞춰 마음에 집중해라. 한 생각에서 다른 생각으로 넘어갈 때 마음을 진정시킨다.

마음 챙김: 떠오르는 생각들에 대해 주관적인 판단을 피하고, 집중하지 말고 오고가게 내버려 둬라.

– 집중

집중 명상을 하기 위해서는 조용한 곳을 찾아라. 편안한 의자에 앉고, 눈을 감아라.

1. 근육을 이완시키고 천천히 자연스럽게 호흡해라.
2. 호흡, 단어, 구절, 이미지, 기도와 같이 한 가지에 정신적으로 집중해라. 시작할 때는 "평화"나 "하나"와 같은 단어나 구절을 선택해라.
3. 숨을 내쉴 때마다, 단어나 구절을 말해라.

몇 초 이상 한 가지에 집중할 수 없다고 속상해하지 마라. 이는 정상이다. 잡념이 들면 다시 집중하면 된다. 연습하면 잘 조절할 수 있다.

하루 한번 10~20분 명상을 해라. 명상을 배우면서 다양한 물건들에 집중해 당신에게 가장 잘 맞는 것을 찾아라. 어떤 이들은 말하기 보다는 그림을 보며 집중하는 것을 선호한다.

– 마음 챙김

삶 속에서 가끔 과거나 미래에 대해 생각하는 나 자신을 발견한다. 우리는 한 생각에서 다른 생각으로 이동한다. 마음 챙김은 현재 상황에 주의를 기울이는 것이다. 마음 챙김의 목표는 '자동조종장치'를 버리고 현재를 충분히 인지하는 데 있다.

마음 챙김은 삶에 대한 태도다. 집중, 평정, 그리고 현재에 마음을 집중하는 법을 배우면서 더 풍족한 삶을 누릴 수 있다.

주변에서 일어나는 일을 바꾸거나 조치를 취할 생각 없이 단순히 관찰하는 것은, 정신이 차분해지고 받아들이게끔 당신을 훈련시키는 것이다. 좌절과 실망을 하더라도 이 방법으로 삶을 관찰하며 받아들이고, 이를 통해 더 차분하고 분명한 생각과 행동을 가지게 하라.

마음 챙김을 매일 시행하기 위해 다음의 운동을 따라해 봐라. 편안한 곳에 앉아 시작해라.

1. 예를 들어 호흡과 같은 한 가지 것에 집중해라. 매 숨마다 코로 공기가 들어가고 나가는 것에 집중해라. 빠르게 혹은 천천히 호흡을 조절하려 하지 마라. 있는 그대로 바라봐라.
2. 당신은 곧 다른 생각에 잠길 것이다. 이럴 때 생각이 어디로 이동했는지 살펴봐라. 과거의 기억, 미래에 대한 걱정, 혹은 초조한 생각 중 무엇이었는가? 그리고 다시 호흡에 집중해라.
3. 매번 생각이나 감정이 떠오를 때마다 이것이 무엇인지 알고, 다시 호흡에 집중해라. 생각이나 감정을 판단하거나 조치를 취하지 마라. 매 숨마다 마음 챙김을 계속해라.

이를 5분부터 시작해봐라. 현재에 더 잘 집중할 수 있게 되면 10분 또는 20분으로 늘려라.

마음 챙김을 배우면 이를 일상생활에 적용시키기 쉽다. 호흡보다는 다른 일에 집중해라. 산책을 나가면 다리와 발의 움직임 및 땅에서 떨어질 때 어떤 느낌인지 집중해라. 정신이 생각에 잠기면 그 생각을 관찰하고 다시 걷기에 집중해라. 마음 챙김을 먹기, 샤워하기, 심부름하기, 아이와 놀아주기 등 삶의 모든 활동에 적용시켜라. 시간이 지남에 따라 현재를 온전히 인식하면서 마음 챙김은 삶의 방식이 될 것이다.

– 상상

기분 좋은 상상은 편한 상황이나 환경을 재현하고 즐기도록 해준다. 좋아하는 여행지 혹은 좋아하는 사람들과 함께 있는 즐겁고 평온한 상상을 해라. 이는 마치 집중적으로 백일몽을 꾸는 듯 하며, 오로지 당신의 창의력에 의해서만 제한을 받을 뿐이다.

당신이 가진 모든 감각을 다 이용해라. 예를 들어 해변에 있는 상상을 해라 – 파도소리, 바다냄새, 레몬에이드, 햇빛 등등을 떠올려라.

심호흡 하며 상상을 해도 된다. 심호흡을 하면서 더 많은 휴식을 위해 차분한 정신적 형상을 떠올려라. 매 호흡이 몸 전체에 퍼지면서 진정효과가 있다는 것을 상상해라. 예를 들어 덥고 맑은 날에 만나는 시원하고 신선한 공기를 상상해라.

– 행동 시연 상상

행동 시연 상상은 어떤 상황을 시연하는 것이다. 예를 들어 치료에 대해 궁금한 것이 있는데 의사에게 묻기가 꺼려지면, 이를 미리 적어두고 마음속으로 혹은 친구와 질문하는 것을 연습하는 것이다. 어떤 상황을 시연하면, 상상하면서 어떤 행동과 말을 할지 연습하게 되고, 더 조절이 잘되며 자신감이 생긴다. 스트레스 또한 감소되어 스트레스 상황에서도 완화 효과를 준다.

이완이란 소파에 누워 TV를 볼 때처럼 그저 멍하게 늘어져 있는 상태를 뜻하는 것이 아니다. 진정한 이완 상태에서는 만성적 긴장이 경감되면서도 의식이 명료하게 각성되며 더욱 집중력이 좋아지고 사고가 분명해 진다. 이러한 이완 상태를 얻으려면 이완기법을 지속적으로 매일 10~30분간 훈련하여 습관화되도록 해야 한다.

대부분의 이완기법들이 처음에는 좀 이상하고 낯설게 느껴질 수 있다. 이완법을 훈련할 때마다 잠이 들거나 잡념에 사로잡혀 집중을 못할 수도 있다. 그러나 초심자가 잠들거나 잡념에 사로잡히는 것은 흔한 반응이니 걱정하지 않아도 된다. 집중이 안 되고 소용없는 것 같은 느낌이 들어도 실망하지 말고 계속해야 한다. 결국에는 심박수와 호흡수가 줄고 혈압이 낮아질 뿐만 아니라 기쁨, 집중, 원기회복, 행복감을 느끼는 기적적인 순간이 올 것이다.

☞ **엠디앤더슨 통합의학센터 뉴스레터 〈2012년 2월호〉**

● 명상은 스트레스를 줄이고 내부 평화와 웰빙을 가져온다

우리가 생각하고 느끼는 것이 건강과 치유에 영향을 미칠 수 있다는 믿음은 수천 년 전의 역사로 거슬러 올라간다. 마음, 감정, 건강 및 웰빙의 역할의 중요성은 그리스에서 중국에 이르기 까지 많은 고대 문화의 일부였다. 지난 몇십 년간 연구자들은 스트레스의 심오한 심리적, 행동적, 생리 및 생물학적 효과를 보고했다.

스트레스는 말 그대로 신체의 모든 생리적 시스템에 부정적인 효과를 미친다. 스트레스가 인체의 모든 세포에 영향을 미친다는 사실은 동물과 사람에 대한 연구에서 충분히 밝혀졌다(종양 성장에 적합한 환경을 위한 유전자 발현 및 종양의 미세 환경 변화).

많은 사람들이 스트레스를 줄이기 위한 방법으로 명상과 같은 고대 동양의 정신적 육체적 관행에 의존하고 있다. 명상은 수행자가 극도로 편안하고 또 기민하고 집중하고 있는 '깨어있는 대사저하의 생리적 상태'로 설명되어진다. 비록 명상의 방법은 다양할지라도 대부분은 공통적인 효능을 가지고 있다. 이는 그 목적이 지식을 배제하고 외부의 생각과 감정을 편안하게 하는지와 상관없이 집중되고 통제된 호흡의 규정과 생각과 감정의 제어를 포함한다는 것이다. 연구들은 정신적 육체적 관행이 인체 모든 시스템에 긍정적인 영향을 주고(예를 들어 심혈관계, 소화계, 면역계, 호르몬계, 신경계, 심지어 유전자 발현 등), 삶의 질을 향상시키며, 두뇌의 작용에 근본적이고 이로운 변화를 준다는 사실을 발견했다.

이러한 기술은 스트레스의 해로운 효과를 극복하는 데 도움이 될 것이다. 엠디앤더슨의 통합의료 프로그램은 인지력 장애 치료를 위한 티베트 명상 연구, 방사선 치료 부작용 관리를 위한 인도 요가와 중국 기공 및 태극권, 항암제 치료 중인 환자들을 위한 티베트 요가, 그리고 유방 조직 검사 및 암 치료와 관련된 스트레스 해소를 위한 완화법 등을 포함한 여러 정신적 육체적 임상 연구를 실시하고 있다.

내안에 잠자고 있는 거인을 깨워라 - 면역

환자들이 의사에게 화학요법과 방사선요법의 부작용을 걱정하면서 면역 시스템을 강화시켜 암을 극복할 방법에 대해 요구하는 경우가 있다. 하지만 실제 임상에서는 만족스럽게 이루어지지 못하고 있는 것이 현실이다.

식이요법과 보조제 등 여러 가지 방법을 통해 면역체계를 증강시켜 암을 없앤다고 주장하는 수많은 대체의학 집단들을 인터넷이나 신문 광고 등에서 쉽게 접할 수 있다. 그렇지만 납득할 만한 근거는 충분치 않다. 우선 면역은 암에 영향을 끼치는 유일하거나 가장 중요한 요소가 아니라, 단지 여러 요인 중 하나일 뿐이다.

또 상식과는 달리 면역계는 암을 반드시 위협으로 인식하지는 않는다. 암세포는 보통 세포와 너무나 비슷해서 면역계가 이를 위험요소로 인식하지 못할 때가 많다는 의미이다. 또한 암세포도 면역계에 적응해 보통 세포에 있는 분자를 도입하는 식으로 변이를 일으킨다. 종양이

커나가는 기간이 길수록 면역계의 감시를 잘 피해간다. 암을 발견했을 때는 이미 몇 년 동안 자란 후이므로 면역기반 치료법들은 크게 효과가 없다. 오히려 효과적인 치료를 방해할 여지가 있다. 특히, 이른바 비면역성 암(유방, 폐, 전립선, 직장대장암)들은 일반적인 면역 감시를 요리조리 잘도 피해 나간다.

면역계가 암세포를 위험한 침입자로 인식했을 때도 암세포들은 반드시 제거되지 않는다. 예컨대 면역성 암인 방광암, 신장암, 흑색종 등은 면역계에 비자기非自己로 인식될 수 있다. 그래서 암을 표적으로 하는 면역세포를 늘리고 암세포에 직접 주입하는 면역요법에 반응한다. 하지만 자가관리법만으로 면역성 암을 극복하기 충분할 정도로 면역계를 증강시킬 수는 없다. 더 강력한 의료적 처치(요법)가 필요하다.

예를 들어 인터루킨 2와 인터페론 알파는 면역계를 활성화시키며, 진행된 흑색종과 신장암에 대한 일반적인 치료법이다. BCG 균을 죽인 약물은 면역세포를 늘려 방광암에 효과적일 수 있다. 결론적으로 면역계가 암에 대항하도록 도울 수 있지만 그렇게 되도록 하려면 외부 도움이 필요하다.

신장암이나 흑색종 같은 면역성 암으로 진단받는다면 수술 후 면역요법을 일차적으로 받게 된다. 통합의학적인 양생법이 도움이 안 될 것이라고 볼 수도 있으나 면역계를 구성하는 수많은 요소들이 있기 때문에 단정할 수는 없다. 예를 들어 면역성 암들은 사이토카인과 프로스타글란딘, 호르몬 유사 물질들을 분비해 자기에게 접근하는 자연 살해세포를 차단하지만 통합의학적 면역증진법은 이러한 물질들을 제거해서 암이 면역계에 더 잘 노출되도록 할 수 있다.

결정적으로 대부분의 암에 대해서 현대 의학적이든 자연적이든 간에 면역요법만 가지고 암을 치료할 수는 없다. 대체의학적인 면역요법에 의존했다가 안 좋아진 환자들은 수없이 많다. 반드시 수술, 항암제, 방사선 같은 통상의학적 치료를 받고 나서 면역체계를 이용해야만 한다. 면역을 증강하는 대체요법만으로는 암을 제거할 정도로 충분히 강력하지 못하기 때문이다.

면역력의 상승은 다음과 같은 효과를 기대할 수 있다.

· **수술전후의 면역력 향상시키기**: 수술과 마취는 면역계의 활동을 억제할 수 있다. 실험적 연구들과 예비 임상연구들은 '수술하는 동안 면역계촉진물질인 인터페론을 공급하는 것이 자연 살해세포와 T세포의 활동을 복구해서 수술 후에도 남아있는 미세전이의 일부를 없애고 수술동안 혈액 속으로 방출되는 암세포를 죽일 수 있게끔 한다'는 사실을 보여준다. 또한 건강한 자연 살해세포, 마크로파지, 그리고 T세포들은 수술 직후의 전이에 대한 취약성을 줄여준다.

· **통상 치료 견뎌내기**: 건강한 백혈구 세포와 특히 호중구 숫자는 기회감염을 줄여서 감기, 상기도 감염, 요로 감염, 소화기 감염을 줄여준다. 호중구는 면역계 세포로서 침입해온 박테리아를 찾아내어 삼키고 파괴한다. 호중구 수가 적으면(호중구감소증은 화학요법으로 유발됨) 치명적

인 박테리아 감염과 증식이 발생할 수 있다. 증상은 열, 오한, 진전, 목이나 입이 쓰린 것, 입안의 흰 반점, 기침, 호흡 짧음, 귀 통증, 설사, 비충혈, 질분비물 증가 또는 소양감, 소변 볼 때의 작열감, 빈뇨, 혼탁뇨, 상처부위 염증 등을 포함한다. 이 증상 중 어느 것이라도 발생하고 특히 백혈구 수치가 낮은 상태라면 곧바로 의사를 찾아가라. 한편, 건강한 호중구 수치를 유지하면 감염의 위험을 낮춰준다. 불충분한 영양, 염증, 낮은 혈청알부민 수치는 암 환자가 화학요법 중에 호중구감소증이 발생하게 한다.

· **치명적인 합병증의 위험 줄이기**: 노화, 영양불량, 복합 치료, 반복되는 호중구 부족증 등으로 인해 폐렴이나 패혈증과 같은 심각한 감염에 더 잘 노출될 수 있다. 눈에 띄는 백혈구 수치 감소와 38.3도 이상의 열이 동반된다면 치명적인 상황으로 간주되어야 한다.

만약 패혈증이 발생한다면 입원하여 생명을 살릴 수 있는 정맥용 항생제를 투여받아야 한다. 참는다고 될 일이 아니다. 이러한 요소를 가지고 있다면 발열이 시작될 때 바로 의사에게 진료받거나 가까운 응급실로 가라. 스스로 관리할 수 있는 상황이 아니기 때문이다. 강력한 면역계는 폐렴이나 패혈증 같은 치명적인 합병증의 위험을 줄여줄 수 있다.

· **종양의 성장과 전이 억제하기**: 종양의 감축기에 있을 경우라면 혈액과 림프계 속으로 흘러나온 암세포를 제거함으로써 면역계 능력을 강화시키고 암의 재발을 예방한다. 자연 살해세포 활성을 증가시키는 것은 미세전이를 제거하고 수술, 화학치료, 방사선 치료 후에도 남아있

는 암세포를 없애는 것을 도울 수 있다. 마크로파지가 암을 지지하기보다는 암을 죽이도록 변경하고 면역계가 암세포를 인지하는 능력을 높이면 암의 진행을 막을 수 있다.

· 일상 기능 극대화하기: 많은 암 환자들은 치료 중 뿐만 아니라 치료 후에도 오랜 기간 동안 피로를 느낀다. 수많은 이유들이 있지만 면역계도 한 역할을 한다. 예컨대 소실기의 환자가 피로를 지속적으로 호소할 때는 피곤하지 않은 환자와 비교해 높은 혈중 T세포 수준을 보였다. 게다가 인터페론이나 인터류킨-2 요법은 심각한 피로감을 일으키고 우울증을 초래할 수도 있다. 이때 통합의학적 면역력 향상법은 면역조절반응을 유발시켜 일상 기능을 극대화시키는 데 도움을 준다.

● 면역감시의 방해꾼 제거

– 담배를 피우지 마라. 당신이 담배를 피우지 않는다면 당신은 이미 경기를 주도하고 있는 것이다. 피운다면 반드시 끊어라. 담배를 피우는 것은 면역세포들의 활동을 방해한다.

– 과도한 알코올 소비를 피하라. 알코올은 자연 살해세포의 활동성을 저하시켜서 자연 살해세포가 암세포를 죽일 때 쓰는 화학적 탄환인 퍼포린을 감소시킨다. 가끔 마시는 레드 와인이 자연 살해세포를 늘려줄 수 있지만 알코올을 정기적으로 섭취하지는 말라. 습관적인 알코올 소비는 마크로파지 활동을 방해하고, 면역계가 항암모드인 세포성 면역을 담당하는 보조 T1세포들보다 체액성 면역을 담당하는 보조 T2세포를 더 생산하도록 하여 보조 T세포를 포함한 T세포 수를 감소시킨다.

– 감정적 스트레스를 최소화하라. 스트레스는 자연 살해세포의 활동을 방해할 수 있다. 부족한 사회적 지원, 암이 초래하는 커대한 혼란에 대한 불안, 우울, 무감각, 무기력, 직업상실 등 수많은 상황들이 침체된 면역 기능과 연관된다. 또한 스트레스 때문에 잘 먹고 운동하지 못하고, 잠이 줄고, 담배, 약물, 알코올을 남용할 수 있는데 이 모든 것이 면역기능을 방해한다. 그러므로 이완기법과 같은 마음-영혼 전략을 열심히 따라야 한다. 건강한 성인을 대상으로 한 연구에서 여행안내 비디오보다는 코미디 비디오를 본 사람이 더 높은 자연 살해세포 활성도를 나타냄이 밝혀졌다. 실험참가자가 더 많이 웃을수록 자연 살해세포는 더 튼튼해졌다.

● 신체조정

– 비정상적인 체중감소를 피하라. 의도적이든 아니든 체중감소는 자연 살해세포의 수와 활성을 낮추는 경향이 있다. 체중감소가 필요하다면 운동을 함으로써 이것을 유지시킬 수 있다. 요요현상도 자연 살해세포 활성을 감소시킬 수 있다.

– 활동적이 되라. 신체적 활동에 참여하지 않게 되면 자연 살해세포의 활성이 낮아지고 T세포 기능도 저하된다. 2001년 한 연구에서 운동을 하는 노년기 남성은 비활동적인 사람과 비교했을 때 나이에 따른 보조 T세포 감소 현상을 겪지 않았고 자연 살해세포 수가 더 많았다. 걷기, 달리기 그 밖의 다른 운동이 자연 살해세포 활성을 향상시킨다. 과도한 운동이나 급작스런 운동 패턴의 변화는 면역계를 억제한다.

● **식이 섭취**

– 식이 지방을 감소시켜라. 저지방 식이원칙을 따라라. 고지방 식사는 자연 살해세포의 암을 죽이는 능력을 감소시킨다. 포화지방 섭취를 최소화하라. 지방이 많고 과일과 채소 섭취가 부족한 식단의 결과로 높은 수준의 포화지방과 저밀도 지단백에 노출되면 T세포의 기능이 떨어지게 된다. 저밀도 지단백은 스트레스 호르몬과 상호작용하여 종양을 돕는 '배신자' 마크로파지를 만들어낼 수 있다.

오메가-3와 오메가-6 비율을 건강하게 맞추기 위해 호두, 아마씨, 카놀라 기름을 사용하고, 다른 대부분의 식물성 기름에 들어있는 오메가-6 소비를 줄여라. 오메가-6을 많이 소비하면 염증성 프로스타글란딘 생산이 늘어나서 암세포를 자연 살해세포의 공격에 대항하여 무장시킨다. 더구나 Th2 면역반응을 유발하여 면역계의 암에 대한 공격을 무력화한다.

– 유제품을 줄이거나 끊어라. 우유 단백질인 카제인은 보조 T세포의 조성을 보조 T2 반응에 맞게 바꿔 암을 죽이는 보조 T1 반응을 없앤다. 때문에 전에 언급했듯이 진행된 단계의 암을 가진 환자는 유제품 섭취를 줄이거나 아예 끊어야 한다. 그 대신 단백질은 식물이나 어류로부터 섭취해서 면역계의 건강을 높여야한다. 카제인과 반대로 우유의 유장 단백질은 자연 살해세포 활성을 증가시키고 암 환자가 화학요법이나 방사선요법으로 생긴 면역억제로부터 회복하는 것을 도울 수도 있다. 그러나 우유의 다른 성분들은 유해하기 때문에 유장을 섭취하려면 유제품보다는 보조제 형태로 먹는 것이 좋다.

– 철분을 줄여라. 철분이 너무 많으면 면역계에 역효과를 낸다. 혈중 철농도가 높으면 억제 T세포의 수와 활성을 높여서 암을 죽이는 면역 반응을 취소시키고, 암을 죽이는 보조 T1세포의 수를 줄인다. 또 철분은 산화 스트레스 수준을 높여서 면역계를 억제한다. 그러므로 붉은 육류를 피하라. 대신 채소가 풍부한 식단으로 철분 흡수를 억제시켜라.

– 고섬유질 저지방 음식으로 식단을 짜라. 유방암 환자에 대한 연구들은 통곡류, 콩류, 채소류, 과일류가 많다. 거기에 약간의 물고기를 먹는 식단을 따르면 억제 T세포에 대한 보조 T세포의 비율이 높아지게 해서 수술이나 화학, 방사선요법 후에도 남아있는 암세포를 제거하는데 바람직하다고 하며, 자연 살해세포의 활성도 높여준다고 한다. 미량영양원소가 풍부한 채소와 과일을 매일 충분히 먹어라. 카로티노이드가 풍부한 채소들은 건강한 T세포 기능을 유지하는 데 좋은 것으로 나타났다.

– 면역을 증대시키는 향신료와 양념을 사용하라. 마늘은 면역경로를 항암 T세포 생산이 더 많이 되도록 바꾼다. 면역을 증대시키려는 환자는 하루에 1-3뿌리의 마늘 추출물을 섭취하라.

● 보조제 섭취

암 환자가 필수 미량영양소를 유지하도록 디자인된 종합비타민, 미네랄, 보조인자 복합처방 등을 추천한다. 비타민E와 C, B6을 포함한 종합 비타민제를 찾아라. 아연, 마그네슘, 셀레늄, 어유, 카로티노이드, 약용버섯추출물 등등이 대안이 될 수 있으며 많은 암 환자들에서 이러한 영양소들이 부족하다. 영양부족은 보조 T세포의 구성을 보조 T2 쪽의 경로에 맞춰 항암효능을 가진 보조 T1 경로를 약화시킨다. 코엔자임 큐텐은 면역계를 일반적으로 자극하는 효소인데 혈중 T세포 수준을 높이는 역할을 한다.

많은 사람들에 있어서 오메가-3이 부족하며 오메가-6과 오메가-3의 비율이 적절하지 않은데, 어유를 섭취하는 것은 이러한 불균형을 바로잡는 데 도움이 된다. 진행된 단계의 암 환자에서 억제 T세포 대비 보조 T세포 비율을 높일 수 있음이 이미 연구에서 밝혀졌다. 오메가-3의 부족이 수술 후에 더 악화될 수 있으므로 수술 전후로 수 주 간 보충제 형태로 6g의 어유를 섭취할 것을 권유한다.

단, 수술 바로 1주일 전부터 일주일 후까지는 복용을 중단해서 출혈 위험을 줄여야 한다. 어유에 관한 한 가지 금기사항이 있다. 고용량 어유는 건강한 사람에서 자연 살해세포 활성을 억제한다는 연구결과들이 있다. 그러나 비타민E와 어유를 함께 먹는 것으로 이 문제를 해결할 수 있다. 어유는 진행성 암을 가진 사람에 대한 연구에서는 면역기능에 도움이 되는 것으로 밝혀졌다.

☞ **엠디앤더슨 통합의학센터 뉴스레터 〈2012년 5월호〉**

● 오메가-3 지방산: 암 예방과 치료에서의 역할

에이코사펜타에노산과 도코사헥사엔산은 어류와 어유에서 유래된 것이며, α-리놀렌산은 녹색 잎 야채, 아마인과 유채씨유(카놀라)에 풍부한데, 오메가-3 지방산은 주로 이 두 가지 원료에서 기원한다. 이러한 필수 지방산은 건강한 식습관에 의해서만 섭취되며, 인체에서 저절로 만들어지지는 않는다. 일반적으로 오메가-3 지방산은 염증성 경로를 조절한다는 점에서 천연 항염증제로 간주된다.

많은 연구들은 바다에서 얻을 수 있는 오메가-3 지방산이 심혈관 질환, 심장마비 및 급성심장사의 발생요인을 감소시키는 효능이 있음을 지지한다. 결과적으로 미국 식품의약품당국은 고트리글리세라이드 혈증(트리글리세라이드 농도가 상승된 상태)의 치료로 특정 어유 보조제인 로바자(보다 일반적인 트리글리세리드 형태 대신 에틸 에스테르 형태로 에이코사펜타에노산과 도코사헥사엔산 모두 함유)의 사용을 승인했다.

심혈관 질환에 대한 오메가-3 지방산의 이로운 효과와는 달리, 암 예방과 치료에 대한 오메가-3 지방산의 역할은 아직 불확실하다. 대부분의 전임상 연구에서는 오메가-3 지방산이 고형 및 혈액 종양을 포함한 다양한 종류의 암세포 성장을 감소시키고 세포사멸(예정된 세포사)을 유도한다는 사실을 밝혔다. 인구 기반 역학연구들에서는 어류 소비가 폐암, 결장암, 전립선암, 유방암, 췌장암을 포함해 다양한 악성 종양의 위험요인을 낮추는 것으로 나타났다(즉, 어류 소비가 높아지면 암 위험은 낮아진다). 전립선암 환자들과 전립선암이 없는 사람들을 비교하는 연구에서는 바다 유래 오메가-3 지방산이 진행성 전립선암을 예방할 수 있음을 보여준다.

오메가-3 지방산은 증상 관리에 도움을 준다는 점에서도 매우 중요하다. 최근 연구는 유방암 생존자에 있어 오메가-3 지방산을 많이 섭취하는 것이 염증을 감소시키고 피로감을 경감시킨다고 밝혔다. 하지만 인구 기반 연구는 최종 결론이 아니므로 이 분야에 대한 임상시험이 요구된다.

한 임상연구는 에이코사펜타에노산 유리지방산(6개월 치료)이 진행성 결장암의 증가 위험과 관련한 가족성 대장 용종증 환자의 대장 용종의 형성을 22.6% 감소시킨다고 밝혔다. 따라서 오메가-3 지방산은 특히 결장암, 폐암, 췌장암 등의 만성 염증과 관련된 암을 잠재적으로 예방할 수 있을 것이다.

암 치료에 대한 오메가-3 지방산의 역할을 완전히 평가하기 위해서는 더 엄격하고 체계적인 연구가 실시되어야 한다. 국립보건원은 비타민D와 어유(에틸 에스테르 형태의 에이코사펜타에노산과 도코사헥사엔산)가 암, 심장 질환 및 뇌졸중 발생 위험을 줄일 수 있는 지를 연구하기 위해 2,000만 달러를 지원하고 있다. 이 대규모 임상연구 및 다른 형태로 진행되는 기타 임상연구들은 암 예방과 치료에 있어 오메가-3 지방산의 역할을 결정하는 데 도움을 줄 것이다.

함께 나누고 봉사하라
- 사랑

삶에 있어서 봉사하고 나눈다는 것은 매우 중요하다. 이전까지 나만을 바라보던 시선을 밖으로 돌려보면 세상의 또 다른 나를 찾게 된다. 암과 같은 생명을 위협하는 질병을 경험하게 되면 지금까지 무심코 간과해 왔던 존재들의 소중함을 새로이 깨닫게 된다. 가족, 친구, 사랑하는 사람들, 또 책이나 강연에서 들어왔던 익숙한 어귀들, 종교의 소중함 등등 삶 속에서 질병 이전에 내가 소중하다고 생각했던 것들과는 완전히 다른 것들이 새로운 의미로써 내 삶 속에 들어오는 것이다. 그 다음 내가 반응할 수 있는 행동이 함께 나누고 봉사하는 사랑이다. 여기서는 엠디앤더슨 암센터에서 제시하는 사회적 지지의 중요성과 자원봉사에 대해 소개하고자 한다.

● 사회적 지지와 건강

우정은 기쁨을 두 배로 만들어 행복을 더해주고 또 슬픔을 나누며 불행을 줄여준다. (조지프 애디슨)

사회적 지지(당신의 인생에 도와주고 위로해 줄 친구들, 가족, 다른 사람들이 있다는 것)는 건강에 대한 사회적 관심을 높여준다. 만일 당신이나 당신이 사랑하는 사람이 암 진단을 받았다면 아마도 당신은 무섭고 외롭고 또 혼란스러울 것이다. 이때 당신을 생각해 주는 사람들이 곁에 있다면 혼란스런 감정 조절을 하는 데 도움이 된다.

– 사회적 지지가 어떻게 건강을 개선시키나?

사회적 지지가 왜 건강을 개선시키는 지에 대한 이유는 아직 잘 알려지지 않았지만, 많은 이들은 이것이 스트레스와 관련이 있다고 생각한다. 만약 어떤 이가 직장 문제나 혹은 질병과 같은 신체적 문제로 스트레스를 받고 있다면, 몸에서는 건강이 악화되는 변화가 발생한다. 이때 사회적 지지는 스트레스를 줄여주고 결국에는 건강을 개선시킨다. 친구들, 가족들, 그리고 주변인들의 지지는 여러 측면에서 건강에 도움을 줄 수 있다. 친구들과 가족 간에 친밀한 개인적인 관계를 맺고 있는 사람들이 더 오래 산다는 연구결과가 발표된 바 있다. 사회적 지지는 환자들에게도 중요하다. 일부 암 환자와 관련한 연구들은 더 많은 사회적 지지를 얻은 환자들이 그렇지 않은 환자들보다 더 오래 살았다고 밝혔다.

– 사회적 지지는 어디서 찾을 수 있을까?

지지는 가족, 친구, 교회 신도, 이웃, 동료 등 많은 사람들로부터 얻는다. 지지를 받게 되면, 서로 다른 사람들이 각각의 다른 형태로 지지를 해준다는 것을 알 수 있다. 어떤 이들은 경청을 잘 해주고 어떤 이들은 당신을 웃게 해줄 수도 있다. 스스로에게 물어라. "나는 어떤 지지를 받고 싶은가?" 그리고 "누가 지지를 해줄 수 있을까?"

그럼에도 불구하고 가끔은 가족과 친구들에게 당신의 감정을 얘기하기가 힘들 수도 있다. 그들이 당신을 평가한다고 느껴질 수도 있고, 당신이 겪는 일들을 이해하지 못하는 것처럼 느껴질 수도 있다. 이럴 경우엔 지원단체가 도움이 될 수 있다.

● 지원단체

지원단체에서는 당신이 겪는 비슷한 일을 겪고 있는 사람들을 만날 수 있다. 그들은 당신을 위해주고 또 경청해주는 정신적인 지지를 제공해 준다. 또한 그들이 그동안 겪어온 일들에 대한 실질적인 정보와 팁을 준다. 예를 들어 지원단체는 부작용을 관리하는 좋은 방법이나 또 스카프와 모자를 구입할 수 있는 곳을 소개해줄 수도 있다.

핵심은 당신이 원하는 지원단체를 찾는 것이다. 당신에게 무엇이 중요한 지를 생각해봐라. 같은 성별, 나이 혹은 같은 암 진단 등 당신과 비슷한 사람들을 만나는 것이 더 편할 것인가? 당신에게 가장 중요한 것은 무엇인가? 당신의 집이나 직장에서 가까운 그룹을 만나야 하는가? 당신은 특정한 날짜나 시간을 선호하는가? 당신이 원하는 지원단체에 대한 아이디어가 생기면 당신은 이를 찾기 시작하면 된다.

지원단체를 찾기 위해서는

당신의 주치의, 간호사 혹은 사회복지사 등 의료인에게 문의해라.

암학회 혹은 백혈병 및 림프종 등 학회 단체에게 연락해라.

도움이 되는 지원단체에 가입한 다른 환자들에게 물어봐라.

지원단체에 대한 확신이 없거나 당신에게 맞는 것 같지 않다면 우선 모임에 참석해보는 것이 가장 좋다. 도움이 되거나 편한 지원단체를 찾지 못한다면 다시 참가하지 않아도 된다.

친구는 당신에 대한 모든 것을 알고 또 그만큼 사랑하는 사람이다. (엘버트 허버드)

● 자원봉사 함으로써 건강을 개선시켜라

삶에서 다른 이들의 삶에 영향을 미치는 것이 아니라면 중요치 않다. (로빈슨)

간혹 자신의 건강을 증진시키거나 건강 문제를 극복하기 위한 가장 좋은 방법은 자신을 잊고 다른 이들을 돕는 데 집중하는 것이다. 이는 건강의 사회적 측면을 개선시킬 수 있다. 당신이 시간과 본인 스스로를 자원봉사에 쓴다면 그 이상을 보상받을 것이다. 연구들은 정기적으로 자원봉사를 하는 사람들이 하지 않는 사람들보다 더 건강하고 스트레스가 적다는 사실을 보여줬다.

– 자원봉사의 장점

몸을 숙여 사람들을 일으켜 세우는 것만큼 마음을 위해 좋은 운동은 없다. (홈즈)

운동하는 사람들은 가끔 운동 중이나 운동 후에 흥분되는 느낌을 받는다고 말한다. 이와 똑같은 느낌을 자원봉사자들도 받을 수 있다. 이

'도우미의 홍분'은 신체의 천연 진통제인 엔도르핀의 분비에 의해 발생한다. 통증을 감소시킴과 동시에 엔도르핀은 쾌감을 제공하기도 한다. 다른 이들을 도운 후에 고요하고 편안한 상태를 느끼는 것은 스트레스 해소에 도움이 된다. 신체의 높은 강도의 스트레스는 고혈압, 심장 질환 그리고 면역계의 약화를 초래한다. 일부 연구들은 자원 봉사자들이 스트레스가 적고 장수하며 건강한 삶을 사는 경향이 있음을 밝혔다.

스트레스를 해소할 뿐 아니라, 다른 이들을 돕는 일을 하게 되면 다음과 같은 효과가 있다.

1. 자부심을 키운다. 도움을 필요로 하는 사람들을 도우면 자신에 대해 더 뿌듯하게 느낄 것이다.
2. 사회적으로 고립된 느낌을 덜 받는다.
3. 사회적 지원 네트워크(당신이 도움을 부탁할 수 있는 사람들)를 넓힌다.

– 효과적인 자원봉사 활동

삶의 유일한 의미는 인류에 봉사하는 것이다. (톨스토이)

모든 봉사활동이 건강을 개선시키는 데 도움이 되지만, 연구들은 몇몇 특정 봉사활동이 더 효과적이라고 제안한다. 아이들을 멘토링 하거나 노인들을 찾아가는 등의 개인적 접촉을 포함하는 활동이 건강에 더 도움이 된다. 즉 도움을 주는 사람과의 지속적인 일대일 관계를 가지는 자원자는 '도우미의 홍분'을 느낄 확률이 더 높다.

당신이 흥미를 느끼고 또 잘할 수 있는 봉사활동을 고르는 것 또한 중요하다. 당신이 돕는 사람에게 더 많은 도움이 될 수 있다는 느낌을 받기 때문이다.

자원봉사를 시작할 준비가 되었다면 가능한 선택의 기회가 충분히 많다는 사실을 알 수 있다. 대부분 지역의 비영리단체에는 자원봉사의 기회가 많다. 또한 관련 웹 사이트에 들어가 당신이 사는 지역에서 자원봉사를 할 수 있는 방법을 알아보는 것 또한 좋다.

● 친절을 베풀어라

친절을 닥치는 대로 베푸는 것은 건강을 개선시키면서 다른 이들을 돕는 또 다른 방법이다.

별다른 보답을 기대하지 않으면서 도울 수 있는 기회를 찾아보아라. 예를 들어,

- 당신 뒤에 있는 사람을 위해 문을 열어 줘라.
- 당신 삶에 변화를 준 사람에게 감사의 편지를 보내라.
- 줄을 서있거나 고속도로에서 운전할 때 웃으면서 다른 사람들이 끼어들게 놔둬라.
- 무거운 짐을 들고 있는 사람을 도와줘라.
- 위로가 필요한 친구에게 익명의 선물을 보내라.

● 조심해라

당신이 의무적으로 하는 봉사는 건강에 도움이 되기는커녕 오히려 스트레스가 된다. 스스로 원할 때 봉사활동을 해야 한다. 너무 많은 일

을 떠맡는 것은 건강에 도움이 안 되고 극도의 피로만 가져올 뿐이다. 극심한 피로는 사람을 아프고 우울하며 심지어 화나게 만든다.

다음은 자원봉사를 하면서도 극도의 피로를 피할 수 있는 데 도움이 될 만한 제안들이다.

페이스를 조절해라. 천천히 시작해라. 자원봉사 일에 익숙해지면 그때는 시간을 더 많이 들여 자주 도울 수 있다.

자신의 한계를 인지해라. 당신이 지치거나 과로했다면 거절하길 두려워하지 마라. 필요하면 휴식을 취하고 반드시 즐겨라.

다른 일로 옮겨라. 자원봉사 일을 즐기고 있지 않고 있다면 당신에게 맞는 다른 것을 찾아라. 죄책감은 느끼지 마라. 당신이 봉사하는 이유가 죄책감이어서는 안 된다.

자신을 칭찬해라. 돕는 것은 힘든 일일 수 있다. 자원봉사자인 것에 자부심을 느끼고, 좋은 일을 하고 있음을 인지해라.

☞ **엠디앤더슨 통합의학센터 뉴스레터 〈2012년 7월호〉**

● 허들경주에 참여하여 보완대체의학에 대해 의료팀과 상의하라

오늘날 전문 스포츠 팀에 여러 코치들과 선수들이 필요한 것처럼 암 치료도 의료 전문가로 구성된 팀이 필요하다. 최적의 서비스를 제공하고 현대 의료의 복잡성을 지원하기 위해서는 환자인 당신을 포함해 모든 팀원 간 의사소통의 공개 토의가 필요하다. 사실 당신이 팀의 가장 중요한 멤버다.

엠디앤더슨 암센터에서는 완벽한 치료를 제공하고 서로를 업데이트하기 위해 의사, 간호사, 서비스 코디네이터 등의 다학제간 팀이 지속적으로 교류하고 협력한다. 환자의 역할은 통합의학 혹은 보완대체의학적 요법의 사용을 포함해 치료의 모든 측면에 대해 의사소통을 하는 것이다. 보완대체의학 요법은 약초, 보조제, 침술, 마사지, 그리고 기타의 통상치료로 발전해 가는 요법 등의 사용을 포함한다. 지금이라도 공유하는 것이 결코 늦지 않다. 엠디앤더슨에서의 한 연구에서는 1/3의 암 환자들이 보완대체의학의 요법에 대한 자신의 관심이나 사용에 대해 의사와 상의하지 않는다고 발표하였다.

왜 보완대체의학에 대한 열린 의사소통이 그리도 중요한가? 팀의 최고 우선순위는 가장 안전하고 효과적인 치료를 제공하는 것이다. 여러 연구들에서 비타민과 같은 단순한 보조제는 잠재적으로 암 치료를 방해할 수 있다는 사실을 보여줬다. 더 나아가 당신 치료에 대해 모든 측면을 아는 전문적인 의사로부터 치료받지 않으면 마사지나 침술과 같은 일부 요법의 사용은 오히려 환자들을 위험에 빠뜨릴 수 있다.

특정 보완의학 치료는 기존 치료의 부작용을 감소시키고 또 적절하게 사용되면 치료 결과를 개선시킬 수 있다. 항상 당신이 치료 중이거나 치료를 고려하는 다른 요법에 대해 의료팀과 상의하라.

– 엠디앤더슨 암센터에서 제안하는 암 환자의 생활관리법 핵심요약 –

엠디앤더슨 암센터의 통합의학부서에서는 암환자의 생활관리에 대해 인간을 구성하고 있는 육체적, 정신/영적 그리고 사회적인 네 가지 요소에 대해 종합적으로 접근하고 있다. 엠디앤더슨의 통합의학 부서에서 이 네 가지 요소를 중심으로 접근하는 근거로는 1977년 사이언스지에 실린 조지 앤젤 박사의 〈새로운 의료모델에 대한 요구: 생체의학에 대한 도전〉이라는 논문을 꼽는다. 여기서는 의료가 인간에게 접근함에 있어서 신체적, 정신/영적 그리고 사회적인 종합적인 접근이 필요하다는 사실을 역설하고 있다.

이처럼 의료에 있어서 전인적인 접근을 하는 것은 매우 중요하며 이를 실천하는 데 있어서는 반드시 생활관리가 이루어져야만 한다. 다음은 엠디앤더슨 암센터 통합의학부서에서 제안하는 〈암 환자의 생활관리법 핵심요약〉이다.

● 암 관리를 최대한 활용해라

통상적인 암 치료법은 실제 치료에 있어서 결정적인 역할을 한다. 이와 더불어 건강한 생활과 행동의 변화는 당신을 기분 좋게 하고 암 치료가 더 효과적으로 작용할 수 있도록 도움을 준다. 엠디앤더슨에서는 당신의 건강과 웰빙을 개선시킬 수 있는 방법들을 다음과 같이 제시하고 있다.

잘 먹어라

영양과 적절한 음식 선택은 암 치료와 생존에 있어서 중요한 역할을 한다. 건강한 식습관은 치료의 부작용을 줄이고, 더 빨리 회복하고, 치료결과를 좋게 만들 뿐만 아니라 암의 위험도를 낮추는 데 도움을 준다. 건강한 식습관을 위해 다음의 팁을 이용하라.

채식 위주의 식단을 선택해라

- 다양한 색깔과 조리법을 활용하여 과일과 채소를 하루 두 컵 반 이상을 먹어라.
- 콩류, 완두콩, 렌즈콩, 견과류, 씨앗 등 섬유질이 풍부한 음식을 먹어라. 과일과 채소는 주스보다 그대로 먹는 것이 섬유질이 많고 당이 적다. 통조림 식품은 당과 염분이 더 많이 들어가 있다.
- 붉은 육류(쇠고기, 돼지고기) 섭취를 제한해라. 고기는 생선이나 닭고기를 먹어라.
- 콩류와 같은 식물성 단백질은 건강한 대안식품이다.
- 핫도그, 베이컨, 소시지와 같은 고지방 가공육 섭취를 피해라.

몸을 지탱해주는 건강한 지방을 선택해라

- 오메가-3와 불포화지방을 식단에 포함시켜라. 올리브, 카놀라유, 견과류, 아보카도, 그리고 연어, 정어리, 송어, 넙치, 참치와 같은 냉수성어류 등이 훌륭한 공급원이다.
- 포화지방과 너무 많은 오메가-6 지방산은 제한해라. 이들은 고지방 유제품(우유, 치즈, 버터), 지방이 많은 고기, 마가린, 옥수수기름과 튀김 등에 포함되어 있다.
- 일반적으로 가공식품과 튀김에 포함된 트랜스 지방을 피해라. 식품 표시 라벨에 '경화된' 혹은 '부분적으로 경화된'이라고 표시된 음식은 피해라.

건강에 해로운 식습관을 바꿔라

- 당신에게 알맞은 양만큼만 먹어라.
- 배고프거나 배부를 때를 구별하는 법을 배워라.
- 탄산음료, 과일향 음료, 사탕 등의 고칼로리, 저영양 식품을 제한해라. 단 것을 먹고 싶다면 과일이나 다크 초콜릿 혹은 작은 쿠키를 적은 양만 먹어라.
- 가공된 '흰색' 음식의 섭취를 제한해라. 흰 빵, 흰 설탕, 흰 쌀 등은 모두 가공처리 되는 과정에서 섬유질, 비타민, 미네랄 등이 제거된 정제식품이다.
- 남성은 하루 두 잔, 여성 하루 한 잔 이하로 알코올 섭취를 제한해라.

규칙적으로 운동해라

신체 활동은 몸의 모든 움직임으로 정의되고 건강을 위해 매우 중요하다. 운동은 몸무게를 유지하고, 질병 위험을 낮추고, 피로와 싸우고, 전반적인 건강을 개선시키는 데 도움을 준다. 처음에는 운동이 힘들어도, 시간이 지나면 쉬워질 것이다.
일주일에 5일 이상은 30~60분의 중간단계부터 격렬한 단계의 운동까지 목표를 세워라. 운동의 단계는 말하기가 얼마나 쉬운지에 따라 판단할 수 있다. 중간 단계는 말은 할 수 있어야 하지만 노래는 부를 수 없어야 한다. 격렬한 단계는 짧은 문장의 말만 할 수 있어야 한다. 운동 프로그램을 시작하기 전에 항상 담당 의사와 상담을 해야 한다.

본인의 생활방식과 맞아 떨어지고 의지를 계속 지탱시켜 줄 수 있는 운동을 고르는 것이 중요하다. 다음은 몇 가지 예시들이다.

- 걷거나 조깅
- 수영
- 댄스
- 집안일
- 웨이트 트레이닝
- 골프(카트 없이)

최대한 적절한 체중을 유지하도록 노력해라. 과체중이나 비만 환자들이 체중을 줄이는 데 있어서의 핵심은 건강한 식습관과 운동이다.

스트레스 해소

스트레스는 당신이 감당할 수 있는 능력을 초과하는 요구가 육체적·정신적으로 주어졌을 때 발생한다. 이러한 요구는 실제적인 육체적 위험부터 집을 살 때의 기쁨 혹은 가정의 불화까지 그 범위가 다양하다. 장기적 스트레스는 암 위험도를 증가시키고, 종양의 성장을 촉진시키며 그 치료를 방해할 수 있다. 매일 10분 동안 스트레스 해소를 위한 방안을 시행하는 것이 몸과 마음을 건강하게 지켜준다.

- 이미지 트레이닝, 명상, 요가 등의 이완요법을 시행해라.

- 규칙적으로 운동해라.
- 일상에 유머와 웃음을 더해라.
- 조용한 시간(기도, 독서, 음악 감상)을 가져라.
- 취미생활을 가져라.
- 상담자를 만나 스트레스 해소법에 대해 상담해라.

다른 이들의 도움과 지지를 받아라

삶에서 친구, 가족, 이웃 그리고 지역 구성원들과 관계를 형성하는 것은 스스로를 돕고 안정되게 하기 위해서도 또 건강을 위해서도 중요하다. 암을 진단 받으면 두려움이나 외로움 또는 혼란스러움을 느낄 수 있다. 당신에게 관심을 갖는 사람을 주변에 두는 것은 기분을 더 좋게 만든다. 암 환자에 관한 몇몇 연구에 의하면 사회적으로 더 많은 도움을 받은 환자가 덜 받은 환자보다 보다 나은 삶의 질을 누리고 오래 살았음이 밝혀졌다.

- 도움을 주거나 들어줄 수 있는 사람을 구해라.
- 당신의 요구를 채워줄 수 있는 협력 단체에 합류해라.
- 남들을 위한 지지자가 되어라.

금연

암을 진단 받은 대부분의 사람들은 금연하는 것으로 많은 이득을 볼 수 있다. 흡연을 하는 환자는 감염, 더딘 상처 치료, 그리고 추가적인 암 발생에 대해 더 높은 위험을 가진다. 금연은 암 치료와 보다 빠른 회복에 잘 반응하도록 신체의 능력을 높여준다.

미국으로 간 허준

그리고 그 후

5장

엠디앤더슨 암센터의 침 치료

볼티모어의 존스홉킨스 대학 암센터 등 소위 미국의 대형 암센터 내의 통합의학센터에서는 침 치료를 통하여 암 환자의 증상을 개선하고 삶의 질을 높여주는 치료가 활발히 이루어지고 있다.

최근 텍사스 주립대학 엠디앤더슨 암센터나 하버드의 다나파버 암센터, 뉴욕의 메모리얼 슬론 암센터, 볼티모어의 존스홉킨스 대학 암센터 등 소위 미국의 대형 암센터 내의 통합의학센터에서는 침 치료를 통하여 암 환자의 증상을 개선하고 삶의 질을 높여주는 치료가 활발히 이루어지고 있다. 그 환자수도 점차 늘어나는 추세다. 엠디앤더슨 암센터의 경우 침 치료 의뢰 건수가 2006년 364건, 2007년 596건, 2008년 732건, 2009년 1,055건, 2010년 1,183건, 2011년 1,237건으로 꾸준히 증가하고 있다.

필자는 2004년 처음으로 뉴욕 맨해튼에 있는 메모리얼 슬론 케터링 암센터를 방문했을 때 커다란 충격을 받았다. 입구에 전열되어 있는 안내문 중 유방암 환자 호르몬 치료 중 상열감에 대한 침 치료 임상시험을 시행한다는 내용이 게시되어 있었기 때문이었다. 세계의 심장이라고 하는 뉴욕 맨해튼 한가운데서 버젓이 침 치료에 대한 임상연구가 이루어지고 있다는 사실이 그때로서는 정말로 강렬한 인상으로 다가왔고 또 국내에서의 연구수행에 대한 필요성을 절감하였다. 이제는 이러한 연구기반을 바탕으로 미국의 대형 암센터 내에서도 활발하게 임상행위가 이루어지고 있다는 사실이 새삼스럽지 않다.

이 장에서는 암 환자의 증상완화를 위해 세계적으로 그 치료효과를 인정받아 점차 표준 치료로 자리매김을 하고 있는 침 치료에 대한 통합의학적 접근을 소개하고자 한다.

암 환자의 통증에 대한 침 치료 효과

암의 진행과 치료에 따라 암 환자들이 급성, 만성, 정신적인 측면에서 경험하는 통증이 바로 암성 통증이다. 엠디앤더슨 암센터에 따르면 약 30%의 암 환자가 암성통증을 경험한다고 한다. 통증은 암 환자들에게 있어서 장기적이며 잘 해결되지 않는다. 이는 심각한 의료문제이자 사회문제임을 인식해야 하며 적극적인 통증 조절이 필요하다.

아로마타아제 관련 관절통에 대해 한 무작위배정 맹검 연구가 실시되었다. 침 치료와 가짜 침 치료를 비교하는 것으로 등록된 51명의 환자 중 38명의 환자에 대해 평가가 이뤄졌다. 간단통증평가 설문 후, 관절 증상의 경감에 있어서 침 치료가 가짜 침 치료에 비해 훨씬 더 효과적이라는 결과를 얻을 수 있었다(크류 등, 2010).

한 무작위배정(시험군과 대조군 배정의 공정성을 위해 통계적으로 무작위법을 사용한 것) 임상연구에서는 위암 통증 환자에 대해 전통적인 침술, 동결

건조 인간전이인자(면역인지신호를 전달하는 물질)의 경혈점 주사, 그리고 통상적인 진통제 치료를 비교했다. 연구자들은 이 세 집단에 대해 약 두 달간 치료를 진행한 결과 동등한 진통 효과가 보였다고 보고하였다. 그러나 통상적인 진통제 치료 그룹은 나머지 두 집단에 비해 처음 10일의 치료기간 동안 보다 나은 진통 효과를 보였다. 연구자들은 두 침 치료 집단 역시 삶의 질의 향상 및 진통작용을 통해 항암제의 부작용이 감소된다는 사실을 확인했다(당 등, 1998).

한 무작위배정 임상연구에서는 16명의 간암 환자를 대상으로 귀에 놓는 침술, 한약, 그리고 경막외 마취술 등 다양한 조합치료를 수술 후의 통증을 경감시키기 위해 시도하였다. 시상등급척도(0-100mm)로 측정한 결과 전체를 조합한 치료를 받은 집단이 대조 집단에 비해 더 나은 진통 효과를 보여주었다(리 등, 1994).

비 무작위 된 단일군 관찰임상연구는 진통제 처치를 받은 이후에도 여전히 고통을 받고 있는 20명의 암 환자를 대상으로 귀에 놓는 침(이침)의 효과를 평가했다. 환자들이 계속 진통 치료를 받는 동안 임상적 증상 및 피부 전기 자극의 정도에 따라 귀에 위치한 경혈점에 침 치료가 진행되었고 저절로 떨어질 때까지 삽입된 채로 있었다. 통증 강도는 간호사에 의해 시상등급척도를 통해 각각 0일 그리고 60일째에 측정되었는데 이 데이터들은 t-테스트를 통해 분석이 이루어졌다.

결과는 통증의 강도가 이침을 시행한 모든 환자에 있어서 그대로 유지되거나 감소됐다. 평균적인 통증의 감소값은 약 33mm(P 〈 .001)이었다(알리미 등, 2000). 이 연구자들은 이후 90명의 더 큰 집단을 대상으로 약 2달간의 암성 통증에 대한 임상연구를 다시 실시했다. 연구 결과 대조군에 비해 이침 치료를 한 시험군에서 약 36%의 유의한 감소치가 나타났다(P 〈 .001)(알리미 등, 2003).

유방암 환자의 수술 이후 통증 조절 그리고 팔의 움직임을 돕는 역할로써 침술의 효과를 확인하기 위해 한 비무작위 연구를 진행했다. 이 환자들은 적출 수술 및 보조적 림프절 절제를 받은 환자들이었다. 48명의 환자들은 각각 수술 직후 3일, 5일, 7일째 되는 날에 침 치료를 받았다. 같은 수술을 받았지만 침 치료를 받지 않은 32명의 대조군에 비해 침 치료를 받은 집단에서 5일 및 7일째에 팔을 움직이는 동안 현저한 통증경감이 보였다. 팔의 움직임 범위 역시 치료군이 대조군에 비해 더 컸다(P 〈 .001).

저자들은 침 치료의 효과를 얻는 데에 있어 '득기(침을 놓은 후 수기자극을 통해 특정 증상을 유발시키는 행위)'를 하는 것이 경혈점 선택에 있어 중요하다고 결론지었다. 한 소수의 후향적 증례연구에서는 국소적 신경장

메이스 클리닉에 위치한 통합의학센터 입구. 엠디앤더슨 암센터에서 침치료를 받아보라고 권유하는 문구가 눈에 띈다.

애가 있는 18명의 환자들이 항암치료를 받을 때에 비해 82%의 증상 경감을 보인다는 결론을 얻었다(허 등, 1999).

183명의 암 환자가 참여한 증례군 연구에서는 환자들이 암 관련 증상의 완화를 위해 침 치료를 받았는데, 약 52% 정도에서 현저한 효과가 보였다. 의미 있는 장기적인 통증조절을 위해서는 대부분 1~4주 간격 동안 수차례의 치료가 필요한 것으로 나타났다(필시에 등, 1985).

비록 대부분의 이러한 연구들은 긍정적이고 암성 통증 조절에 있어서 침 치료의 효과를 보여주었지만, 그 결과들은 적은 환자 수, 맹검의 부재 등 방법론적 취약함을 가지고 있다. 추후에 이루어질 암성 통증에서의 침 치료의 효과에 대한 연구는 이러한 과학적인 방법론이 보장되어야 할 것이다.

● 유화승 교수가 제안하는 침 치료의 적응증 〈암 환자의 통증 조절〉

암 하면 떠오르는 가장 두려운 것 중 하나는 바로 통증이다. 통증도 여러 가지가 있는데 신경병증에 의한 통증부터 뼈로 전이된 암종에 의한 통증까지 다양하다. 침 치료로 가장 효과를 볼 수 있는 부분은 항암제나 방사선 치료 도중의 신경병증에 의한 통증과 아로마타아제 억제 치료(호르몬 치료)로 유발되는 근골격계 통증이다. 전이병소에 대한 통증관리는 마약성 진통제와 침 치료를 병용하는 것이 더 효과적이다.

항암제나 방사선 치료 도중 발생하는 구토증상과 메스꺼움에 있어서의 침 치료

암 관련 증상에 있어서의 침 치료의 효과, 혹은 항암제 관련 증상 및 장애에 대한 전체 연구에서 밝혀진 침 치료의 가장 긍정적인 효과는 구토와 메스꺼움 증상이다. 구토는 독성물질을 체외로 배출하는 인체의 자연스러운 보호 기전으로 이해될 수 있으나, 암 환자의 화학요법과 방사선치료 시 발생하는 오심과 구토는 암 치료에 있어서 심각한 장애가 될 수 있다. 심한 구토는 탈수, 전해질 불균형, 기타 대사 장애, 식욕부진, 우울증 등을 초래할 수 있으며, 환자가 항암치료에 대한 두려움을 일으켜 치료를 중단하는 상황에 이르기까지 한다.

오심구토에 대한 침 치료의 효과를 지속적으로 연구한 임상시험들에서는 침 치료가 항암제로 인한 오심구토에 있어 효과적이라는 사실을 보여주고 있다. 또한 최근에는 경혈점을 자극하면 항암치료로 인한 오심구토 치료에 있어 효과적이라는 사실이 밝혀졌으며, 침 치료가 극심한 증상보다는 약간 심하거나 혹은 만성적인 메스꺼움에 더 효과적이라는 것을 보여주었다(에조 등, 2006).

침 치료가 오심구토에 작용하는 효과에 대한 계통적 고찰에서는 다섯 건의 항암치료에 따른 오심구토에 대한 임상 연구 결과를 기술하고 있다(비커, 1996). 이는 각각 다른 시험자 및 시험군을 대상으로 시행되었고, 각각 다른 형태의 경혈점 자극을 사용하였는데, 다섯 건 모두 치료에 있어서 긍정적인 결과를 보여주었다. 이러한 지속되는 결과물들은 항암치료에 따른 오심구토를 치료하는데 있어서 침 치료가 효과적이라는 것을 입증한다.

전침이 함암치료에 따른 구토증상에서 어떤 효과가 있는지에 대해 한 무작위배정 대조군 임상연구가 이루어졌다. 이 연구는 104명의 유방암 환자를 대상으로 시행되었는데 이들은 항암제로 인한 극심한 구토 증상에 시달리는 사람들이었다. 이 환자들은 무작위로 배정되어 약한 자극의 전침을 전통적인 구토방지용 경혈점에 5일 동안 매일 한 번씩 시행 받았고(n=37), 대조군은 같은 스케줄동안 가짜 전침으로 최소한의 바늘 자극을 하거나(n=33) 부가적인 침 치료를 받지 않았다(n=34). 모든 환자들은 지속적으로 구토방지용 약물을 처방받았으며(프로클로페라진, 로라제팜 및 디펜하이드라민), 이들은 동시에 강도 높은 항암치료를 받았다(싸이클로포스파마이드, 시스플라틴 및 카무스틴). 연구는 구토증상의 총 횟수를 주 평가지수로 삼고, 5일간의 연구 기간 동안 구토증상이 발생하지 않은 날을 측정하는 방식으로 진행됐다.

결과적으로 최소의 바늘 자극을 준 집단과 약물 치료를 한 그룹에 비해서 전침 자극을 준 집단이 더 적은 구토증상 발생이 이루어진 것을 보여주었는데(P 〈 .001), 9일간의 후속 기간 동안에는 명확한 차이를 보여주지 못했다(P = .18)(션 등, 2000). 이러한 결과 값은 다른 연구자들이 보고한 결과물에서도 유사하게 나타났다. 일부 연구 결과에서는 온단세트론(구토억제제)과 결합된 항암치료를 받은 극심한 오심구토 증상 환자의 증상 예방에 침술이 별다른 효과가 나타나지 않기도 했다(스트레이트버거 등, 2003).

난소암 환자의 오심구토 증상에 대해서도 무작위배정 침 치료 연구가 이뤄졌다. 연구는 '단독 침 치료', '비타민B6 주사와 침 치료 병용', '단독 근육 내 비타민B6 주사'에 대한 효능을 관찰하고자 시행됐다. 결과는 '비타민B6 주사와 침 치료를 병행'한 군에서 통계적으로 유의한 효과를 보였다. 또 결론적으로 '침 치료 단독'군이 '비타민B6 주사 단독'군과 비교해서 구토증상의 빈도를 감소시키는데 더 나은 효과를 보인다는 사실이 밝혀졌다(유 등, 2009).

한 연구에서는 내관혈(P6)을 지압하는 것이 가짜 지압에 비해 구토증상을 지연하는 데 더 도움을 준다는 사실을 보여주었다(디블 등, 2007). 또 다른 연구에서는 34명의 부인암 환자에 있어서 손목밴드를 이용해 내관혈을 자극했을 때 항암치료에 따른 구토증상 및 항암치료 이후의 구토 억제 작용에 효과가 있다고 보고하였다(타스피나 등, 2010).

침술은 또한 방사선 치료 관련 오심구토 증상을 경감하기 위해서도 사용된다. 한 무작위배정 연구에서는 환자들이 침 혹은 가짜 침 치료를 받았는데, 이들은 대조군인 통상치료군에 비해 오심구토 증상이 덜 나타나는 것으로 밝혀졌다(엔블롬 등, 2011).

● 유화승 교수가 제안하는 침 치료의 적응증 〈항암치료나 방사선 치료 도중의 메스꺼움〉

많은 암 환자들이 항암치료 기간 중 메스꺼움 때문에 식사를 못하고 또 식욕 또한 잃게 되어 체력은 체력대로 고갈되고 만다. 대표적인 경혈점은 바로 손몬 부위의 '내관혈'이며 기타 위승격(임읍 함곡 보, 여태 상양 사)이나 간승격(중봉 경거 보, 행간 소부 사) 등의 경혈 조합을 사용하기도 한다. 특히 최근에는 손목밴드나 붙이는 피내침을 이용하면 되므로 너무 자주 시술할 필요가 없다. 너무 완고할 경우에는 적절히 진토제와 수액을 함께 처치하면서 시술을 해야만 한다. 완만하지만 잘 가라앉지 않고 오랫동안 지속하는 경우에 특히 침 치료가 효과적이다.

상열감에 대한 침 치료의 효과

상열감은 갑자기 발생하는 짧은 시간의 발열과 열감을 느끼는 증상으로 안면홍조, 심계, 초조함, 땀, 오한 등 증상을 동반한다. 또한 발열, 땀 등 증상은 밤에 많이 나타나는데 이는 환자의 수면을 방해하고 수면의 질을 떨어뜨려 환자들로 하여금 피곤함을 느끼게 하여 삶의 질에 큰 영향을 준다.

몇몇 연구에서는 안드로겐 박탈 증상을 경험하는 유방암 환자의 상열감 감소에 침 치료가 효과적일 수 있다는 보고를 한 바 있다. 한 연구에서는 무작위로 배정된 55명의 환자들에 대해 상열감 관리를 위한 벤라팍신과 침 치료의 효과를 비교하였다. 이 연구에서의 대상자들은 유방암 및 호르몬 수용체를 가진 환자들이었다. 침술은 벤라팍신과 거의 동일한 효과를 보인 반면 부작용은 거의 보이지 않았다(월커 등, 2010).

1상 지표 연구에서는 타목시펜 복용에 따른 폐경기 증상에 있어서 침 치료의 효과를 평가하였다. 열다섯 명의 타목시펜을 복용하는 유방암 환자들이 3개월 간 1주일 간격으로 침 치료를 받았다. 1, 3, 6개월째에 기본치와 결과 값을 비교하기 위해 그린 폐경지수가 사용되었다. 결과는 불안, 우울 그리고 상열감에 있어서 침 치료가 효과적임을 보여주었지만(P 〈 .001) 성욕에는 영향을 미치지 않았다(포르지오 등, 2002).

비대조군 증례연구에서 초기 유방암으로 타목시펜을 처방받은 50명의 여성에 대한 연구가 이루어졌는데 이들은 매주 침 치료를 받았다. 상열감 빈도는 약 49.8%(P 〈 .0001) 정도가 치료 후 감소하였다. 여성 건강에 대한 설문의 여섯 분야에서 모두 통계적으로 유의한 향상이 나타났다(드 발로이스 등, 2010).

상열감을 경험하고 있는 전립선암 혹은 유방암 환자 94명에 대한 후향적 평가에서는 침 치료와 자가自家 침 치료를 함께 병용할 경우 장기적으로 상열감이 경감됨을 보여주었다. 저자들은 전체 치료횟수가 경혈위치보다 중요하다고 하였고 가장 많이 활용된 경혈은 내관혈이었다(필시에 등, 2005).

유방암 환자의 호르몬 치료와 비교하는 소수의 무작위배정 전침연구 또한 시행되었다. 이 연구에서는 약 24개월 후에도 전침의 효과가 유지된다는 사실을 보여주었다. 19명 중 전침 치료를 받은 7명의 여성들은 약 2.1회의 상열감을 느낀 반면 대조군에서는 9.6번의 상열감을 느꼈다(프리스크 등, 2008).

또 한 무작위배정 연구에서는 타목시펜을 사용하는 84명의 유방암 환자들에 대해 침 치료를 하면서 대조군과 비교하였다. 침 치료는 대조군에 비해 열감의 감소에 효과를 보였지만 가짜 침 치료와 통상적인 침 치료 간에는 큰 차이가 없었다(릴제그렌 등, 2010).

● 유화승 교수가 제안하는 침 치료의 적응증 〈유방암 환자의 상열감〉

유방암 치료 중 항에스트로겐 제제를 복용하는 경우 많은 환자들이 갱년기 증상을 보이고 특히나 상열감 때문에 고생을 한다. 여성 호르몬에 영향을 미치지 않으면서 증상을 감소시키는 안전한 치료법이 바로 침 치료이다. 몇몇 천연물의 효과에 대한 평가가 이뤄졌지만, 항상 민감한 것이 과연 에스트로겐 효과가 없는 상태에서 증상을 개선시킬 수 있는가이다. 이러한 측면에서 침 치료는 권장할 만하며 또 그 지속효과에 대해서도 근거수준이 높은 연구가 이루어지고 있다. 다만 유방암 수술로 유발된 림프부종이 있는 팔에는 가급적 침 치료를 시행하지 않도록 주의한다.

암성 피로에 대한 침 치료

피로는 허약과 기면을 총괄하는 말로서 신체적, 정신적, 정서적인 피로감을 의미한다. 종양 연관 피로(암성 피로)란 종양 자체로 인해 또는 종양을 치료하면서 발생하는 지속적이고 주관적인 피로감으로 정의할 수 있다. 이는 종양 치료 후 90%의 환자가 호소할 정도로 가장 흔한 증상으로 치료를 모두 마친 후에도 약 30%의 환자는 수개월~수년 동안 피로 증상을 호소하게 된다.

한 무작위 배정 연구에서는 47명의 일반적인 혹은 극심한 피로를 느끼는 암 환자를 세 집단으로 나누었다. 한 집단은 20분간의 침 치료를 6회 시술 받았고(n=15), 다른 한 집단은 지압을 사용하도록 교육받았고(n=16), 마지막 세 번째 집단은 가짜 지압 집단이었는데 전통적인 지압과 관련이 없는 세 군데의 경혈점을 자극하는 것으로 교육받았다(n=16). 세 집단 모두 같은 기법을 2주간 사용하였는데 이 연구에서는 지압 혹은 가짜 지압에 비해 전통적인 침 치료가 더 효과적인 치료법이라는 사실을 보여주었다(몰라시오티스 등, 2007).

● 유화승 교수가 제안하는 침 치료의 적응증 〈암 환자의 피로감〉

사실 피로감이라고 한다면 인삼이나 황기와 같은 한약을 떠올릴 수 있지만 이 역시 한약-양약 상호작용이라는 문제 때문에 쉽게 접근하지 못할 수 있다. 이때 침 치료는 의미 있는 대안으로 고려되어질 수 있다. 얼핏 침 치료를 받게 되면 오히려 더 기운이 없어지지 않나 걱정할 수 있지만 연구결과를 보면 오히려 피로감을 유익하게 개선시킨다는 사실이 확인된다. 이는 침 치료가 골수억제반응에 대한 개선효과가 있다는 사실과도 연관된다.

면역 기능 향상을 위한 침 치료의 효과

대부분의 항암제는 암세포의 각종 대사경로에 개입하여 DNA의 합성을 억제하거나 세포분열을 중지시켜 항암효과 및 세포독성 효과를 나타낸다. 이들 항암제는 암세포뿐 아니라 정상세포, 특히 세포분열이 활발한 조직세포에도 손상을 입히기 때문에 골수 기능 저하 등의 부작용이 나타나고 이는 면역기능 저하로 이어진다.

최소 일곱 건의 임상 시험에서 암 환자들에게 침 치료가 면역기능을 향상시킨다는 사실을 밝혔다. 네 건의 무작위배정 임상시험, 한 건의 비무작위배정 치료연구, 그리고 두 건의 증례연구에서 침 치료는 면역기능을 향상시키거나 또는 조절하는 효과가 있다고 보고하였다.

첫 번째 무작위 배정 연구에서는 침 치료가 대조군에 비해 혈소판 수를 증가시키고, 방사능 치료나 온열치료 이후의 백혈구 수치 감소를 방지하였다(시아 등, 1986).

두 번째 연구에는 암수술을 받은 40명의 환자들이 참여하였는데, 그 중 20명은 매일 침 치료를 받았고, 나머지 20명은 대조군으로 분류됐다. 3일 후 시험군에서는 초기와 비교해서(P 〈 .01) 백혈구의 식균작용이 향상된 반면, 대조군에서는 아무런 변화가 나타나지 않았다(조우 등, 1988).

세 번째 연구는 악성 종양 환자의 말초혈액에서 인터류킨-2, 자연 살해세포의 활동에 침 치료가 어떤 영향을 주는지를 관찰하였다. 환자들은 10일간 매일 30분씩 침 치료를 받은 25명의 시험군과 침 치료를 받지 않는 20명의 대조군으로 분류되었다. 연구결과 인터류킨-2, 자연 살해세포가 대조군에 비해 침 치료를 받은 그룹에서 현저하게 증가한 것을 보여주었다(P 〈 .01)(우 등, 1994).

네 번째 연구는 악성 종양이 있는 환자의 말초혈액에서의 T림프구 부분(CD3+, CD4+, and CD8+), 용해성 IL-2 수용체, 그리고 베타엔도르핀에 대한 침술의 효과를 관측하였다. 연구 결과 침 치료는 T림프구의 CD3+, CD4+, CD4+/CD8+ 비율(P 〈 .01), 베타엔도르핀 수치를 증가시켰다. 반면에 침 치료는 용해성 IL-2 수용체(P 〈 .01) 수치를 감소시켰다. 연구자들은 침 치료의 항암 효과가 면역 체계를 통해 영향을 받을지도 모른다고 조심스레 예측했다(우 등, 1996).

비 무작위 연구 결과는 마이크로파 침에 관련한 내용이다. 이는 새롭게 개발된 기술로서 침 바늘에 연결된 특별하게 디자인된 장치를 통해 마이크로파 자외선을 특정 부위에 전달하는 것이다. 이는 암 환자의 면역 기능을 향상시키는 작용을 하는데 마이크로파 침 치료를 한 집단에서 백혈구의 증가가 나타났다(허 등, 1987).

한 임상증례 연구에서는 28명의 환자가 온열치료를 받는 동안 전기침 치료를 함께 받았는데, 이 환자들에게는 일반적으로 온열 치료를 받았을 때 나타나는 부작용인 T세포의 감소(CD3+, CD4+, CD8+), 자연살해세포 활동의 억제가 거의 나타나지 않았다. 전기침 치료군과 대조군을 비교하는 연구에서 흉선, 결장암, 그리고 비호지킨 림프종 때문에 온열치료를 받는 환자들에게서도 마찬가지로 비슷한 연구 결과가 나타났다(예 등, 2007).

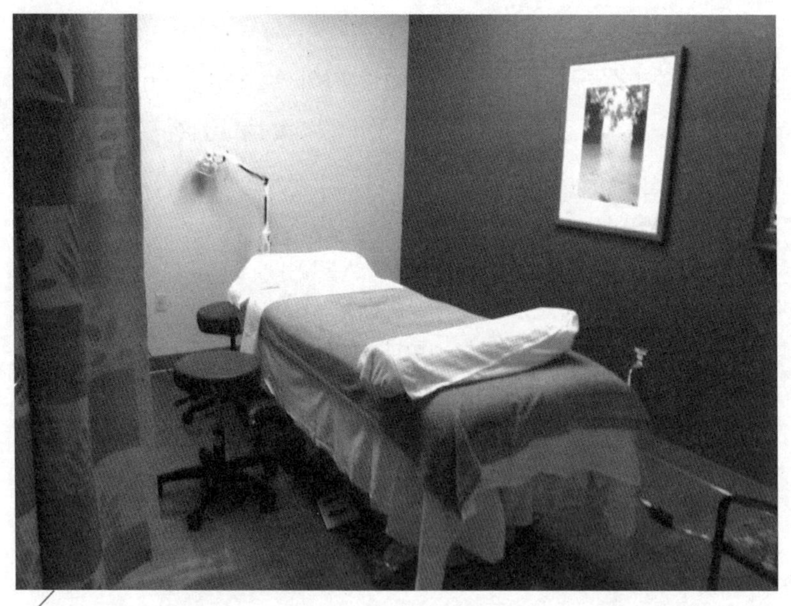

통합의학센터 외래에 있는 침구치료실. 개인별로 독립된 공간에서 치료를 받는다.

또 다른 임상증례 연구에서는 두 명의 암 환자를 포함한 백혈구 감소증을 앓고 있는 48명의 환자들에게 침 치료를 시행했다. 이들이 14일 동안의 주기적으로 침 치료를 받았을 때 치료 전과 비교해서 백혈구 수치, 피부 내 식물성혈구응집소, 그리고 면역 글로불린 항체 수치의 상승이 나타났다(웨이, 1998).

● 유화승 교수가 제안하는 침 치료의 적응증 〈골수기능 개선 및 면역력 증가〉

항암치료나 방사선 치료 도중 골수기능이 약해지게 되면 자연스레 면역력이 감소하고 극심한 피로감을 느끼게 된다. 하버드 의대의 연구결과 침 치료는 항암제로 유발된 호중구감소증을 개선시키는 효과를 보였다. 또 여러 연구결과 침 치료는 말초혈액 내 자연 살해세포, T세포 등 종양면역을 강화시키는 효과를 보였다. 따라서 항암제나 방사선 치료 중 혈구수치의 감소를 보일 경우 침 치료를 병용하게 되면 그 회복에 있어서 많은 도움을 받을 수 있다. 다만 절대호중구 수치가 500mm^3 이하에서는 감염의 위험이 있을 수 있고, 혈소판 수치 50,000mm^3 이하에서는 출혈의 위험이 있을 수 있으니 주치의와의 상의하에 침 치료를 받도록 해야 한다.

기타 항암 치료 관련 부작용들을 위한 침 치료

많은 연구들에서 암 혹은 암 관련 증상의 개선을 위한 침 치료의 효과를 보고했다. 대표적인 증상으로는 체중 감소, 기침, 각혈, 불안, 우울, 구강건조증, 직장염, 언어장애, 식도경색, 딸꾹질, 신경병증 그리고 림프 부종 등이 있다.

두경부 방사선 치료의 부작용 중 가장 대표적인 부작용이라 할 수 있는 구강건조증은 많은 환자들에게서 나타난다. 구강건조증의 특징으로는 음식을 씹고 삼키는 데 장애를 일으키고, 미각 손실로 인한 식욕 감퇴와 구강점막의 잦은 감염 등으로 전반적인 삶의 질을 저하시킨다. 방사선 치료에서 방사선이 직접적으로 국소조직을 변화시켰기 때문에 문제가 발생한 것이다. 방사선은 세포재생능력을 감소시켜 점막 위축, 침샘, 근육, 인대 그리고 혈관의 섬유화, 미뢰의 손상을 초래하면서 점막염, 구강건조증, 우치, 입맛 소실, 방사선 골괴사를 유발한다.

말초신경병증은 수술, 방사선치료, 화학요법에 의해 발생하는 것이 일반적이다. 수술 혹은 방사선치료는 해당 부위에 있어서의 신경병증을 유발할 수 있다. 또한 다양한 신경 독성 화학요법들은 세포체, 신경돌기, 수초를 포함한 말초신경계의 손상을 일으킬 수 있다. 항암제 유도 말초신경병변은 백금기반 약물, 택세인, 빈카 알칼로이드, 보테조미브나 레놀리다마이드와 같은 표적치료 약물 등의 사용에 의해 보편적으로 발생하는 증상이다. 신경병증성 증상은 일반적으로 치명적이지 않고 화학요법을 끝마친 이후에 개선될 수 있지만, 종종 악화되고 또 환자의 삶의 질에 영향을 주어 암 치료를 방해한다.

한 무작위 배정 임상시험에서는 38명의 식도암 환자, 24명의 위암 환자, 그리고 14명의 폐암 환자를 포함했는데 이들은 무작위로 두 군으로 구분되었다(한 군당 38명씩). 시험군은 방사선 치료 혹은 항암 치료와 결합해서 침술 치료를 받았고, 대조군은 방사능 치료 혹은 항암 치료만을 받았다. 결과는 침 치료를 받은 군이 현저하게 명백하게 대조군에 비해 체중이 증가했다($P < .001$). 또한 침 치료를 받은 집단은 폐암 환자가 겪는 기침, 흉통, 오한, 구토증상 그리고 식도암 환자가 겪는 연하곤란 등의 증상들에 있어서 대조군보다 더 나은 상승을 나타냈다. 침 치료 집단은 대조군에 비해 방사능치료 혹은 항암 치료에 따른 부작용을 덜 겪는 모습을 보였다(시아 등, 1986).

138명의 환자에 대한 무작위배정 연구에서 침 치료와 마사지를 받은 집단이 일반적 치료를 받은 집단에 비해 통증의 감소를 보여주었고($P = .05$), 암 수술 이후에 보이는 환자의 우울증 또한 감소하였다($P =

.003)(메흘링 등, 2007).

한 후향적 설문 연구에서는 종양 클리닉의 환자들에 대해 잠재적인 증상의 완화를 위한 침 치료를 제안하였다. 침 치료를 받은 89명의 환자들 중 79명의 환자들이 전화 설문조사에 응답하였다. 환자들이 치료를 받게 된 주된 이유는 통증(53%), 구강건조증(32%), 열감(6%), 그리고 메스꺼움 및 식욕의 감소(6%)였다. 60%의 환자들은 최소 그들 증상에 있어서 30% 이상 좋아졌다고 응답했으며, 반면 약 1/3의 환자들은 그들의 증상에 대해 어떠한 변화도 없었다고 답변했다(존스톤 등, 2002).

● 유화승 교수가 제안하는 침 치료의 적응증 〈방사선 치료 중의 구강건조증〉

뇌종양이나 비인강암 등에 대한 방사선치료를 진행하게 되면, 침샘이 손상되어 타액분비에 장애가 발생한다. 환자의 표현을 그대로 해보면 "밥알이 모래알같이 꺼끌꺼끌해서 삼키지를 못하겠다"라고 고통을 호소한다.

엠디앤더슨 암센터에서는 방사선 치료 중 발생하는 구강건조증의 치료법으로 침 치료의 효능을 밝히고자 중국 상해 복단대 종양병원과 같이 연구를 진행하고 있다. 사전 연구에서는 이미 긍정적인 결과를 보고한 바 있으며, 현재는 방사선 치료 전에 침 치료를 받을 경우 구강건조증을 예방할 수 있는 효과가 있는지에 대한 임상시험이 진행 중이다.

● 유화승 교수가 제안하는 침 치료의 적응증 〈항암치료 중의 손발저림증상〉

백금계통의 항암제나 보테조미브 등 표적치료 약물로 인해 손발 저림 증상을 유발하게 된다. 환자의 표현을 빌리자면 "손발이 절절 끓어요", "손발 끝이 남의 살 같아요" 등등이며 심지어 어떤 경우에는 항암치료 후 1년 이상 증상이 호전되지 않기도 한다. 이때 침 치료가 증상 완화에 도움을 줄 수 있다. 대표적으로 '사봉혈', '십선혈', '십정혈' 등 사지 말단에 위치하는 경혈점이 종종 활용되며, 특히 완고하게 잘 없어지지 않는 말초신경병변에 자주 효과를 보게 된다. 당뇨병성 말초신경병변과 구분해야 하며 이 경우에는 사혈 치료를 금한다.

〈암환자에 대한 침 치료의 금기증〉

호중구 감소증	절대호중구 수치 500/mm³ 미만(감염위험)
혈소판 감소증	혈소판 수치 50,000/mm³ 미만(감염위험)
항응고제 사용시	국제표준비율(INR)의 지속적인 추적관찰
척추 불안정	금지(침의 근육 이완효능에 따른 척수압박 위험)
종양 부위	금지(암의 파종에 따른 전이의 위험)
임파부종	금지(감염 위험)
보형부위(유방,코 등)	금지(수액/실리콘의 누출)
뇌내결함	금지(신경학적 손상과 감염)
혼돈 환자	금지(협조 곤란)
심한 부정맥	금지(심정지 위험)
심한 신경증 환자	금지(협조 곤란)
심박 조율기 착용자	금지(심박조율기 방해 위험)

〈출처 : 대한암한의학회지 16(2), 2010〉

미국으로 간 허준

그리고 그 후

6장

허준이 엠디앤더슨을 만나면

전통의학에서 물려받은 치료기술이 아무리 가치가 있는 것일지라도 이것이 시대의 흐름에 맞춰 재조명되지 못한다면 그 학문은 사장되어지고 말 것이다.

만일 〈동의보감〉의 저자인 의성 '허준'이 타임머신을 타고 현대로 온다면 과연 어떤 의술을 펼칠 것인가? 허준은 당시 명나라에서 건너온 한의학의 이론들을 그대로 받아들이던 전통적 관습을 타파한 인물이다. 그는 창의적으로 국내에서 자생하는 약초들을 책 속에 넣었고 이들을 중심으로 실제 활용할 수 있는 실용적인 처방들을 정리하여 〈동의보감〉을 편찬하였다. 또 본초이름에 한문과 함께 한글을 병기하고 민간요법들을 추가하는 등 보다 창의적이고 독창적안 접근을 하였기에 지금까지도 한국 한의학을 대표하는 인물로 칭송되고 있다.

전통의학에서 물려받은 치료기술이 아무리 가치가 있는 것일지라도 이것이 시대의 흐름에 맞춰 재조명되지 못한다면 그 학문은 사장되어지고 말 것이다. 만약 허준이 이 세상으로 와서 세계 최고라고 하는 엠디앤더슨 암센터의 첨단의술을 접한다면 아마도 분명 이를 이용하려 했을 것이다.

이 장에서는 한의학에서 암치료에 활용되고 있는 대표적인 몇몇 본초와 처방에 대하여 근거중심적인 접근을 하여 현재까지 이루어진 연구들에 대해 알아보고 또 그 부작용과 금기, 한약-양약 상호작용 등에 대해 살펴보고자 한다.

▶인삼

인삼의 필수 성분인 진세노사이드는 면역반응을 강화시키고 세포 및 동물실험에서 항종양효과를 나타냈다. HL-60(전골수성 세포)의 분화가 Rh2와 Rh3에 의해 유도되었으며, Rh2는 난소암 이종이식세포의 성장을 저해하고 쥐 모델에서 생존기간을 연장시켰다. 동물 실험에서 Rb1은 아세틸콜린 방출을 증진시키고 시냅스 후부의 콜린양 섭취를 증가시켰다.

진세노사이드는 세포실험에서 감마 아미노낙산 수용체의 결합부와 경쟁적으로 작용한다. 이는 쥐 실험 상 약물기인성 수면시간을 늘리고 중추신경계를 저해하는 작용을 나타냈다. 또한 비경구적으로 처리될 경우 진통효과를 나타냈다.

한국인을 대상으로 이루어진 두 건의 증례 대조군 역학연구에서는 전체 암종에 있어서 인삼의 복용이 암 발생률을 감소시킨다고 보고하였다(신 등, 2000, 윤 등, 1998). 또 후향적 임상연구에서 인삼은 유방암 환자의 삶의 질과 생존율을 증진시켰다(쿠이 등, 2006). 임상적으로 암성피로 개선, 항암제 부작용 감소 등 암 환자의 삶의 질 개선 목적으로도 종종 활용된다.

● 유화승 교수가 제안하는 암 환자의 인삼 복용시 주의사항

많은 암 환자들이 홍삼 등 인삼제품이 부작용이 없다고 알고 있고 또 광범위하게 사용되고 있다. 하지만 암 환자에게 있어서 인삼을 사용할 때는 다음 사항들을 고려해야 한다.

첫째, 인삼은 에스트로겐 작용을 일으킬 수 있어 호르몬에 민감한 암 환자(유방암이나 자궁암)에서는 신중히 사용해야 한다. 둘째, 인삼과 표적치료약물인 이마티니브를 병용하게 되면 간독성의 위험을 높일 수 있다는 보고가 있다. 셋째, 인삼의 성분 중 특정 진세노사이드들은 CYP3A4를 유도하고 약물 제거율을 증가시킬 수 있다. 이 밖에도 인삼은 인슐린과 설폰요소제 계통 약물(당뇨병 약물)의 혈당을 낮추는 효과를 증가시킬 수 있고, 또 항응고제의 효과를 낮출 수 있으며, 모노아민 산화효소억제제(우울증 치료제)와 병용 시 조증을 유발시킬 수 있다.

인삼은 소위 만병통치약인양 알려져 있지만 이와 같은 부작용을 초래할 수 있기 때문에 반드시 전문가와의 상담 이후 복용여부를 결정해야만 한다.

▶황기

황기는 세포실험상 각종 종양의 성장을 억제하고, 쥐 실험 시 화학적으로 유도된 간암의 증식을 지연시키며, 신생혈관형성 억제작용이 있다. 특히 세포, 동물 그리고 인체에 대한 연구에서 화학항암약물의 부작용인 면역억제를 개선시키고, 백금 계통의 항암제와의 병용 시 항암 효과를 높인다.

황기는 면역체계의 다양한 인자를 촉진시키는 기능을 한다. 다당류는 세포실험에서 인터류킨-2의 면역 매개성 항암작용을 증가시킨다. 황기는 정상인 및 암 환자에게 있어서 림프구의 반응을 촉진시키고, 정상인의 자연 살해세포의 및 단핵구의 활동을 증가시킨다. 황기가 식균작용을 촉진하는 것은 종양괴사인자의 작용을 억제하면서 이루어지는 것으로 추정된다.

황기에 포함된 사포닌은 자연 살해세포의 활동을 증가시키고, 스테로이드로 억제된 자연살해세포의 활동을 회복시키며, 식균작용을 증가시키고, 항암제로 간 손상이 유발됐을 시 간보호 작용을 나타낸다. 황기가 당귀와 같이 사용될 경우 신장 보호 효과가 있다는 보고도 있다.

황기는 노화된 쥐의 콜린성수용체의 밀도를 높이는데 이는 황기가 뇌의 노화 방지에 효능이 있다는 것을 의미하는 것이다. 황기를 이용한 한약처방은 산소의 이용 및 흡수율을 높여 운동선수의 피로를 감소시킨다. 황기를 비노렐빈, 시스플라틴과 함께 투여 시 진행성 비소세포성 폐암 환자의 삶의 질 개선이 나타났다(구오 등, 2011).

한 메타분석 연구에서는 황기를 기반으로 한 한약치료가 간세포암 환자들에게 이익을 보일 수 있으나 좀 더 잘 설계된 대규모의 연구가 필요하다고 제안했다(우 등, 2009).

● 유화승 교수가 제안하는 암 환자의 황기 복용시 주의사항

임상적으로 황기는 암 환자에게 주로 항암치료 중 효능 증대 및 부작용 감소 목적으로 가장 많이 활용되는 한약 중 하나이다. 하지만 면역을 증진시키는 것이 모두 좋은 것만은 아니다.
황기는 면역억제가 필요한 경우 이를 저해하기 때문에 사이클로포스파마이드의 면역억제 효과를 방해할 수 있다. 따라서 타클로리무스 혹은 사이클로스포린과 같은 면역억제제를 복용하고 있는 환자들에게 투약하는 것이 바람직하지 않다. 예를 들어 골수이식을 받은 환자에게 있어서 면역억제제 복용 시 황기를 함께 사용하는 것은 권장되지 않는다.

▶동충하초

동충하초는 쥐의 쿠퍼 세포에서 보조 T세포를 자극시켜 림프구의 생존을 연장하고, 종양괴사인자-알파와 인터류킨-1의 생산을 증가하고, 자연 살해세포의 활성을 증가시킨다. 또한 쥐의 골수에서 적혈구전구세포를 증가시키는 소견을 보였으며, 동물 실험에서 프로게스테론의 증가를 보였다. 또 다른 연구에서는 2형 주조직적합성 복합체 항원발현을 억제하여 항암작용을 나타냈다. 아직 기전이 명확하지는 않지만 사이클로포린과 아미노글리코사이드로 유발된 신장 독성을 감소시키는 것으로 나타났다. 또 만성이식병증 환자의 신장 기능을 회복시켜주는 연구가 있었다. 동충하초는 탁솔로 인한 혈구감소증 회복에 도움을 준다.

한 증례연구에서는 동충하초를 이용한 한약처방이 췌장암과 임파종 환자의 종양을 감소시켰다고 보고하였다(유 등, 2011).

● 유화승 교수가 제안하는 암 환자의 동충하초 복용시 주의사항

동충하초는 임상적으로 주로 폐암의 직접적인 치료를 목적으로 활용되고 또 암 환자의 피로개선 및 면역기능 향상을 목적으로 활용된다. 하지만 적혈구 전구세포를 증가시키기 때문에 골수암에서는 활용이 제한되어야 한다. 또 비소세포성 폐암에서 시스플라틴의 세포 독성을 증가시킬 수 있다. 동충하초는 혈당강하작용이 있어 당뇨병 환자에게는 신중히 사용해야 한다.

▶영지버섯

영지버섯은 인간 면역결핍바이러스 환자와 암 환자에 있어서 면역촉진제로 사용되며 약효 성분은 주로 베타글루칸 다당류와 트리테르펜류로 추정된다. 영지버섯은 혈소판 응집을 막고 남성의 하부 요로증상을 개선시키는 효과가 있다. 또 세포 및 동물 연구를 통해서는 암 예방효과가 있는 것으로 나타났다.

트리테르펜은 항 알레르기와 항 고혈압 효과를 갖고 있다고 보고되었다. 또한 기질금속단백분해효소의 발현을 억제함으로써 종양의 침윤을 억제시키고 내피세포로의 부착을 제한하여 종양의 전이를 막는다. 베타글루칸과 다당류는 항종양작용과 면역자극활동을 나타냈고 정상 및 백혈병 단핵구의 성숙을 유도했다. 영지버섯의 또 다른 성분인 아데노신은 혈소판 응집을 억제한다.

영지추출물은 대식세포를 자극하고 종양괴사인자와 인터류킨 수치에 영향을 미친다. 또 5-알파 환원효소를 억제하는 효과도 있는데 이는 양성 전립선 증식을 촉진하는 중요한 효소이다.

실험연구에서 영지버섯은 항암화학요법으로 인한 구토를 경감하였고, 방사선 치료의 효능을 향상시켰으며, 난소암에서 시스플라틴의 민감성을 증가시켰다. 특히 시스플라틴의 신 독성을 방지하는데 효과적이었다.

소규모 임상 연구에서 항산화 능력을 증가시켰으며(와츠텔-갈러 등, 2004), 진행성 암 환자의 면역반응향상(가오 등, 2003), 간세포암종의 감소가 보고되었다(고르단 등, 2011). 한 무작위배정 연구에서 6g의 영지추출물을 12주 동안 투약할 경우 하부 요로계 증상을 측정하는 국제 전립선증상점수를 개선시켰다(노구치 등, 2008).

● 유화승 교수가 제안하는 암 환자의 영지버섯 복용시 주의사항

영지버섯은 임상적으로 면역기능 강화를 목적으로 종종 활용되고, 간담도 및 췌장의 암종에 대한 직접적 치료목적으로도 활용된다. 물론 안전하다고 알려져 있다. 하지만 정말로 그럴까?

영지는 출혈의 위험을 높일 수 있으며 면역 활성을 유도하므로 면역억제제를 사용하는 경우 신중해야 한다. 이론적으로 영지가 혈장의 항산화기능을 증진시키기 때문에 유리기에 의존하는 화학적 약물과 상호작용이 일어날 수 있다. 또한 영지 다당체가 CYP2E1, CYP1A2, CYP3A4를 차단하기 때문에 이러한 효소에 의해 이루어지는 세포 내 대사에도 영향을 미칠 수 있다. 심지어 영지버섯에 의한 간독성으로 인한 사망사례도 보고되었다. 비호지킨 림프종에서 분말로 된 영지버섯을 복용하고 만성 설사를 나타낸 증례도 있었다. 아무리 좋은 약도 잘 써야 약이지 잘못 쓰면 독이 될 수 있음을 잘 보여주는 예이다.

▶운지버섯

운지버섯은 면역증강효과와 항암효과가 있다. 세포실험에서 운지버섯 다당체 중 폴리사카라이드-K는 인간말초혈액의 단핵구에서 사이토카인 발현을 유도하였다. 또 폴리사카라이드-P는 인간 전골수성 백혈병세포인 HL-60의 세포사멸을 선택적으로 유도하였다.

구성 성분 중 하나인 폴리사카라이드-K는 일본에서 많은 연구가 이루어졌는데, 위암과 대장암에서 항암보조제로 사용할 경우 환자의 생존율을 향상시켰다는 보고가 있다(나카자토 등, 1994, 오와다 등, 2004). 다른 다당체인 폴리사카라이드-P는 항암약물치료와 같이 이루어진 임상 연구에서 진행성 비소세포암 환자의 생존율 향상에 도움이 되는 것으로 나타났다(탕 등, 2003). 또 다른 임상 연구에서도 운지버섯(50mg/kg)과 단삼(20mg/kg) 캡슐을 매일 4개월 동안 연속 복용 후 2개월간 약물 씻김 기간을 둔 다음 대조군과 비교했을 때 시험군에서 면역기능 향상에 유의한 결과를 보였다(웅 등, 2004).

● 유화승 교수가 제안하는 암 환자의 운지버섯 복용시 주의사항

버섯류 중에서 항암효과 및 항암보조효과에 대해 가장 많은 임상연구가 이루어졌다. 권장 정도도 높은 수준이다. 이는 일본의 한 제약회사에서 약물로 개발하면서 연구에 많은 투자를 했기 때문이다. 운지버섯의 부작용은 드물다. 그러나 혈변이 아닌 어두운 색깔의 대변, 손톱의 변색, 항암화학요법과 병용시 낮은 수준의 간과 위장관 독성이 보고된 바 있다. 이것이 항암제 자체로 유발되었는지 운지버섯의 부작용인지는 확실치 않다.

▶갈근

갈근은 항증식, 항염증 및 신경보호효과를 가진다. 갈근에 존재하는 이소플라본인 테토리제닌은 HL-60세포에 대한 항증식 효과를 나타냈다. 소규모의 몇몇 연구들은 갈근이 과음하는 사람에게 알코올 섭취를 줄여주는 효과가 있음을 보여주었다. 또한 갈근의 3상 임상연구 결과, 폐경기 전후 여성의 안면홍조와 야간발한 증상과 폐경기 후 여성에서의 인지 기능을 개선시킬 수도 있었다(찬더잉 등, 2007).

● 유화승 교수가 제안하는 암 환자의 갈근 복용시 주의사항

갈근은 '칡' 또는 '칡뿌리'라고 알려져 있는 한약제다. 숙취 해소의 성약으로 알려져 있으며 또 여성 갱년기 장애 및 상열감에 대해 개선효과가 있는 것으로 밝혀졌다. 하지만 이는 에스트로겐 유사효과를 나타내므로 호르몬에 민감한 암 환자와 타목시펜을 복용 중인 암 환자에게는 투약에 신중하여야 한다. 당뇨병 약물과도 상승작용이 있을 수 있으니 저혈당증에도 주의하여야 한다. 쥐 실험 결과 갈근과 메토트렉세이트를 함께 투여할 경우 그 대사를 방해하여 상대적으로 메토트렉세이트의 농도를 높이게 하는 효과가 나타났다.

▶강황

강황에 대한 연구들은 강황이 약한 식물성 에스트로겐으로 작용하고, 신경보호작용, 담즙분비 촉진작용, 항염증작용, 면역조절작용, 항증식작용, 종양예방효과 등이 있다는 사실을 제시한다. 강황의 간 보호작용은 항 세포사멸유도 및 항 괴사기전뿐만 아니라 금속기질단백분해효소-13 유도와 종양괴사인자-알파 저해를 통해 일어날 수 있다. 그러나 강황은 정상적인 간 재생기간 동안 세포주기를 저해하기도 한다. 체외 및 동물 실험은 강황의 항증식 및 Stat3와 같은 조절적 기전, 세포 금속기질단백 분해효소 및 혈관 내피 성장 인자 저해, 캐스패이즈와 미토콘드리아 의존적 세포사멸 그리고 사이클린 의존적 키나아제를 억제하는 기전을 밝혔다.

강황은 이소플라본과 병용 시 상승효과를 나타내며 전립선암에서 항 안드로겐효과를 통해 전립선특이항원 생산을 억제한다. 또한 자궁평활근종 세포에서 AKT-mTOR 저해를 통한 세포사멸을 유발한다. 췌장암 세포에서는 NF-kB와 사이클로옥시제네이즈-2를 하향조절함이 관찰되었다.

강황의 또 다른 가능한 종양 예방적 기전은 비타민D 수용체의 결합과 활성화를 통해 이루어진다. 강황은 비타민D 수용체가 발현되는 소장과 대장 조직의 보호에 의하여 몇몇 항종양 기능을 가지고 있다고 알려져 있다. 강황은 대장암에서 p21 의존적인 세포사멸을 유발하고, Bax 및 Bcl-2의 p53 상향조절이 대장암 환자의 조직에서 관찰되었다. 강황은 JNK 경로를 저해하여 항암으로 유발된 세포사멸과 활성산소류를 차단할 수도 있으며, B형 간염 바이러스 증식억제 등을 통한 간암예방 및 치료에도 종종 활용된다.

결장직장암 환자에게 있어서 커쿠민을 수술 전 경구 투여하는 것은 악액질 및 환자의 제반건강상태를 개선시켰다(허 등, 2011). 2상 임상시험에서 진행성 췌장암 환자에 대한 커쿠민 경구투여 치료관련 독성은 발견되지 않았고 오히려 흡수의 한계에도 불구하고 임상적인 생물학적 활성이 나타났다(딜론 등, 2008). 1상 임상시험에서 커쿠민과 도세탁셀을 병용하는 것은 안전한 것으로 판명되었다(바옛-로버트 등, 2010). 젬시타빈 내성이 발생한 진행성 췌장암 환자에 대한 임상시험에서 안전성이 확인되었으나 병용효과를 위해서는 더 높은 용량이 요구되어진다고 제안하고 있다(에펠바움 등, 2010).

● 유화승 교수가 제안하는 암 환자의 강황 복용시 주의사항

강황은 특히 이곳 엠디앤더슨 암센터의 교수인 바렛 아가왈 박사에 의해 많은 연구가 이루어 졌다. 일부 실험연구에서 강황은 독소루비신과 사이클로포스파마이드로 유발되는 세포사멸을 방해할 수 있다고 보고하였다. 또한 P-글라이코프로테인 상관 약물, 시토크롬 P450 상관 약물과도 상호작용을 할 수 있다. 예를 들어 CYP3A4, CYP1A2, CYP2A6 효소를 억제하여 다른 처방약물의 대사에 영향을 미칠 수 있다. 또 P-글라이코프로테인을 억제하여 미다졸람, 베라파밀 등의 농도를 높일 수도 있다.

담관 폐쇄, 담석증, 신장결석, 위궤양 및 위산과다분비를 포함한 위장관 장애를 가진 환자는 주의해서 사용해야 하며 드물지만 알러지성 피부염과 발진이 보고된 바 있다.

▶황련

황련의 효능은 황련 중의 베르베린산과 베르베린 유사화합물로 인해 나타나게 된다. 실험적으로 베르베린은 간세포 암의 성장을 억제하고, 간을 보호하는 효과를 가지고 있으며, 형태적 변형 및 뉴클레오좀 내의 DNA 분열을 통해서 인간 hep-62 간세포 암의 세포성장을 억제한다. 황련은 토포이소머라제I을 저해하고 사이클린B1 단백질을 억제하는 것으로 판단되며, 암세포 G2 사멸을 유도한다. 또한 강력한 중화작용을 가지고 있으며, 세포사멸을 유발하고, 유방암세포에 있는 인터페론 베타와 종양괴사인자 알파 유전자를 상향 조절하여 암세포 성장을 억제한다.

● 유화승 교수가 제안하는 암 환자의 황련 복용시 주의사항

황련은 한의학에서 임상적으로 간암, 폐암 등의 직접적 치료 목적 및 황련해독탕의 형태로 구내염 등 종양수반증후군의 증상완화 목적으로 활용된다.

하지만 황련과 같은 베르베린 함유 물질은 심장질환 환자에서 심전도 간격(QTc)을 연장시킬 수 있다. 또 빌리루빈을 생성시키므로 신생아 황달에는 사용을 금지하고, 제반 황달증상에도 주의 깊게 사용해야 한다.
황련은 CYP2D6을 저해하며, 베르베린을 지속적으로 사용할 경우 CYP2D6, 2C9, CYP3A4의 체내 활성을 감소시킨다. 하지만 일부 연구에서는 프레그난 X 수용체(외부 독소를 감지하는 기능을 가진 핵 수용체)의 활성을 통해 CYP3A4를 유도할 수 있다고도 보고하였다. 아무튼 항암제와의 병용 시 그 약리대사에 영향을 미치는지에 대해서는 좀 더 연구가 필요하다.

▶황금

세포와 동물실험 데이터들은 황금의 구성성분들이 다양한 암세포주에 대해 세포사멸 효과를 가진다고 제시하고 있다. 세포실험상 황금의 플라보노이드 성분인 바이칼레인, 바이칼린, 오고닌 등은 간암세포주에 대한 세포사멸을 유도하였고, 바이칼린은 백혈병 유도 T세포인 저켓 세포에 대한 세포사멸을 유도하였다. 또한 황금은 또 신경보호, 항염, 독소루비신 유발 심장독성 방어 작용도 가진다.

● 유화승 교수가 제안하는 암 환자의 황금 복용시 주의사항

한의학에서 황금은 간열, 폐열을 내리는 대표적인 약물로 한약처방에 소량씩 사용된다. 일반적으로 다량을 사용하지 않는다는 것은 독성을 지닌다는 뜻이다. 황금에 대해서는 간독성과 간질성 폐렴 등의 부작용이 보고되어 있다. 암 환자는 아니지만 관절염 환자가 황금을 복용하여 약인성 간 손상이 발생한 사례가 있다. 또 항응고제나 콜레스테롤 저하제와 병용 시 이들 약물과의 상승효과가 발생할 수 있다. 황금의 플라보노이드 성분 중 오고닌은 CYP1A2와 CYP2C19의 발현을 저해하여 이들 효소에 의해 대사되는 약물의 세포내 농도에 영향을 미칠 수 있다.

▶ 대황

대황의 완화 및 지사작용을 하게 하는 성분은 안트라퀴논과 탄닌이다. 대황 추출물은 방사선치료를 받은 폐암환자의 방사선치료 독성을 경감하고 폐 기능을 증진시켰다(위 등, 2008). 대황에 함유된 탄닌 성분이 매우 적은 양이 쓰일 경우에는 변비를 유발시키는 효과가 있으며, 증량했을 시에는 에모딘과 세니딘의 가수분해 산물이 위장관을 자극하고 통변작용을 유발한다. 세포실험에서 종양괴사인자, 인터류킨-1과 인터류킨-6 생산을 억제하였으며, 동물실험 상 혈압강하 및 콜레스테롤 저하를 보였으나 그 작용기전은 알려져 있지 않다.

에모딘의 항염증작용은 담즙울체성 간염이 유발된 쥐에 있어서 간 보호효과를 나타낸다. 또한 알로에의 에모딘은 암세포의 증식 억제를 유도한다. 안트라퀴논 추출물은 종양세포주기에 영향을 미쳐 세포독성을 유발하고, 동물 실험에서 종양의 성장을 억제하였으나 아직 인체모델에 대한 연구는 이루어지지 않았다. 린데인, 페놀릭, 갈릴글루코사이드는 동물모델에서 진통 및 항염증 효과를 나타내며, 카테신, 에피카테신, 프로시아니딘, 갈릴글루코스는 히알루론산 분해효소를 저해한다.

● 유화승 교수가 제안하는 암 환자의 대황 복용시 주의사항

임상적으로 간암, 담낭암, 대장암 등의 치료 목적으로 활용되고 또 황달증상을 완화시킬 목적으로도 활용된다. 필요시 직장을 통해 흡수시킬 수도 있다. 대황은 에스트로겐 기능이 보고되었기 때문에 호르몬에 민감한 암 환자는 사용에 신중하여야 한다. 설사를 유발하므로 심장질환 약물인 디곡신을 사용할 경우에는 저칼륨혈증을 주의하여야 하며, 시토크롬 P450 유발 약물을 사용할 경우 대황은 CYP3A4, CYP2D6의 발현을 저해하고 이 효소들에 의해 대사되는 약물의 세포내 축적에 영향을 미칠 수 있다.

▶반지련

이뇨제로서 세균성 감염, 간염, 암 질환에서 치료를 목적으로 처방된다. 세포실험에서 반지련은 캐스페이즈 의존적 세포자살유도를 일으키고, 종양에서 발현된 Bcl-2 단백질을 하향 조절하여 항암효과를 내는 것으로 알려져 있다. 또한 쥐의 암세포주에서 대식세포 기능을 활성화시켜 종양 성장을 억제한다. 또한 반지련은 세포실험에서 항균, 항 돌연변이, 항암효과를 나타냈다. 방향성 물질에서 항암작용이 있는 것으로 추정된다. 소규모로 진행된 임상연구에서 유방암 환자에게 있어서 안전하고 이익을 줄 수 있는 것으로 밝혀졌다(루고 등, 2006, 페레즈 등, 2010).

● 유화승 교수가 제안하는 암 환자의 반지련 복용시 주의사항

임상적으로는 직접적 암 치료를 목적으로 유방암, 간암, 대장암 등에 종종 활용된다. 특히 중국의 항암치료 한약물 중 활용빈도가 매우 높은 약물이다. 유방암 환자에 대한 1상 임상시험 결과 특별한 이상반응은 보고되지 않았고 아직까지는 한약–양약 상호작용에 대해서도 보고된 바 없다. 하지만 모든 약은 독이 될 수 있으므로 사용에 신중을 기해야만 한다.

▶포공영

포공영의 항종양 기전은 렌티난과 같은 다당체와 유사할 것으로 추정된다. 포공영은 종양괴사인자-알파와 인터류킨-1-알파 생산을 증가시켜 인간 간암세포의 증식을 막는다. 포공영 추출물인 루테오린과 루테오린 7-글루코사이드는 결장 선암세포주에 대해 세포독성 효과를 나타냈다. 또한 루페인 타입의 트리터펜인 루페올은 쥐의 흑색종세포(B16 2F2)의 멜라닌 합성을 방해하여 세포성장을 억제하는 것으로 나타났다. 특히 포공영의 타라시닉산은 전 골수성 백혈병 세포주(HL-60)의 분화를 유도한다.

● 유화승 교수가 제안하는 암 환자의 포공영 복용시 주의사항

임상적으로 폐암, 간암, 유방암에 대한 직접적인 치료 목적으로 활용되는 본초이나 아직까지 잘 설계된 암 환자에 대한 임상연구가 보고되지는 않았다. 담낭이나 담관 폐쇄가 있는 환자는 복용을 금한다. 심번, 위염, 소화 장애, 설사, 저혈당, 접촉성 피부염 등 부작용이 보고된 바 있다. 당뇨약이나 이뇨제와 같이 사용할 경우 추가적인 상승효과가 있을 수 있으므로 주의한다.

▶소시호탕

소시호탕은 최근 뉴욕의 메모리얼 슬론 케터링 암센터에서 C형 간염의 치료에 대한 임상시험이 진행되어 유명해진 한약이다. 이는 발열, 말라리아, 위장관 장애 및 만성 간질환의 치료효과가 있다고 알려졌다. 세포실험상 소시호탕 및 그 구성물질들은 간세포암과 난소암에 대한 세포사멸을 통한 증식억제효과가 나타났다. 또 동물실험에서는 골수기능개선, 간 보호, 면역세포 활성 등의 효과를 보였다. 2상 임상시험 결과 소시호탕은 인터페론에 반응하지 않는 C형 간염의 간암으로의 전변을 개선시킬 수도 있는 것으로 나타났다(등 등, 2011).

● 유화승 교수가 제안하는 암 환자의 소시호탕 복용시 주의사항

암 환자의 간 기능 개선, 암성 발열 등에 있어서 종종 활용되는 한약이다. 최근에는 C형 간염의 치료 목적으로도 활용된다. 일반적으로는 안전하다고 알려져 있으나 간질성 폐렴, 간 손상, 간염 등을 유발할 수도 있다. 특히 인터페론과 함께 병용할 경우 그 가능성은 높아진다. 소시호탕은 CYP2B, CYP3A1 및 CYP4A1의 발현을 상승시켜 이와 관련한 약물의 혈중농도를 변화시킬 수 있다. 또 최근 새로 각광받고 있는 항암제인 톨부타마이드와 병용할 경우 그 활성을 감소시킬 수 있다는 보고도 있다.

▶십전대보탕

십전대보탕은 열 가지 한약재로 구성된 널리 알려진 한약처방이다. 동물실험을 통해 전이억제 및 항암효능 등이 있는 것으로 밝혀졌는데, 이는 주로 자연 살해세포와 대식세포의 중재에 의해 이루어지는 것이다. 또한 십전대보탕은 방사선 치료 부작용 감소 및 항암제로 인한 골수억제 방어효능도 가지고 있다. 한 연구 결과 진행성 폐암환자에게 십전대보탕을 1년간 투여한 결과 생존기간을 늘였다는 보고가 있다(사토 등, 2002). 이는 또한 항암치료 중인 유방암 환자의 골수기능저하를 감소시켰고(황 등, 2012), 몇몇 연구에서는 빈혈증상을 개선시켰다(소 등, 2004, 나카모토 등, 2008).

● 유화승 교수가 제안하는 암 환자의 십전대보탕 복용시 주의사항

십전대보탕은 한약의 대명사가 될 만큼 유명한 탕약이다. 방사선 치료에 대한 보호효과가 보고되어 방사선 치료를 받는 환자들의 경우 치료기간 중 종종 복용하곤 한다. 하지만 구성 성분 중 당귀와 인삼은 유방암 세포의 성장을 촉진시킬 수 있다는 연구결과가 있으므로 유방암 환자는 신중히 사용해야 한다.

또 구성약물 중 황기는 면역증진제이기 때문에 전술한 바와 같이 면역억제제를 복용하는 경우 함께 사용하는 것이 바람직하지 않고, 당귀는 에스트로겐 활성을 높이기 때문에 타목시펜을 복용 중인 유방암 환자에게 있어서는 주의해야 한다. 이러한 위험에도 불구하고 국내에서는 이러한 한약 처방들을 너무도 쉽게 시중에서 구입할 수 있고 환자들의 판단에 의해 스스로 복용을 결정하게 되는데 이는 반드시 전문의의 진단 및 처방을 거쳐 투약이 결정되어야만 한다.

● 한약-항암제 상호작용

항암제	상호작용
타목시펜	- 갈근: 타목시펜 효과에 길항 - 십전대보탕: 당귀는 에스트로겐 활성을 가지고 있으며, 타목시펜의 효과에 길항 - 흑두, 백편두: 타목시펜에 길항 - 성요한풀: 타목시펜의 농도가 감소되어 효과가 감소 - 승마: 추가적인 항종양 성장억제 효과를 가지고 있을 수 있음 - 제니스테인(콩의 성분 중 하나): 에스트로겐 의존성 유방암에 대한 타목시펜의 효과에 대해 길항할 수 있음 - 갈근: 타목시펜의 효과에 길항할 수 있음
사이클로포스파마이드	- 성요한풀: 효과를 감소시킬 수 있음 - 황기: 면역억제 완화 - 강황: 사이클로포스파마이드 유도 종양 퇴축 저해
독소루비신	- 승마: 항암제 독성 증가 - 강황: 독소루비신-유도 아폽토시스 저해
이마티닙	- 성요한풀: 청소율 증가
도세탁셀	- 승마: 도세탁셀의 독성을 증가시킬 수 있음
메클로레타민	- 강황: 세포실험에서 유방암 세포주의 메클로레타민-유도 아폽토시스를 저해함
빈크리스틴	- 브로멜라인(파인애플 줄기의 성분): 빈크리스틴과 같은 화학요법제제의 효과에 영향을 줄 수 있음
알데스류킨	- 황기: 동시에 투여하게 되면 보다 적은 부작용으로 암세포 살해의 10배 상승효과를 가져 옴
이리노테칸	- 성요한풀: 성요한풀에 의한 간대사의 변화로 인해 이리노테칸 대사산물 SN-38의 농도가 성요한풀 중단 이후 3주까지 40% 정도 감소될 수 있음
캠토테신	- 강황: 세포실험에서 유방암 세포주의 캠토테신-유도 아폽토시스를 저해함
5-FU	- 브로멜라인: 5-FU 같은 화학요법제제의 효과에 영향을 줄 수 있음

〈출처 : 대한한방내과학회지 24(2), 2008〉

미국으로 간 허준

그리고 그 후

7장

미국으로 간 허준 그리고 그 후

세계 전역에서 개최되는 국제학술대회를 통해 통합암치료의 유용성과 과학성을 외치는 것이 결국에는 환자를 중심으로 하는 의료환경을 만드는데 도움이 될 것임을 알기에 앞으로도 필자의 세계를 향한 횡보는 지속될 것이며 또 그 뜨거운 심장을 이어받는 누군가에 의해 더욱 발전할 것으로 굳게 믿는다.

다시 일상으로

2013년 3월 4일 다시 대전대학교 둔산한방병원 동서암센터에서의 진료가 시작되었다. 1년 만에 암환자를 진료한다는 사실은 스스로를 설레게 함에 충분하였다. 이전과 달라진 점은 현재 시행하는 침술, 전통한약처방, 대사활성(기공, 명상 등)과 같은 의료행위들이 비단 동양에서뿐만 아니라 미국의 유명 암센터에서도 수준 높은 근거를 창출해가면서 이루어지고 있는 값진 치료법들이라는 자신감이 더 생겼다는 것이다. 과거에는 스스로가 치료의 근거를 만들어나가야만 한다는 중압감이 있었지만, 이제는 중국과 미국을 중심으로 세계 전역에서 쏟아지는 훌륭한 논문들이 통합암치료를 뒷받침해준다는 사실에 든든하기만 하였다.

과에는 레지던트 1년차로 경희대 한약학과를 졸업하고 부산대 한의학전문대학원을 마친 박소정 선생과 일본 교토대 생명공학부를 졸업하고 부산대 한의학전문대학원을 마친 강휘중 선생이 들어와 있었다.

특히 강 선생은 저자가 미국에 있는 도중 이메일로 지원의사를 밝히고 또 과 교수를 만나기 위해 얼마 안 되는 인턴 휴가기간을 이용하여 일본에서 열린 국제 동양의학 학술대회에 참여할 정도로 열정적이었다. 이러한 재원들이 통합암치료의 기수가 되어 연구와 진료에 매진하는 것은 분명 이 학문의 미래에 도움이 될 수 있을 것이란 느낌이 들었다. 병원에서는 국내 최초 천연물신약 항암제인 SB주사(할미꽃뿌리, 인삼, 감초 추출물)가 식약처 MFDS의 제한적 시판승인 허용을 받아 임상활용이 시작되었다. 천연물 신약이라는 것이 한의사 것인지 양의사 것인지에 대해 당시로서는 좀 애매한 상황이기는 했지만 일단은 양한방 협진의 형태로 한방병원에서 한약 정맥주사제가 쓰인 것이다. 이미 중국에서는 캉라이터(의이인 추출 항암주사제), 화찬수(두꺼비독 추출 항암주사제), 란샹시(아출 추출 항암주사제) 등 다양한 천연물 항암주사가 활용되는 상황이었기에 이러한 치료법을 도입하는 것은 매우 고무적이고 반드시 가야만 할 방향이었다.

박사지도 학생이자 과 전공의였던 방선휘 원장은 군의관을 마치고 서울에 위치한 암전문한방병원 근무 경험을 살려 고향인 부산에 통합암치료 전문 방선휘 한의원을 개원하였다. 이는 2년 뒤 부산의료원으로 이전하여 부산한방병원을 만드는 모태가 되었다.

함께 연수했던 국립암센터의 김열 선생님, 고려대학교 구로병원 김지훈 선생님, 고신대학교 복음병원 신성훈 선생님은 특강 겸 우리 동서암센터를 방문하여 한의 암치료에 대한 제반 현실을 살펴보면서 미국에서의 인연을 이어나갔다.

『미국으로 간 허준』은 2013년 5월 출간이 되어 교보문고 건강서적 베스트셀러 2위까지 오르는 기염을 토해내었고 이로 인해 경희대, 부산대, 원광대, 상지대, 동의대, 동신대 등 전국 한의과대학으로부터 통합암치료에 대한 초청강연이 줄을 이었다. 또 강연을 통해 많은 학생들이 직접 동서암센터를 방문하여 통합암치료의 현장을 목격하고 또 난치병에 대한 도전의 꿈을 가슴속에 품고 돌아갔다.

엠디앤더슨에서 배운 교육의 힘 그리고 암센터 초청강연

엠디앤더슨 암센터 연수기간 중 가장 감명을 받은 것은 다름이 아닌 교육의 힘이었다. 저자가 연수한 통합의학부서에서는 비단 연구뿐만이 아니라 매년 2차례 전체 의료진을 대상으로 한 강의를 통해 현재 어떤 연구가 이루어지는지, 근거 수준은 어느 정도인지 그리고 어떤 환자를 의뢰하는 것이 가장 효율적인지에 대한 교육을 실시함으로써 전체 의료진들과의 공감대를 형성한다는 사실이었다. 국내의 여건상 이러한 통합암치료에 대한 교육은 거의 전무한 상황이었기에 서양의학을 전공한 의료진들에게 있어서 도대체 어떤 상황에서 어떤 환자를 보내야 하는지 또 어떤 치료이익을 줄 수 있는지에 대한 아이디어가 없는 것은 너무 당연하였다. 이를 극복하기 위해서는 교육이 이루어져야만 한다는 것을 너무도 뼈저리게 느꼈기에 기회만 되면 이를 한의과대학 및 한방병원뿐만이 아닌 의과대학 부속병원이나 암 전문병원에서도 진행할 생각을 하고 있던 상황이었다.

2013년 5월에는 10년 전 국립암센터 생명과학최고연구자과정에서 만나 인연을 이어온 서울성모병원 산부인과 이근호 교수님의 초청으로 모닝 렉쳐로 통합암치료의 현황에 대해 강의를 할 수 있는 기회가 있었다. 강의 초반에 의료진들에게 강사가 한의대 교수라고 조심스레 소개를 해주신 이 교수님은 강의가 끝난 후 "우리가 하는 것과 별반 차이가 없네요. 정말 많은 환자들이 항암제유발 말초신경병변이나 임파부종으로 고통을 받고 있는데 여기 도움이 될 수 있는 근거 있는 보완대체적 치료법들이 있다는 것이 신기합니다. 앞으로 환자의뢰나 공동연구를 함께할 수 있었으면 좋겠어요."라고 응원의 말씀을 해주셨다.

7월에는 대전 웰니스병원 김철준 원장님으로부터 강연 초청이 있었다. 김철준 원장님은 재활의학과 전문의로 특히 대전 웰니스병원 내에 통합암센터를 개설하여 우리 과에서 전문의를 획득한 김정선 선생을 채용하는 등 통합암치료에서 한방과 양방의 통합을 적극적으로 지지해 주시는 분이었다. 강의 후 김 원장님께서는 "이러한 방향으로 통합암치료가 갈 경우 보다 많은 환자들이 그 혜택을 볼 수 있을 것입니다."라며 무한한 지지를 표현해 주셨다.

10월에는 의사와 한의사 면허를 함께 가지고 있는 복수면허자들로 구성된 협회에서 연락이 와서 강의를 진행하였다. 이 모임의 중심이 되시는 경희대 의대 생리학교실의 복수면허자이신 민병일 교수님께서는 "바로 그렇게 접근을 해야만 의료계에서 인정을 받을 수 있다."고 격려의 말씀을 해주셨고, 또 아주대 외과 출신으로 다시 대전대 한의대를 졸업하여 현재 암전문 한의원을 운영하고 계시는 임채선 선생님은 "교수님의 이러한 노력들이 양한방의 벽을 허물고 환자를 중심으로 하는 근거중심의학을 실현하는 데 정말로 도움이 될 것입니다."라고 덕담을 해주셨다.

11월에는 서울의 한 암전문클리닉에서 의사와 한의사들을 대상으로 하는 강연을 주최해 주었다. 마침 KBS 1 특집 다큐멘터리 〈의학 제3의 물결〉 촬영이 진행 중인 상황이었기에 인터뷰와 강연이 동시에 이루어졌다. 여기 참여한 한 서울대의대 마취과 출신 선생님은 "이런 수준으로 침치료에 대해 접근하면 서울대병원에서 강연하셔도 되겠다."며 고무적인 말씀을 해주셨다.

2014년 2월에는 미국에서부터 인연을 이어온 부산 고신대 복음병원 신성훈 선생님의 초청으로 강연이 이루어졌다. 호흡기내과의 옥철호 교수님께서는 "근거들이 정말 많네요. 2시간을 해도 되시겠어요."라며 지지를 표명해주셨다. 또 신성훈 선생님과는 함께 공동연구 및 학회구성 등에 대해 논의를 하였고 추후 이루어지는 양한방 융합연구와 대한통합암학회 활동을 함께하는 등 통합암치료 관련한 인연을 이어나가

고신대 복음병원 암센터에서의 특강

고 있다.

4월에는 비록 요양병원이기는 하지만 한의사 장성환 원장님이 통합암센터 센터장을 맡고 계시는 주은라파스 병원에서 의료진을 대상으로 하는 특강이 이루어졌다. 특히 장원장님은 1년간 매주 토요일마다 필자의 진료실로 암환자 진료 참관을 오실 정도로 매우 적극적인 분이셨다. 병원 내에서 의료진들의 한의학에 대한 막연한 불신 때문에 무척 힘들어하시는 상황이라 특히나 필자의 강연을 강력히 추진하셨다. 강의 후 의료진들의 근거중심 통합암치료에 대한 태도가 바뀌었음은 물론이다.

7월에는 대한유방암학회 충청전라지부 집담회에서의 강연이 충남대병원에서 이루어졌다. 강연 후 한 교수님께서는 "한의대 교수님이 와서 강의를 하신다기에 동의보감 얘기부터 할 줄 알았는데 네이처 게제 논문부터 얘기를 해서 무척 놀랐다. 훌륭한 강연이다. 한의학이 꼭 이런 과학적인 방법으로 발전하기를 바란다."는 격려의 말씀을 해주셨다.

2015년 12월에는 유성선병원 암센터에서의 특강이 부인암센터 최석철 소장님의 초청으로 이루어지게 되었다. 최석철 소장님은 2004년 골반벽까지 전이된 암 환자의 수술에 최초로 시도된 리어LEER 수술법을 배우기 위해 세계에서 유일한 수술법을 가진 독일의 헤켈 교수를 찾아 연수를 떠나셨다. 당시 국내에서는 골반벽까지 암세포가 전이되면 수술이 불가능하다고 생각했다. 헤켈 교수의 수술 장면을 보기 위해 카메라를 막대기에 달아 14시간의 수술과정을 촬영하는 열의를 보이셨고, 또 10시간이 넘는 수술을 마다하지 않으며 주중에는 항상 병원에서 환자를 살피면서 숙식을 하시는 등 진정한 의료인의 참 모습을 보여주시는 필자가 가장 존경하는 의료인의 한 분이시기도 하다. 특히 소장님이 수술하신 암환자들의 증상개선을 위해 적극적으로 환자를 보내주시는 소장님께 누가 되지 않기 위해 열심히 통합암치료에 대한 강의를 하였고 다행스레 반응은 매우 긍정적이었다. 서울아산병원 출신의 혈액종양내과 김이랑 선생님께서는 강의 후 회식자리에서 "한의사 중 이렇게 과학적으로 접근하시는 분은 처음 뵌 것 같다. 같은 지역권에서 이런 의료기관이 있는 줄은 생각도 못 했다."고 하셨다.

이처럼 필자가 엠디앤더슨 암센터에서 느꼈던 대로 교육의 힘은 대단하였다. 의사들은 막연한 한의학에 대한 불신이 있었고 근거중심 통합암치료에 대한 강의를 통한 교육은 그들의 태도를 바꿀 수 있음을 다시금 확신할 수 있었던 것이었다.

KBS 1과 함께한 세 편의 통합암치료 특집방송

2013년 11월 15일 KBS 1의 최진삼 PD님으로부터 한 통의 전화가 왔다. 본인이 통합의학 다큐멘터리 준비를 하고 있다고 소개를 하면서 이에 대한 도움을 줄 수 있는지를 물어보기 위함이었다. 이미 이 분야에 대한 적극적 소개를 마음속으로 생각하고 있던 터라 마다할 이유가 없었다. 해외 학자들에 대한 인터뷰 등을 주선해 달라고 하여 통합암학회SIO 현 회장을 맡고 있는 뉴욕 콜롬비아 의대의 헤더 그린리 교수, 하버드 다나파버 암센터의 통합암학회SIO 초대회장을 역임한 데이비드 로젠탈 교수 그리고 하버드 의대와 시드니 의대에서 통합암치료 연구 및 진료를 담당하고 계시는 오병상 교수님을 소개시켜 주어 12월말 이들에 대한 인터뷰를 성공적으로 할 수 있도록 해주었다. 또 필자의 과거 중국 연수기관이자 중국의 대표적인 암센터인 북경 중의연구원 광안문병원과 상해 복단대 종양병원을 촬영할 수 있도록 도와주었고, 방송에 사용할 수 있도록 하버드의대에서 진행된 '항암치료로 인한 호중구 감소에 대한 침술의 효능' 및 메모리얼슬로언 캐터링 암센터에서 발표한 '보완대체의학 - 막연한 믿음 또는 진실'(네이처에 게재)이라는 논문들을 제공해주었다. 이는 2014년 1월 25일 "의학 제 3의 물결'이라는 제목으로 방영이 되어 시청자들의 통합암치료에 대한 뜨거운 호응을 이끌어냈다. 필자는 인터뷰를 통해 "한국은 전통의학의 원천기술이 이웃인 중국이나 일본보다 더 잘 보존돼 있고 또 IT, BT 산업에 있어서도 최첨단 기술을 보유하고 있는 강대국이다. 현대의 화두인 융합을 기반으로 의료분야에 있어서도 통합의학이 뿌리를 내릴 수만 있다면 세계적으로 경쟁력 있는 의료모델을 제시할 수 있다고 생각한다."는 평소의 생각을 역설하였다.

2014년 1월 초에는 KBS 1 시사기획 창의 김명섭 기자님으로부터 연락이 왔다. 역시 통합의학을 중심으로 방송을 기획중인데 이를 도와줄 수 있겠냐는 내용이었다. 당연히 적극적으로 도와드린다고 답변을 드리고 엠디앤더슨 암센터에 있을 때 인연을 맺은 김의신 박사님과의 인터뷰 등을 주선해드렸다. 또 필자의 인터뷰에서 "대형의료기관 내에 한의학을 전담할 수 있는 기구, 연구센터, 외래진료실 등이 설치되어 있지 않아 충분한 임상 및 연구가 이루어지지 못했다. 국가가 주도하는 대형병원에서 한방과를 설치하고 협진을 시행해야 한다고 생각한다."는 의견을 제시하였다. 이 방송은 2014년 4월 1일 〈시사기획 창 - 우리의학 미래를 꿈꾸다〉라는 제목으로 방영이 되었고, 특히 국가에서의 통합의학을 육성해야 한다는 공감대 형성으로 이어져 이후 국가과제 예산 편성과 통합의학 활성화 정책에 영향을 미쳤다는 후문이 있었다.

2014년 11월 미국 휴스턴에서 열린 제 11회 국제 통합암학회에는 KBS 1의 최진삼 PD님이 와 계셨다. 별다른 연락이 없는 상태에서 만나 뵌 터라 무척이나 반가웠다. 또 다른 특집 다큐멘터리를 진행하신다고 하시며 예정에는 없었지만 인터뷰가 가능한지를 물어오셨기에 흔쾌히 승낙하였다. 필자는 통합의학에 대해 "통합의학의 개념이 들어옴으로써 지금까지 기존의학의 개념들은 병만 보고 사람을 보지 못한다는 단점을 가지고 있었는데, 진정으로 전인의학으로 거듭나면서 결국은 병과 사람을 같이 바라보는 개념으로 접근할 수 있고 환자에게 더 나은 치료의 효과 또는 치료의 혜택을 줄 수 있는 의료환경을 제공하게 되었다."는 생각을 밝혔다. 이 역시 2015년 2월 12일 〈미래의학보고서 - 행복한 투병〉이라는 제목으로 KBS 1에서 방영이 이루어졌다.

이러한 세 편의 KBS 1의 통합암치료 특집방송을 통해 분명 통합암치료에 대한 필요성과 당위성을 역설하고 또 의료인과 환자들의 인식을 전환하는 계기를 마련했을 것이라고 생각한다. 이러한 분위기 전환은 바로 이어진 대한통합암학회 탄생의 바탕이 되었다.

KBS 1 시사기획 창 우리의학 미래를 꿈꾸다

『종합암증치료』 그리고 『항암컬러푸드 색깔의 반란』을 출간하다

필자는 1999년 중국의 국가기관인 북경 중의연구원 부속 광안문병원 종양과 연수시절 주말마다 시단西單에 위치한 도서대하(대형서적)에 가서 중국어로 된 종양관련 서적들을 하루 종일 서서 읽다 들어오곤 하였다. 그때부터 꾸었던 꿈은 필자의 책이 중국의 서점에 진열이 되었으면 하는 것이었다. 또 분명 통합암치료 분야에 있어서는 한국은 기존의 현대의학이나 IT, BT의 우월성을 바탕으로 중국과의 비교 우월성을 가질 수 있다는 확신이 있었기에 필자가 경험한 통합암치료에 대한 서적인 〈미국으로 간 허준〉의 중문판을 출간하는 것에 대해 진지하게 고민을 하던 중이었다. 다행스럽게도 중국 대련 의대를 졸업하고 다시 대전대학교 보건전문대학원에서 박사과정 유학 중인 한 중국인 유학생이 중국어 번역을 도와주었다. 필자는 이에 대한 중국에서의 출간을 상의코자 막역한 친분을 가진 상해 복단대 종양병원 통합의학센터의 리우루밍 교수와 멍즈창 교수를 방문하였고, 그들은 상해의 출판

사들과의 미팅을 주선해 주었다. 하지만 당시 벌써 중국의 물가와 위엔화는 매우 높이 올라가 있는 상황이어서 이런 대중성이 떨어지는 의학 관련 서적을 출간을 해서 수지타산을 맞추기가 현실적으로 매우 어렵다는 답변이었다. 15년전 북경에서 꾸었던 꿈을 접을지 말지에 대한 결정의 순간이 다가왔다. 이미 번역을 완성시켜 놓은 상황에서 그래도 필자가 좋아하는 명언인 "기록되지 않은 것은 아무것도 아니다If it is not written, it did not happen."라는 말을 되새기며 국내에서의 출간 및 e-book 발행을 결정하였다. 비록 중국 내의 서점에 들어가기는 어려우나 이를 종양관련 의료인들에게 보여주는 것은 나름 의미가 있을 것이라는 판단 때문이었다. 또 시대가 종이책보다는 e-book이 보편화되고 있기에 국경의 물리적 한계를 뛰어넘기에는 e-book 출간이 의미가 있을 것이라고 생각하였다. 추천사는 상해 복단대학 종양병원 중의종양과 주임교수를 역임하신 리우루밍 교수님이 친히 써주셨다. 다행스레 도서출판 행복에너지에서 이 책의 출간을 담당을 해주기로 하여 2014년 9월 출간이 이루어졌다. 결국 필자와 깊은 인연을 지닌 북경 광안문병원 종양과와 상해 복단대학 종양과 그리고 상해 용화병원 종양과 등 관련 의료기관에 책이 배포되어 해당 의료인들에게 최신 통합암치료에 대한 소개와 한국의 국제적인 위상을 소개하게 된 것이다. 비록 중국에서 출판되지는 못했지만 이 또한 나비효과를 일으켜 필자가 한국의 대표로 미국 국립암연구소와 중국 광안문병원 종양과가 중심이 되어 구성한 국제 한의 암치료 컨소시엄International Consortium for Chinese Medicine and Cancer, ICCMC에 참석하여 구두발표 등을 하는 계기가 되었다.

〈항암컬러푸드 색깔의 반란〉은 정말로 우연한 기회에 집필이 이루어지게 되었다. 필자에게 보건학석사 지도를 받은 컬러힐링 전문가인

정인숙 박사님이 본인 박사 논문을 가지고 방문을 한 것이다. 정인숙 박사님의 석사논문인 "이압요법이 암환자의 불면증에 미치는 효능 : 무작위배정, 단일맹검, 위처치 대조 연구"는 필자가 지도를 맡아 임상연구 및 논문기술이 이루어졌고 또 이를 2008년 상해에서 개최된 통합암학회 분과학회에서 공동으로 구두발표까지 한 깊은 인연이 있었다. 원래는 필자가 연구년 전에 박사지도교수를 담당하려 했지만 1년간의 연구년 때문에 부득이 지도교수 변경을 하여 "메타분석을 활용한 경락마사지의 효과 연구"를 완성한 것이다. 당시 정 박사님은 컬러힐링에 대한 책의 출판을 계획하고 계셨는데 전반부는 완성을 해 놓으셨지만 후반 내용부분을 완성하지 못하여 이를 어떻게 할지를 고민하고 계셨다. 필자 또한 미국으로 간 허준 내용에 의식동원醫食同源 및 항암컬러 영양소의 근거중심적 접근 내용을 어떻게 할지에 대해 고민 중이었기에 둘의 고민은 만남과 동시에 해결되었다. 공동저자로 책 전반부는 정 박사님의 컬러힐링 저술 내용으로, 후반부는 필자의 항암컬러푸드 저술 내용으로 한 권으로 합쳐 책을 내기로 합의를 한 것이다. 많은 암환자들이 항암푸드에 대해 관심을 가지고 있음에도 불구하고 구체적으로 어떤 성분이 어떤 효과가 있고 또 어떤 임상연구까지 이루어졌는지에 대해서 소개하고픈 마음이 있었으므로 출간작업은 일사천리로 진행되어 2014년 12월에 발간이 되었다. 또 평소에 강렬한 원색을 가지고 그림작업을 하시는 중견화가이신 김성희 작가님과 그림을 사용하는 것을 협의하여 컬러힐링 전문서로서의 풍취를 한껏 더하였다. 책은 출간되자마자 바로 KBS 1의 2014년 12월 11일 〈다정다감 - 웰빙 시대, 컬러에 주목하라!〉와 2015년 2월 12일 〈무엇이든 물어보세요 - 암, 중풍, 비만을 잡는다! 호박의 재발견〉 등의 프로그램에 소개가 되었으며 암환자들이 보다 효율적이고 안전하게 항암컬러푸드에 접근할 수 있는 근거를 마련해 주었다.

세상의 중심에서 통합암치료를 외치다

2013년에는 제 10회 국제 통합암학회가 캐나다 벤쿠버에서 '통합종양학의 중개과학 : 병상으로부터 실험실과 최고의 의료행위로'라는 주제를 가지고 개최되었다. 마침 같은 병원에 근무하시는 유호룡 교수님이 포틀랜드의 오레건 의대 보완대체의학센터에서 연수를 하고 계신터라 과 레지던트인 전형준 선생, 최낙원 선생님과 함께 3명이 일행이 되어 포틀랜드를 방문하였다. 유호룡 교수님은 이전 우리 병원에 연수를 온 개리라는 미국인의 추천으로 여기 오시게 되셨다고 한다. 개리는 미국 한의사로 한국 사람보다 더 한국어를 잘하고 또 사상체질 관련 책을 영어로 써서 출간하는 등 활발한 학문적 활동을 하면서 누구보다도 열심히 포틀랜드에서 한의원을 운영하고 있었다.

개리는 "여기 사람들은 정말로 한의학을 좋아하는 것 같아요. 한국의 오행침과 사상처방을 가지고 많은 환자분들의 아픈 곳을 치료해 줄 수 있는 한국 한의학을 세계 속에 보급하는 게 제 꿈이에요."라며 크게 웃음을 지어보였다.

포틀랜드에서 벤쿠버까지는 비행기로 채 2시간도 걸리지 않았다. 벤쿠버 통합암치료에서는 필자가 전년도 엠디앤더슨 암센터의 통합의학부서 실험실에서 1년 동안 진행한 진세노사이드 강화 홍삼의 인간폐암세포에 대한 자가포식Autophagy 효능에 대한 구두발표가 있었다. 필자는 인삼을 쪄서 홍삼을 만들게 되면 항암 효능이 뛰어난 Rg3, Rh2, Compound K 등 마이너 진세노사이드 함량이 높아지게 되는데 여기 락트산 등의 효소를 섞어 추출을 할 경우 월등하게 그 함량이 높아지는 기술을 공동으로 개발하였고(특허 : 진세노사이드의 함량을 증가시키는 인삼의 가공방법 및 그 가공물, 등록번호 101362351(2014.02.06.)), 그 항암효능 및 기전에 대한 연구를 진행하였는데, 특히 폐암에 대한 치료효능이 뛰어남에 주목하여 연구테마를 선정한 터였다. 마침 최낙원 원장님의 기능의학회와 관련이 있는 존 클라인 박사가 계신 벤쿠버 아일랜드에 방문할 수 있어 더욱 의미가 있었다.

2014년도 제 11회 국제 통합암학회는 엠디앤더슨이 위치한 휴스턴에서 '맞춤적 통합종양학 – 최선의 결과를 위한 표적접근'이라는 주제로 개최되었다. 과 레지던트인 김종민 선생과 최낙원 원장님이 함께 팀이 되었다. 1년 8개월만에 다시 돌아온 휴스턴은 약간은 낯설었다. 이전 연수시절 같았으면 차가 공항 주차장에 주차되어 있어 집으로 돌아오던 곳이었는데 이제는 차와 집이 없는 상황이니 과거와는 느낌이 사뭇 달랐다. 함께 연수기간 중 동거동락을 했던 선생님들도 이미 대부분 귀국을 한 터였다. 다행히 엠디앤더슨에서 연수 중이신 동아대병원 감염내과 정동식 선생님께서 마중을 나와 주셔서 그나마 이전의 감회를 느낄 수 있었다. 정 선생님은 개인적으로 어려운 질병을 극복하시고 연구와 진료에 헌신하시는 진정한 의사로써 이전 필자의 연수기간 중 학생 방문단을 이끌고 휴스턴을 방문하셔서 만난 인연이었다. 며칠간 머무는 기간 중 저녁식사에도 초정해 주시고 또 뉴욕으로 가는 비행기를 타기 위한 호비공항까지 라이딩을 해주시는 등 우리 일행이 휴스턴에 머무는 동안 불편함이 없게끔 배려해주셨다.

통합암학회에서는 우리 과의 배겨레 선생의 "아로마타제 억제제(유방암 치료 호르몬제)가 유발하는 관절통에 대한 침치료의 효능: 체계적 고찰"에 대한 구두발표가 있었다. 배선생은 인턴을 마치고 지도교수인 필자의 소개로 호주 시드니 의과대학의 오병상 교수님께 1년간 연수를 하는 도중에 학회 참석을 위해 휴스턴으로 온 것이다. 과거 필자가 북경 광안문 병원에 머물렀던 연수기간이 머릿속에 떠올랐다. 배선생이 연수 기간 중 무한한 노력을 기울여 성과물을 낸 것에 대해 너무도 자랑스러웠고, 더욱이 국제학술대회에서 구두발표까지 선정되고 이를 멋지게 소화해내는 모습에 희열이 느껴졌다. 한국의 통합암치료의 미래가 배선생과 같은 젊은 한의 과학도들의 어깨에 달려있음은 너무도 당연한 것이었다.

휴스턴의 일정을 마무리한 우리 일행은 미국 국립보건원에서 열릴 "국제 한의 암치료 컨소시엄"에 참가하기 위해 미국 동부로 발길을 돌렸다. 우선 메모리얼 슬론캐터링 암센터의 개리 등과 그 부인인 마야가 있는 뉴욕에 도착하였다. 마야는 한국에 대한 애정이 너무도 각별하여 별도로 한국어 공부도 하고 또 당해 여름에 한 달간 친구와 한국에 놀러와 필자와 최낙원 원장님 집에서 홈스테이까지 할 정도였다. 아무튼 뉴욕에서 이들 부부가 마련해준 미육군사관학교인 웨스트포인

트 등에서의 즐거운 시간을 보내고 우리 일행은 그랜드 센트럴 역에서 기타를 타고 최종 목적지인 워싱턴 DC로 향했다. 13년 전 처음으로 미국에 마취과 출신으로 한의대에 다시 진학하셨던 채동훈 선생님과 함께 손창규 교수님 댁을 방문했던 기억이 새록새록 한 곳이었다. 본 세미나 전날 준비회의 장소에는 개리 등과 만나서 함께 찾아가서 중국 광안문 병원의 린홍선, 리지에, 호우웨이 등과, 미국 국립암연구소 보완대체의학사무국의 제프리 화이트, 리빈 지아 등과 함께 몇몇 사항에 대한 협의를 진행하였다. 회의 후 다시 시내로 나오는 지하철에서 필자는 개리 등에게 "지난 번 네이처에 낸 논문은 너무도 잘 읽어보았고 많은 도움이 되었다. 우리도 꼭 당신과 같이 높은 수준의 저널에 논문을 내고 싶은데 이를 도와달라."는 요청을 하였고, 그는 흔쾌하게 "논문은 설계가 매우 중요하다. 높은 수준의 저널에 싣기 위해서는 주제 선택부터 디자인까지 처음부터 함께 해야한다."고 하면서 요청을 수락하였다. 현재 이 연구는 한약의 자연살해세포Natural killer cell 활성효능을 중심으로 배겨레 선생이 진행하고 있는 중이다.

다음날에는 미국 국립보건원에서 본 회의가 진행이 되었다. 어떻게 전통한의학의 암치료 기술을 임상가이드라인을 만들어 근거중심적으로 접근할 수 있는 기반을 마련할 수 있는지가 이 회의의 핵심이었다. 필자는 패널토의에서 다음과 같이 소견을 밝혔다.

"저는 한국에서 온 유화승 교수입니다. 현재 대전대학교 둔산한방병원 동서암센터에 근무하면서 대한암한의학회의 총무이사를 맡고 있습니다. 저는 우리의 경험과 식견을 나눌 수 있는 이 회의에 참석한 것에 대해 기쁘게 생각하며 기꺼이 국제 한의 암치료 컨소시엄에 동참할 것입니다. 이러한 국제 컨소시엄을 출범하기 위해서 우리는 몇 가지 사항들을 고려해야만 합니다. 첫째, 우리는 표준화된 치료 프로토콜과 평가도구들을 공유해야만 합니다. 이러한 프로토콜을 만들기 위해서는 서로 다른 의견들을 조율하기 위한 전문가 패널 그룹이 만들어져야만 합니다. 또 이를 위한 일 년에 몇 번의 회의가 진행되어야만 합니다. 조율된 프로토콜은 미래 한의학의 암치료에 대한 연구 및 임상을 수행하는 데 있어서의 표준이 될 것입니다. 두 번째로, 진보하는 프로토콜을 위한 연례 정기 학회 또한 매우 중요합니다. 계속 업그레이드되는 최신 프로토콜은 관련된 임상의와 연구자들에게 많은 도움이 될 것입니다. 이러한 컨소시엄은 한의학의 암치료에 대한 임상 가이드라인을 설립하는 데 있어 더 많은 기회를 제공하게 될 것입니다. 세 번째로, 이 컨소시엄은 국가 종합 암 네트워크 가이드라인National Comprehensive Cancer Network guideline과도 같은 한의학의 암치료 임상 가이드라인 제정, 가이드라인 공표 등을 위한 정기 학술대회, 공식 웹사이트 구축, 가이드라인의 출간 등 업무를 수행해야만 합니다. 표준화된 규율을 가지고 한의학의 암 치료기술을 개발하는 것은 매우 의미있는 일입니다. 이미 한의학은 오랜 시간동안 암환자에게 사용되어 왔습니다. 최근 잘 설계된 임상연구들이 중국, 미국, 한국, 호주, 일본 등을 포함한 여러 국가에서 수행되고 있습니다. 또한 체계적 고찰은 메타분석 결과와 함께 그 효과와 안전성에 대해 근거를 제시하고 있습니다. 또한 첨단 과학기술을 통해 그 기전연구 및 표준화가 이루어지고 있습니다. 만일 현존해 있는 장벽들이 성공적으로 극복될 경우 한의학은 암치료의 종합의학Comprehensive Medicine의 한 분야로서 더 나은 결과를 창출할 것으로 믿습니다."

아침부터 시작된 회의는 저녁 어둑해질 즈음에 마무리가 되었고 국

2014년 미국립보건원에서 개최된 국제 한의암치료 컨소시엄

립보건원 캠퍼스를 떠나는 발걸음은 한편으로는 가볍고 다른 한편으로는 무거웠다. 우연인지는 모르겠지만 오랜 동반자들인 상해 용화병원의 쉬링과 복단대 종양병원의 리우루밍이 필자와 함께 발걸음을 떼고 있었다.

다음 해인 2015년 국제 한의 암치료 컨소시엄은 10월 중국 대련에서 개최되었다. 여기에는 WHO 서태평양지구 전통의학 사무총장과 한국한의학연구원장을 역임하신 현 단국대 특임부총장이신 최승훈 교수님과, BK21 플러스 한의과학센터 센터장을 맡고 계시는 경희대 한의대 예방의학교실의 고성규 교수님, 그리고 원광대 전주한방병원 통합암센터의 주종천 교수님이 필자와 함께 한국에서 초청되어 참가를 하셨다. 필자는 암 관리 침치료에 대한 국제협력연구에 대한 발표를 진행하였다. 호주 시드니 의대와 함께 진행한 아로마타제 억제제로 유발된 관절통에 대한 침치료의 체계적 고찰, 미국 조지타운 의대와 공동으로 진행한 갑상선암환자의 방사성요오드 치료 후 유발된 식욕부진에 대한 침 치료의 효능 무작위배정 이중맹검 임상시험, 그리고 캐나다 맥메스터 대학 쥬라빈스키 암센터와 함께 진행한 봉약침의 항암제유발 말초신경병증에 대한 효능 임상연구 등의 내용이었다. 고성규 교수님께서는 발표가 끝난 후 매우 적절한 내용이었고, 또 국제사회에서 한국의 위상을 높이는 데 일조를 했다고 좋은 평가를 해주셨다. 최승훈 교수님은 또한 WHO 재직시절 수행하셨던 경혈자리 표준화 국제협업 연구를 중심으로 이러한 국제 공동네트워크가 성공하기 위해 필요한 요소들을 위트있는 발표를 통해 대중의 호응을 얻어내셨다. 이와 같은 한국 연구자들의 적극적 참여는 중국 중심의 전통 한의학에 대한 국제 관계에서 우리의 목소리를 낼 수 있는 기틀을 마련할 수 있을 것으로 본다.

2015년 12회 국제 통합암학회는 11월 14일부터 17일까지 하버드 의대가 위치한 보스턴에서 개최되었다. 마침 14일부터 17일까지 4일간 미국 보스턴에서 '통합적 창조Integrative Innovation'라는 주제를 가지고 종양학 분야의 전 세계 통합의학 관련 의료인과 관계자들이 모여 성황리에 개최되었다. 여기에는 과 3년차인 박소정 선생(현 대전대 둔산한방병원 연구교수)과 원광대 한의대 사상체질과 박수정 겸임교수(현 상지대 한의대 교수)가 동반하였다. 특히 학회 최초로 근막연구회FRS, Fascia Research Society와 침연구회SAR, Society of Acpuncture Research의 연합으로 컨퍼런스가 진행되어 다양한 발표가 이루어졌다. 필자는 2013년 귀국 직후 진행했던 "갑상선 암환자에게서 방사성요오드 요법 후 나타나는 식욕부진에 대한 침의 효과: 무작위배정, 이중맹검, 단일기관 임상연구"에 대해 구두발표를 하였다. 2003년 2월 처음 미국에 왔을 때 방문한 하버드 의대에서 열리는 학회에 참여하는 것이 감회가 새로웠고 또 여러 의료인들 앞에서 발표까지 할 수 있게 된 지난 통합암치료를 향했던 시간들이 주마간산처럼 머릿속을 스쳐지나갔다. 마침 학회에는 한국 한의사 출신으로 뉴욕에서 한의원을 운영 중인 박지혁 원장과, 대전대 한의대를 졸업하고 하버드 공중보건대학원에 재학 중인 윤형준 선생이 함께하였다. 박지혁 원장에게는 2012년 한의통합종양학 교과서 작업을 함께 하면서 국제 통합암학회를 역설한 적이 있었고, 윤형준 선생이야 당연히 학교에서 강의와 실습을 통해 한의학의 세계화와 통합암치료를 소개한 터였다. 한 세대가 지나 새롭게 열정을 지니고 이 길을 걸어가고 있는 한의사 후배와 제자가 있다는 사실이 든든하기만 하였다.

필자는 국제 통합암학회와는 별도로 정기적으로 참가하는 국제학술대회가 있는데 다름 아닌 국제침구경락학술대회iSAMS이다. 대한약침학회가 중심이 되어 한의학의 국제화를 목적으로 설립한 학술대회로써 학술지인 침구경락학회지JAMS와 함께 양대 산맥이 되어 학회를 지탱하는 버팀목이다. 2014년에는 일본 도쿄 소와대학에서 '침상연구의 새로운 방향: 기초 및 임상연구'라는 주제로 열렸으며 필자는 과의 레지던트인 강휘중 선생과 참가를 하였다. 또 2015년에는 뉴질랜드 오타고 대학에서 '통합의학 : 통합과학의 실제와 연구'라는 주제로 열렸으며 과의 레지던트인 박지혜 선생과 함께 참가를 하였다. 특히 외국학회에 갈 때면 여건이 되는 한 가급적 제자들과 함께 하는 것은 당연히 그들의 견문을 넓혀주고 가슴속에 광활한 세계화의 꿈을 불어넣어주고 싶기 때문이다. 필자는 자율신경 면역약침(화타협척혈(척추 양방에 위치한 경혈)에 산양산삼 약침을 주입하여 자율신경을 조절하는 치료법)을 사용한 암성통증 및 암성 피로 개선효능에 대해 각각 구두발표를 하였다. 실제 임상에서 광범위하게 사용되고 있는 약침술에 대한 암환자의 증상관리에 대해 보다 널리 알리고픈 마음에서 그동안 진행한 실험적, 임상적 근거들을 바탕으로 발표를 한 것이다.

이처럼 세계 전역에서 개최되는 국제학술대회를 통해 통합암치료의 유용성과 과학성을 외치는 것이 결국에는 환자를 중심으로 하는 의료환경을 만드는데 도움이 될 것임을 알기에 앞으로도 필자의 세계를 향한 횡보는 지속될 것이며 또 그 뜨거운 심장을 이어받는 누군가에 의해 더욱 발전할 것으로 굳게 믿는다. 세상의 중심에서 환자사랑의 통합암치료를 외치며…….

2015 iSAMS 발표 후 뉴질랜드 오타고 대학 앞에서

대한통합암학회(KSIO)를 만들다

2015년 1월초 필자와 깊은 인연을 가지고 계신 복수면허자이신 최낙원 원장님으로부터 연락이 왔다. 앞서 언급했듯이 최낙원 원장님은 신경외과전문의로써 다시 대전대 한의대에 편입을 하셔서 환갑에 한의사 국가고시를 합격하신 굴지의 인물이시다. 2008년 상해에서 열린 통합암학회 분과학회에 참가하신 이후 쭉 필자와 미국 통합암학회에 함께 참가를 하시면서 국내에서도 이러한 학회를 만들어야만 하겠다는 신념을 가지고 계셨다. 2013년부터는 대한기능의학회를 설립하여 회장을 역임하시던 중이었고 이제는 대한기능의학회를 다음 회장단에 물려주고 대한통합암학회를 설립하시고 싶다는 의사를 피력하셨다. 이미 필자와는 수차례 해외에서 함께한 시간 동안 나누었던 얘기였기에 별다른 것은 없었지만 문제는 시기였다. 당시에는 한의사의 현대의료기기 사용 이슈가 뜨거운 감자로 떠오르는 때였기에 의사협회에서는 한의사와 어떤 일을 함께 한다고 한다면 바로 표적이 되어버리는 상황이었던 것이다. 이러한 우려를 표하는 필자에게 최 원장님은 "언제 시작해도 역경은 있습니다. 어차피 할 것이라면 바로 지금 시작합시다!"라고 제안하셨고, 필자 또한 원래부터 꿈꾸고 있던 일인 터라 수용하고 바로 6월 학술대회개최를 목표로 학회설립을 추진하였다.

하지만 아니나 다를까, 학회 임원진을 구성하고 홈페이지를 만들고 학술대회 일정을 확정하여 공고를 하면서 문제가 발생했다. 모 의사단체 등에서 성명서를 내고 한의사와 함께하는 학회를 즉각 중단하라고 요청하고 만일 받아들여지지 않을 시 관련 의사 임원진들을 협회 윤리위원회에 고발하는 등의 강제조치를 취하겠다는 것이었다. 물론 학문적 기반을 바탕으로 한 학회에 이런 정치적인 외압이 들어오는 것은 상식적으로 이해가 가지 않았지만 당시가 의사와 한의사 사이에 현대의료기기를 둘러싼 갈등이 극도로 고조되고 있는 상황인 터라 이 보 전진을 위한 일 보 후퇴 전략을 쓸 수밖에 없었다. 일단 발표하기로 한 한의사 강사와 좌장을 모두 학회 내용에서 빼는 것으로 운영위원회에서 결정을 하였다. 억울한 면이 없지 않았지만 신생학회가 출발도 하기 전에 넘어지면 다음을 기약하기 어려운 터였기에 힘든 결정을 할 수밖에 없었다.

엎친 데 덮친 격으로 2015년 6월 7일 학회가 예정되었는데 2015년 5월 말부터 메르스(중동 호흡기 증후군)가 전국을 강타한 것이다. 모든 모임과 학회가 줄줄이 취소되는 상황에서 대한통합암학회가 극적으로 개최되었다. 물론 안내 데스크에서 일회용 마스크와 손세정제를 공급하는 등 만전을 기하려고 최선의 노력을 하였다. 해외초청연자로는 필자의 절친인 미국 메모리얼슬로안캐터링 암센터 통합의학센터장인 개리 등이 불원천리 방문하여 멋진 강연으로 우리를 응원해 주었다. 다행스레 학회는 250여 명이 참가하여 성황리에 마무리 되었고 우려했던 충돌 등의 불상사도 일어나지 않았다. 또 발표내용에 대해서도 철저히 근거중심적 접근이 이루어졌기에 반대했던 측의 후담을 들어보니 나름 긍정적이었다는 평가가 있었다고 했다.

2차 학술대회는 급을 높여 국제학술대회로 진행하기로 했다. "한, 중, 일 통합암치료의 새 지평"이라는 주제를 가지고 무려 7명의 해외연자들이 섭외가 되어 학회가 진행되었다.

첫 번째 연자로는 북경 광안문병원 종양과의 린홍셩 교수가 '중의학의 표준화된 암치료'를 주제로 발표를 하였다. 그녀는 현재 국가 중의연구원의 원사급으로 '중의 암치료 진료지침 개발' 사업을 8년째 이끌어오면서 표준화 작업을 진행하는 중국을 대표하는 암 전문가로 필자의 광안문병원 연수 때부터 17년간의 깊은 인연을 이어오고 있었다.

다음은 오사카대학교 통합암센터의 이토 토시노리 교수의 '보완대체요법을 활용한 암환자에 대한 통합적 접근' 발표가 있었다. 그 역시 통합암학회에서 만나 10년 이상의 인연을 이어오는 일본을 대표하는 통합종양학자였다.

다음으로는 북경광안문병원 종양과의 리지에 교수가 '한약의 종양 및 미세환경 조절에 대한 효과 및 분자생물학적 기전'에 대한 발표를 하였다. 그는 중의사 출신으로 미국국립암센터 프레드허치슨 암연구소에서 3년 동안 연수를 했었고 미국과 중국의 한의 암치료에 대한 공동연구를 진행하는 주역이었다.

다음으로는 상해 복단대 종양병원 통합암센터의 션이에화 교수의 발표가 이어졌다. 그녀는 복단대 의대를 졸업하고 내과전문의를 가지고 있으면서 통합암센터에서 근무를 하고 있었다. 원래는 절친인 통합암센터 주임인 멍즈창 교수를 초빙하려 하였으나 선약 관계로 션이에화 교수가 대신해 온 것이었다. 필자와는 미국 엠디앤더슨 암센터 연수기간 중 만나 그녀가 체류하는 6개월 동안 학술적으로나 개인적으로나 무척 가깝게 지내던 관계였다.

이 외에도 최근 각광받고 있는 대표적 통합암치료법인 고주파 온열암치료에 대해 독일의 후세인 사힌바스 박사와 얀 로센리흐 박사, 그리고 러시아 암센터의 세르게이 고르데레브 박사 등이 열띤 강연을 해주면서 학회를 빛냈다. 1차 학술대회 때 발표를 하지 못한 한의사 강사들로는 필자를 위시해 대구한의대 정현정 교수와 곽민아 교수, 삼대국민한의원의 임채선 원장, 주은 라파스병원의 장성환 센터장 등이 한의학을 중심으로 하는 근거중심적 통합암치료에 대해 열띤 강연을 펼쳤다. 장성환 센터장은 학회 후 필자에게 찾아와서는 "교수님. 어떤 의사 선생님들이 쉬는 시간 얘기하는 것을 우연히 듣게 되었는데 교수님 발표를 듣고는 저런 한의사 선생님과는 정말로 함께 일하고 싶다고 얘기를 나누더라고요."라고 귀띔을 해주였다. 필자 기분이 좋으라고 한 소리인지는 모르겠으나 아무튼 전반적 분위기가 우호적이라는 것은 느낄 수 있었다.

학회를 마무리 하고 일본의 이토 교수와 중국의 션이에화 교수와 와인을 마시는 자리에서 그들은 학회가 정말로 성공적이고 한국의 통합암치료를 실현하는 데 매우 중요한 역할을 할 것이라고 축하를 해 주었다.

2016년 3월 개최된 제 3회 대한통합암학회 또한 "최신면역치료와 통합암치료"라는 주제를 가지고 성황리에 진행되었다. 최신 면역세포 및 줄기세포를 이용한 암 치료뿐만 아니라 전통의학에 기반한 면역암 치료의 최신 내용들의 수준 높은 발표들이 이어졌다. 필자는 "자연 살해 세포 활성을 이용한 한의면역암치료"를, 부산대학교 한의학전문대학원 건강노화 한의과학연구센터의 하기태 교수는 "천연물 기반의 암 대사 억제제 개발"을, 숙명여대 생명시스템학부 양영 교수는 "한약과 트라스튜쥬맵(허셉틴)을 이용한 한양방 병용 항암치료 전략"에 대해 발표를 하였다. 특히 양영 교수님과는 휴스턴 엠디앤더슨 연수 시절 종종 만나 교류를 한 인연이 있어서인지 더욱 반가운 느낌이 들었다. 또 메모리얼슬로안캐터링 암센터에 계시다가 현재 부산대 의학전문대학원 생화학교실에 근무 중이신 이상률 교수님께서는 "명상과 항종양 명역활성"에 대한 명쾌한 강의를 해주셨다. 필자와는 이미 12년 전부터 암환자 교류가 있던 터였다. 미래 통합암치료를 주도할 이러한 면역암 치료에 대한 최신 지견들은 국내의 통합암치료의 수준을 한층 더 격상

2015 대한통합암학회 국제학술대회 후 해외 초청연사들과 함께

시키는 견인차 역할을 할 것임에 틀림이 없었다.

세 번의 대한통합암학회의 학술대회는 이러한 정기적인 학술활동을 통해 국내에서 통합암치료의 필요성과 당위성을 역설하고 학문적인 발전을 이룩하는 데 대한통합암학회가 중심이 되어 나아가야만 한다는 것을 다시 한번 확인할 수 있게 해 주었다.

중부권 한의약 임상시험센터 국가사업 선정 그리고 통합암연구센터

필자는 한의과대학 임상교수로써의 사명을 이룩함에 있어 진료, 교육 그리고 연구의 포트폴리오를 균형 있게 달성하는 것을 목표로 하고 있다. 한 분야의 학문을 일구어냄에 있어서 연구는 너무도 중요한 요소인 것이다. 필자의 귀국 이후 우연의 일치인지 한의학의 임상연구에 대한 투자가 점차 그 규모가 늘어나 참여 기회가 많아지게 되었다. 필자 또한 귀국 연도에는 보건산업진흥원의 암환자 식욕부진 개선 침치료 효능 임상연구에, 귀국 다음 해에는 보건산업진흥원의 폐암치료 한약제제 개발 연구에 선정이 되어 연구책임자로 연구를 진행하던 중이었다.

2015년 1월초 필자와 함께 근무를 하시는 신경정신과의 정인철 교수님과 호흡기내과의 박양춘 교수님께서 국가대형과제인 한의 임상인프라구축 사업에 함께 지원하는 것이 어떻겠냐는 제안을 하셨다. 특히 대전대학교 둔산한방병원이 동서암센터를 중심으로 한의 종양분야가 특성화 되어 있으므로 과제의 특성을 주는 데 도움이 된다는 의견 또한 곁들이셨다. 매우 흥미로운 제안이었지만 양한방 융합 임상과제를 준비 중이었던 필자로써는 큰 부담을 느낄 수밖에 없었다. "제가 이미 연구책임자로 과제를 진행 중이고 또 다른 과제를 수주하기 위해 준비 중인데 너무 무리가 되지는 않을까요?"라는 필자의 우려에 대해 인프라 구축 연구를 주도하시고 계시던 박양춘 교수님께서는 "모두에게 버거운 상황입니다. 그럼에도 불구하고 올해가 지나가버리면 기회가 없을 가능성이 많고 또 지금이 우리의 인력풀에 있어서 나름 경쟁력을 가지고 있는 상황이니 긍정적으로 생각해 주시죠."라고 용기를 불어넣어주셨다. 장고 끝에 그래도 한의약 종양특화 임상연구 체계구축 연구는 필자의 소명과 너무도 일치하는 분야였기에 이를 추진키로 결심을 굳혔다.

드디어 긴 프로포절 준비과정에 돌입하였다. 4월 초까지 3개월 동안의 서류 및 구두평가 준비 그리고 5월초까지 현장평가 준비의 숨 가쁜 4개월간의 일정이었다. 게다가 양한방 융합 임상과제 또한 함께 준비를 진행해야만 하는 상황이었다. 세부 책임자들이 구성되어 총괄 및 1세부의 한의약 임상연구 기반시설 및 산학연병 네트워크 구축은 박양춘 교수님, 2세부의 한의약 임상연구 교육프로그램 개발 및 제품화 지원시스템 구축은 유호룡 교수님, 3세부의 한의약 임상시험 기술개발 및 수행은 정인철 교수님, 4세부의 한의약 종양 특화 임상연구 체계구축은 필자가 맡기로 결정을 하였다. 세부 책임자들과 함께 구성이 된 임상 교수님들 그리고 기초학 신진 교수님들을 포함해 10여명의 군단이 꾸려졌고 매주 2회의 정기회의가 끊임없이 이어져 밤 12시를 넘기기가 일쑤였다. 함께 경쟁을 하는 D대학 팀과 P대학 팀의 전력은 우리 팀에 비에 객관적인 우세를 나타내고 있었고 상대적으로 후발주자인 우리는 디테일을 바탕으로 틈새를 집요하게 공략을 하였다.

4월초 구두발표가 끝난 다음 5월초에 있을 현장평가를 준비하는 과정은 마치 007 영화와도 같았다. 나름 내용도 충실히 준비했지만 평가단을 맞이하기 위한 다과나 음료 준비를 함에 있어서도 도자기 접시와 명인이 만든 떡, 갓 로스팅한 커피, 생화, 조명, 동선 등등 세밀한 부분까지 최선을 다했고, 마지막에는 세부 책임자들이 모두 대전역까지 함께 따라 나가 배웅을 하는 등 서로가 서로를 격려하며 부족한 곳이 없는지를 크로스 체크하였다.

마침내 6월초 대전대학교 둔산한방병원이 보건복지부의 '한의약 임상인프라 구축지원 사업'에 최종 선정되었음이 통지되었다. 이 사업선정으로 매년 10억 원씩 5년 동안 총 50억 원의 연구비를 국가로부터 지원받게 된 것이다. 사업선정은 즉 한의약분야 임상연구의 활성화와 더불어 국제적 수준으로 임상연구의 질을 향상시키고, 전문 인력양성을 목적으로 하는 한의약 연구개발 사업을 진행하게 됨을 의미했다. 오민석 병원장께서는 "둔산한방병원 임상시험센터는 이번 사업 선정을 계기로 산업계 지원시스템 및 융합연구 시스템을 갖추게 됐다."며, "대전지역이 보유한 전국 최고수준의 연구 인프라와 결합하여 임상연구를 바탕으로 지역 한의약산업을 비롯한 보건의료산업 발전에 기여할 것으로 기대되고 있다."고 소감을 밝히셨다. 150일간 병원식구들 모두가 혼연일체가 되어 최선을 다한 결과였다.

필자는 이와 더불어 준비했던 양한방 융합기반 기술개발 사업 중 비의약품 임상연구 분야에도 선정이 되어 유방암 환자를 대상으로 하는 융합치료기술을 활용한 임상연구를 충남대병원 유방암센터와 함께 진행하는 것이 확정되었다. 엠디앤더슨 암센터에서 귀국한 지 2년 3개월이 흐른 시점에서 이룩한 쾌거였고 평소 필자 인생의 소명인 "암이라는 질병으로 고통 받는 환자들을 위한 삶" 중 연구부분을 이룩하는 데 있어서의 그토록 갈망하던 기틀을 만든 것이다. 임상의학연구소 내에 WBCT (Wheel Balance Cancer Therapy, 수레바퀴 암치료법) 통합암연구센터를 두고 관련된 연구를 진행하면서 암환자에게 도움이 되는 치료기술을 개발하는 연구를 보다 체계적으로 국가의 지원을 받으면서 진행할 생각을 하니 가슴이 벅차올랐다. 이는 엠디앤더슨 암센터에서 배운대로 환자를 통해 연구과제를 선정하고, 연구의 선순환을 통해서 그 내용을 교육하고 또 환자를 창출하는 선진적 연구중점병원 의료체제를 대전대 둔산한방병원에 정착시켰음을 의미한다. 지난 통합암치료에 매진한 20년 세월의 총집결체인 셈이다. 추후 이 플랫폼을 바탕으로 하는 한의 기반 암 임상연구를 수행하여 암환자들을 위한 융합치료기술의 근거를 창출하는 요람으로서의 역할이 기대된다. 인생은 론도 Londo(동일한 주제가 되풀이되는 사이에 다른 가락이 여러 가지로 끼어드는 형식의 기악곡)라고 했던가? 다시 처음 20년 전 한의 종양학을 접할 때의 설레는 초심으로 돌아가 막 출발하기 위한 선상에 서서 달릴 준비를 하고 있는 것이다.

에필로그

환자가 중심이다

필자가 귀국한 이후 또 많은 암환자분들을 진료했다. 어떤 환자분께서는 『미국으로 간 허준』 책을 접하고 오셨다는 얘기도 하시고 또 어떤 환자분께서는 병원에 입원하고 계시는 도중 책을 읽으셨다고도 하셨다. 대부분의 반응은 통합암치료에 대해 알게 된 것을 상당히 만족해 하셨다. 왜 이런 진료가 국내의 대형 암센터에서 이루어지지 않는가를 물어오시는 분들도 계셨다. 일부 환자분들은 매우 좋은 효과를 보이기도 했고 또 일부 환자분들은 당연할지도 모르지만 악화가 지속되기도 했다.

앞서 얘기한 대로 이전과 달라진 점은 필자가 시술하고 있는 통합암치료의 내용들이 암환자에게 도움을 준다는 확실한 근거를 바탕으로 하고 있다는 자신감이었다. 또한 주목할 점은 서울성모병원, 충남대병원, 유성선병원, 고신대병원 등 암센터에서 필자의 통합암치료 강의 후 의뢰해오는 환자의 수가 점차 늘어난다는 사실이다. 암을 치료하는 데 있어서 마법의 탄환Magic bullet은 없다는 사실을 우리는 익히 알고 있다. 하지만 신체적, 사회적, 정신적, 영적 영역을 아우르는 통합암치료의 개념과 그 중심에 있는 침술, 천연물, 심신요법들이 암환자의 삶의 질 개선과 생존율 연장에 매우 중요한 역할을 할 수 있다는 사실 또한 우리는 너무도 잘 알고 있다.

"환자가 중심이다The focus is the patient."라는 너무도 당연한 명제만을 생각해본다면 환자에게 도움이 된다는 근거를 지닌 통합암치료는 지금보다 훨씬 더 권고되어져야만 한다. 특히 전통의학이 잘 보존돼 있는 우리나라의 특성을 살려 양한방 융합치료기술을 개발하는 것은 최근 중국 중의연구원의 투요우요우 박사가 주후비급방肘後備急方이라는 전통의서에 착안하여 쑥(애엽)으로부터 기원한 말라리아 치료제 아르테미신Artemisin 연구로 노벨생리의학상을 탄 사실만 보더라도 전통의학 기반 치료기술은 매우 중요한 미래의학의 한 축임을 부인해서는 안 될 것이다.

이제 『미국으로 간 허준』의 동서양 의학의 통합을 통한 암치료를 향한 도전 정신은 융합치료기술을 개발하고 또 임상연구를 통한 근거확립으로 옮겨져 이어질 것이다. 그리고 그 중심에는 고통 받는 암 환자가 있다는 사실 또한 절대로 망각돼서는 안 될 것이다. 역사는 반복된다고 했던가? 한 세기 전 슈바이처 박사가 그토록 강조하였던 생명외경生命畏敬 사상이 이루어지는 그날을 기원하며…….

● 용어정리

5장

- **경막외 마취술:** 뇌와 척수를 둘러싸고 있는 3겹의 뇌막 중 가장 바깥에서 둘러싸는 막인 경막외 공간에 통증제어 등을 목적으로 마취제를 투여하는 시술.
- **계통적 고찰:** 사전에 엄밀하게 정의된 방법론에 따라 선행논문들을 선별, 통합, 결과 도출하는 연구.
- **골수억제반응:** 항암제 등에 의해 골수의 기능이 억제되어 혈구생성이 원활히 이루어지지 않는 경우.
- **그린 폐경지수:** 폐경 관련 증상을 측정하기 위해 만들어진 설문지 중 하나.
- **내관혈**: 손목 안쪽 횡문에서 6cm 정도 위로 올라간 수궐음심포경의 경혈로 급체나 소화 장애 등에 사용됨.
- **말초신경병증:** 말초신경이 손상되어 나타나는 저리거나 아픈 증상.
- **면역 글로불린:** 항체를 포함한 구조적, 기능적 관련이 있는 단백질의 총칭.
- **무작위배정 연구:** 치료군과 대조군의 환자에게 치료방법을 연구자의 의지가 개입되지 않도록 무작위로 배정하는 기법을 사용한 임상연구 방식.
- **베타엔도르핀:** 엔도르핀은 뇌하수체에서 생성되는 모르핀이라는 뜻의 호르몬으로 뇌하수체에서 생성되어 진정 효과를 나타내며, 이중 베타 엔도르핀이 가장 강한 진정 작용을 보임.
- **벤라팍신:** 우울증 치료제인 에펙소의 성분명.
- **비대조군 증례연구**: 대조군을 설정하지 않고 시험군만을 분석한 증례 연구.
- **비호지킨 림프종**: 면역세포인 B 세포, T 세포 또는 자연살해세포에서 기원하는 림프구 증식 악성질환.
- **사혈치료**: 병적 어혈을 제거하여 질병을 치료하는 방법.

- **시상등급척도**: 통증을 기록하기 위한 척도 중의 하나로 통증이 없을 때를 0, 가장 심한 통증을 10으로 했을 때 통증의 정도를 기록하는 것.
- **식물성혈구응집소**: 식물체에서 볼 수 있는 세포응집활성을 가진 물질.
- **아로마타아제**: 스테로이드 호르몬을 여성 호르몬으로 전환시키는 효소.
- **용해성 IL-2 수용체**: 인터류킨 2 수용체는 α, β, γ의 3종류의 당단백으로 이루어지고 이 중에서 α사슬이 일부가 세포에서 유리된 것이 용해성 IL-2 수용체임.
- **이침**: 귀에 위치하고 있는 경혈에 침을 자입하여 치료하는 것.
- **인터류킨-2**: 항원자극을 받은 T세포나 자연살해세포가 분비하는 면역물질.
- **자연 살해세포**: 선천면역을 담당하는 중요한 면역세포.
- **전침**: 경혈점에 침을 자입한 후 일정한 전기자극을 주어 경혈을 자극하는 치료.
- **전해질 불균형**: 체액 성분 중 나트륨, 칼륨, 칼슘, 마그네슘 등이 균형을 이루지 못하고 있는 상태.
- **지표 연구**: 대규모 연구를 시행하기 전 연구 설계의 단점을 미리 파악해서 수정 보완하기 위해 모의로 시행하는 연구.
- **타목시펜**: 폐경 전 여성에서 여성호르몬 수용체에 작용하여 여성호르몬 억제 효과를 나타내기 위하여 사용하며, 유방암의 재발억제에 효과가 있는 것으로 확인되어 호르몬 수용체 양성인 경우 표준 치료법으로 실시함.
- **호중구감소증**: 백혈구에서 호중구의 수가 차지하는 비율이 높기 때문에 백혈구 감소증은 대개 호중구 감소증으로 나타남.
- **후향적**: 전향적의 반대로 이미 있는 과거자료를 이용하는 것.
- T**림프구**: 세포성 면역에 관여하는 백혈구의 일종.
- t-**테스트**: 한 개 또는 두 개의 모집단의 표준편차를 모를 때 평균치 검정을 하는 것.

6장

- **글루코스-6-인산**: 글루코스-1-인산으로부터 효소로 인산기를 전위시키면 생성되며 인체내 존재함.
- **글루타치온**: 간에서 합성되는 항산화 작용을 가지는 단백질.
- **글루타치온 환원효소**: 글루타치온의 기질을 환원하는 효소.

- **기질금속단백분해효소**: 세포의 기질을 분해하는 금속단백질분해효소의 총칭으로 암의 전이 등에 관여함.
- **내성**: 약물을 반복 투여할 경우 그 후에는 동일량을 투여해도 처음과 동일 효과가 나타나지 않는 저항성을 의미함.
- **단핵구**: 림프구 및 과립 백혈구로부터 독립한 백혈구의 한 계통으로 혈구 중 가장 큼.
- **만성이식병증**: 신장이식 후 발생하는 만성병증으로 고혈압이나 혈뇨 등이 동반됨.
- **메타분석 연구**: 개별 1차 연구들의 양적인 결과들을 통합하여 총괄적인 효과 크기의 추정치를 내는 연구.
- **보조 T세포**: T세포 의존 항원이 B세포에 효율적으로 제시되기 위해 필요한 세포로서 세포 매개성 면역 반응을 촉진함.
- **비타민D 수용체**: 장, 신장, 피부, 갑상선과 같은 대사성 조직에서 높게 발현되며 특히 악성 조직에서도 발현되는 핵 수용체.
- **사이클로스포린**: 면역억제제.
- **사이클로옥시제네이즈-2**: 염증, 통증, 발열을 유발하는 프로스타글란딘을 만드는 효소.
- **사이클린B1 단백**: 세포 유사분열에 관계하는 조절단백.
- **시냅스**: 신경세포 간에 신호를 보내는 접합부위.
- **신생혈관형성**: 암이 성장하기 위한 영양공급을 목적으로 새로운 혈관을 만드는 과정.
- **아드리아마이신**: 안트라사이클린계 항생물질 기원 항암제.
- **아미노글리코사이드**: 항생제나 단백질 합성 억제제로 사용됨.
- **아세틸콜린**: 부교감신경에서 분비되는 신경전달물질.
- **악액질**: 암 등 말기병증에서 볼 수 있는 고도의 전신쇠약증세.
- **와파린**: 혈액 응고를 저지하는 약물.
- **이소플라본**: 여성호르몬인 에스트로겐과 유사하여 에스트로겐 분비를 유도하는 식물성 물질로 주로 콩과에 많이 함유되어 있음.
- **이종이식**: 종이 다른 동물의 기관이나 조직, 세포 등을 이식하는 방법.
- **인터류킨-1**: 단구와 대식세포에 의해 생산되는 면역물질.
- **적혈구 전구세포**: 골수에 존재하는 형태적으로 동정할 수 있는 적혈구계의 유령세포로 이후 적혈구로 됨.
- **조증**: 부적절하게 들뜨는 기분이나 흥분이 지속되는 상태.

- **종양괴사인자**: 대식세포에 의해 체내에서 생성되는 단백질.
- **종양괴사인자-알파**: 대식세포에 의해 체내에서 생성되는 항암작용을 하는 단백질.
- **증례 대조군 역학연구**: 시험군과 대조군으로 구분하여 특정인구집단을 대상으로 한 연구.
- **캐스패이즈**: 세포가 죽어야 할 때 다른 단백질을 잘라 분해하는 역할을 하는 물질.
- **콜린**: 아세틸콜린의 성분으로 신경의 흥분전달에 관여하는 물질.
- **콜린성 수용체**: 콜린성 전달 물질과 결합하여 작용을 나타내는 자율 신경 수용체.
- **쿠퍼 세포**: 간 모세혈관 벽에 위치하고 있는 대식세포.
- **토포이소머라제**: DNA 한쪽 사슬이 풀리게 도와주는 효소.
- **혈관 내피 성장 인자**: 혈관의 내피세포에 선택적으로 작용하여 종양의 전이를 촉진하는 인자.
- **2형 주조직적합성 복합체 항원발현**: 항원제시세포라고 불리는 B세포, 대식세포 등의 특정 면역 관련 세포에 존재하는 거대한 유전자군.
- **5-알파 환원효소**: 테스토스테론이 디하이드로테스토스테론으로 전환되게 하는 작용을 하는 효소.
- **Bax**: 세포사를 촉진시키는 유전자.
- **Bcl-2**: 세포사를 억제시키는 유전자.
- **CYP2E1, CYP1A2, CYP2A6, CYP3A4**: 간에서 대사작용을 하는 효소계인 시토크롬 P 450의 주요 대사효소들.
- **G2 사멸**: 세포주기 중 G2기의 세포분열을 억제하여 발생하는 세포사멸.
- **JNK 경로**: 암 발생과 관련되어 c-Jun 유전자의 전사를 활성화하는 경로.
- **NF-kB**: DNA의 전사를 조절하는 복합단백체로 면역 및 암과 관련됨.
- **p21**: cdk억제제의 일종으로 p53에 의해 발현 유도되어 DNA 손상 시의 세포주기의 정지(G1정지) 기구의 역할을 함.
- **p53**: 세포의 이상증식을 억제하고 암세포가 사멸되도록 유도하는 역할을 담당하는 유전자.
- **P-글라이코프로테인**: 단백질과 단일구조의 탄수화물이 공유결합하여 만들어진 복합단백질로 신호전달의 역할을 함.
- **Rh2, Rh3, Rb1**: 인삼에 함유되어 있는 진세노사이드 성분.
- **Stat3**: 초기 면역반응을 유도하는 전사인자이며 조직의 분화와 성장을 촉진함.

● 참고문헌 및 웹사이트

〈통합종양학〉 이퍼블릭, 2009.

〈통합암치료(보완의학과 최신 임상종양학의 결합)〉 이퍼블릭, 2010.

〈Making Cancer History: Disease and Discovery at the University of Texas M. D. Anderson Cancer Center〉 The Jonhs Hopkins University Press, 2009.

〈Life over cancer〉 Bantam, 2009.

〈암 전이 재발을 막아주는 한방 신치료 전략〉, 가림출판사, 2009.

〈엠디앤더슨 암센터 웹사이트〉 www.mdanderson.org

〈메모리얼 슬론 캐터링 암센터 웹사이트〉 www.mskcc.org

〈블록센터 웹사이트〉 www.blockmd.com

〈동서암센터 웹사이트〉 www.ewcc.or.kr

● 참고논문

Alimi D, et al. J Clin Oncol 21(22): 4120-6, 2003.

Alimi D, et al. J Pain Symptom Manage 19(2): 81-2, 2000.

Bayet-Robert M, et al. Cancer Biol Ther 9(1):8-14, 2010.

Chandeying V, et al. J Med Assoc Thai 90(9):1720-6, 2007.

Crew KD, et al. J Clin Oncol 28(7): 1154-60, 2010.

Cui Y, et al. Am J Epidemiol 163(7):645-53, 2006.

Dang W, et al. J Tradit Chin Med 18(1): 31-8, 1998.

Deng G, et al. J Ethnopharmacol 136(1):83-7, 2011.

de Valois BA, et al. J Altern Complement Med 16(10): 1047-57, 2010.

Dhillon N, et al. Clin Cancer Res 14(14):4491-9, 2008.

Enblom A, et al. PLoS One 6(3): e14766, 2011.

Epelbaum R, et al. Nutr Cancer 62(8):1137-41, 2010.

Ezzo JM, et al. Cochrane Database Syst Rev (2): CD002285, 2006.

Filshie J, et al. Acupunct Med 23(4): 171-80, 2005.

Filshie J, et al. Eur J Surg Oncol 11(4): 389-94, 1985.

Frisk J, et al. Climacteric 11(2): 166-74, 2008.

Gao Y, et al. Immunol Invest 32(3):201-15, 2003.

Gordan JD, et al. J Clin Oncol 29(11):e288-91, 2011.

Guo L, et al. Med Oncol 29(3):1656-62, 2012.

He CJ, et al. J Tradit Chin Med 7(1): 9-11, 1987.

He JP, et al. Clin Exp Obstet Gynecol 26(2): 81-4, 1999.

He ZY, et al. Cancer Invest. 9(3):208-13, 2011.

Huang SM, et al. Integr Cancer Ther 12(2): 136-44, 2012.

Johnstone PA, et al. Palliat Med 16(3): 235-9, 2002.

Liljegren A, et al. Breast Cancer Res Treat 135(3): 791–8, 2012.

Li QS, et al. Chin Med J (Engl) 107(4): 289–94, 1994.

Mehling WE, et al. J Pain Symptom Manage 33(3): 258–66, 2007.

Molassiotis A, et al. Complement Ther Med 15(1): 3–12, 2007.

Nakamoto H, et al. Hemodial Int Suppl 2:S9–S14, 2008.

Nakazato H, et al. Lancet 343(8906):1122–6, 1994.

Noguchi M, et al. Asian J Androl 10(5):777–85, 2008.

Ohwada S, et al. Br J Cancer 90(5):1003–10, 2004.

Perez AT, et al. Breast Cancer Res Treat 120(1):111–8, 2010.

Porzio G, et al. Tumori 88(2): 128–30, 2002.

Rugo H, et al. Breast Cancer Res Treat 105(1):17–28, 2007.

Satoh H, et al. J Altern Complement Med 8(2):107–8, 2002.

Shen J, et al. JAMA 284(21): 2755–61, 2000.

Shin HR, et al. Cancer Causes Control 11(6):565–76, 2000.

Sho Y, et al. J Gastroenterol 39(12):1202–4, 2004.

Streitberger K, et al. Clin Cancer Res 9(7): 2538–44, 2003.

Taspinar A, et al. Eur J Oncol Nurs 14(1): 49–54, 2010.

Tsang KW, et al. Respir Med 97(6):618–24, 2003.

Vickers AJ. J R Soc Med 89(6): 303–11, 1996.

Wachtel–Galor S, et al. Br J Nutr 91(2):263–69, 2004.

Walker EM, et al. J Clin Oncol 28(4): 634–40, 2010.

Wei Z. J Tradit Chin Med 18(2): 94–5, 1998.

Wong CK, et al. Int Immunopharmacol 4(2):201–11, 2004.

Wu B, et al. Zhongguo Zhong Xi Yi Jie He Za Zhi 14(9): 537–9, 1994.

Wu B, et al. Zhongguo Zhong Xi Yi Jie He Za Zhi 16(3): 139–41, 1996.

Wu P, et al. J Exp Clin Cancer Res 28(1):112, 2009.

Xia YQ, et al. J Tradit Chin Med 6(1): 23–6, 1986.

Ye F, et al. J Tradit Chin Med 27(1): 19–21, 2007.

Yoo HS, et al. Integr Cancer Ther 10(4):NP1-3, 2011.
You Q, et al. Int J Gynecol Cancer 19(4): 567-71, 2009.
Yu HM, et al. Lung Cancer 59(2):219-26, 2008.
Yun TK, et al. Int J Epidemiol 27(3):359-64, 1998.
Zhou RX, et al. J Tradit Chin Med 8(2): 83-4, 1988.

출간후기

암 환자들의 삶을 희망으로 이끌어 주는 통합암치료를 통해 전국 방방곡곡에 행복한 에너지가 샘솟기를 기원드립니다!

권선복
(도서출판 행복에너지 대표이사, 한국정책학회 운영이사)

지금 이 순간에도 수많은 사람들이 암 때문에 목숨을 잃고 있습니다. 암은 우리나라뿐만 아니라 전 세계에서 사망 원인 1위로 꼽힙니다. 암과의 사투에서 승리할 수만 있다면, 인류 전체가 더 행복한 삶을 누릴 수 있을 것입니다. 하지만 말처럼 쉽지만은 않습니다. 커다란 진전이 있었다고는 하나 암을 완전 정복하기란 여전히 요원해 보입니다. 그래도 희망의 끈을 놓을 수 없는 까닭은 밤잠을 설치면서까지 암치료 연구에 매진하는 전문가들의 열정이 있기 때문입니다.

현재 대전대학교 둔산한방병원 동서암센터 교수로 재직 중이신 유화승 박사님 역시 암으로 고통 받는 환자들을 위해 평생 열정을 쏟으셨습니다. 책 『미국으로 간 허준 그리고 그 후』는 저자가 국내 최고의 통합암치료 전문가로 오르기까지의 과정과 도전정신을 그리고 있습니다. 미국 최고의 암센터 엠디앤더슨에서의 경험담은 물론 가시적인 성과를 내며 암환자들에게 희망을 심어준 통합암치료 연구의 현재 상황까지 생생히 담아냈습니다. 암환자들에게 꼭 필요한 암 관련 정보 또한 이 책의 가치를 더욱 빛내고 있습니다. 본인의 모든 열정과 노하우를 담아 지금 우리 시대, 우리 사회에 가장 필요한 책을 써 주신 유화승 박사님께 감사의 말씀을 드립니다.

암 때문에 고통을 받고 있는 많은 환자 분들과 그 가족 분들에게 이 책이 한 줄기 밝은 빛을 드리우고 암을 이겨낼 의지와 용기를 불어넣어 주기를 기대합니다. 또한 이 책을 읽는 모든 독자 분들의 삶에 행복과 긍정의 에너지가 샘솟기를 기원합니다.